煤矿开采技术

郭靖　主编

山西出版传媒集团
山西人民出版社
山西科学技术出版社

图书在版编目（CIP）数据

煤矿开采技术 / 郭靖主编. -- 太原 ：山西人民出版社，山西科学技术出版社 2014. 6

山西省煤炭中等职业教育系列教材

ISBN 978-7-203-08510-2

Ⅰ. ①煤… Ⅱ. ①郭… Ⅲ. ①煤矿开采-岗位培训-教材 Ⅳ. ①TD82

中国版本图书馆CIP数据核字(2014)第081498号

煤矿开采技术

主　　编：郭　靖
责任编辑：武　静

出 版 者：山西出版传媒集团·山西人民出版社·山西科学技术出版社
地　　址：太原市建设南路21号
邮　　编：030012
发行营销：0351-4922220　4955996　4956039
　　　　　0351-4922127　（传真）　4956038(邮购)
E-mail：sxskcb@163.com　发行部
　　　　sxskcb@126.com　总编室
网　　址：www.sxskcb.com

经 销 者：山西出版传媒集团·山西人民出版社
承 印 厂：山西惠民印务有限公司

开　　本：787mm×1092mm　1/16
印　　张：19.75
字　　数：350千字
印　　数：1—3000册
版　　次：2014年6月 第1版
印　　次：2014年6月 第1次印刷
书　　号：ISBN　978-7-203-08510-2
定　　价：48.00元

《山西省煤炭中等职业教育系列教材》编委会

前　言

为认真落实山西省政府、山西省煤炭厅对煤炭行业从业人员素质提升的指示精神，适应山西省煤炭资源整合、企业兼并重组后现代化矿井建设对技术技能型人才的迫切需求，推进全省煤矿从业人员"人本安全、培训教育、素质提升"工程实施，促进煤矿企业人才队伍"变招工为招生"素质专业化目标实现，按照课程改革、课堂教学改革方案的要求，加快中等职业教育"送教下矿"培养模式的教材改革，使之适应煤炭工业机械化、信息化、现代化建设的人才需求，按照煤矿生产、建设、安全管理实际和对从业人员的具体要求，在认真调研、广泛征求意见的基础上，我们组织骨干教师对2010版山西省煤矿关键岗位从业人员中等职业教材进行了重新修订。

本系列教材在编写修订过程中着重突出以下特点：1.参照教学计划和教学大纲执行两个课改方案要求；2.新技术、新装备、新工艺单独成章，提高学生对现代化矿井的综合认知；3.将"山西省煤矿六个标准"按各专业要求编入其中，并融入"人人都是通风员"的思想理念；4.编入了企业现场实用的系统知识、技能、工艺；5.教材每章均按系统理论、核心知识点、专业技能训练三部分编写，突出技能训练内容，同时编有复习题，新增了讨论题，力求实现理论联系实际的教学目的；6.本系列教材力求简洁、实用、通俗易懂。

本书主编：郭靖

编写人员在教材修订过程中，得到了有关领导和专家的支持、帮助，并参考了大量的文献资料和煤矿企业技术资料。在此，向提供帮助的有关专家、领导及企业表示诚挚的感谢！

希望各位教师、企业工程技术人员、专家能够结合煤矿企业发展现状，将更为先进的、适用的专业技术内容提供给我们。

由于时间仓促，编者水平有限，书中难免有不妥之处，恳请广大师生、企业工程技术人员批评指正。

前 言

目 录

第五章　采煤方法概述

第六章　采煤工作面矿山压力基本规律

第七章　长壁采煤法采煤系统

第八章　爆破采煤法采煤技术

第九章 普通机械化采煤技术

第十章 综合机械化采煤技术

第十一章 其他条件下的采煤技术

第十二章 急倾斜煤层采煤法

第十三章　采煤工作面生产技术管理

第十四章　水力采煤法

第十五章　柱式采煤法

第十六章　现代化矿井综采技术实例

第十七章　山西省煤矿“六个标准”涉及内容

绪　论

能源是人类社会赖以生存和发展的重要物质基础。保持稳定的能源供应，是现代化建设的重要条件。煤炭是现代世界五大能源(煤炭、石油、天然气、水电、核电)之一，而且最易开发利用，赋存最丰富，因而被认为是最具长期利用价值的能源。目前，大力开发和合理利用煤炭资源，已成为许多国家能源政策的重要组成部分。

一、煤炭工业在国民经济中的地位

煤炭在我国能源结构和国民经济中的地位举足轻重，是我国的主要能源。

1.我国煤炭资源情况

目前我国煤炭探明总储量在10000亿吨以上，居世界前列，已知含煤面积55万多平方公里，而且煤种齐全。

2.煤炭在我国能源结构所占比重及用途

煤炭是我国第一能源，在一次能源消费结构中的比重占75%多。目前，全国75%的工业燃料动力、65%的化工原料、85%的城市用燃料都是由煤炭提供的，而且这种格局在今后相当一段时期内不会有根本性的改变。

主要用途有：

(1)直接燃烧：如火力发电，城市取暖。

(2)化工原料：我国化工原料三分之二来自煤炭，化工产品主要有氮肥、农药、合成树脂、塑料、合成纤维、染料、颜料和医药等。

二、我国煤炭工业发展概况

我国利用煤炭有几千年历史，是世界上发现和利用煤炭最早的国家之一，远在公元前500年左右的春秋战国时期，煤已成为一种重要产品，称为石涅或涅石。明末宋应星编著的《天工开物》系统地记载了我国古代煤炭的开采技术。但是长期落后的封建主义生产关系的桎梏，阻碍了采矿业的进一步发展。解放前的旧中国，在帝国主义、封建主义和官僚资本主义三座大山的压榨下，矿山设施简陋，开采技术落后，资源破坏，煤炭工业发展处于停滞状况。直到新中国成立后，我国煤炭工业才发展迅速，2009年1-12月全国共生产原煤29.65亿吨，居世界首位。

采煤方法的改进：新中国成立初期采用无支护的穿硐式和高落式，目前普遍采用壁式采煤方法，并实现了普通机械化和综合机械化开采。并且特殊凿井技术、巷道光面煤破和锚喷支护技术、水力采煤技术等已接近和达到世界先进水平。

三、煤炭工业发展前景

1.煤炭工业的新技术

在世界煤炭工业的200多年历史上，第一次技术革命是采煤综合机械化，第二次技术革命是煤矿自动化，第三次技术革命是煤炭气化和液化。目前世界煤炭工业的新技术有：

（1）微电子和计算机技术。电子计算机在20世纪60年代初进入煤矿。利用计算机对矿井生产进行监控，在地面的控制台上，调度人员可借呼叫键和显示屏进行人机对话，平时或出现险情能够发出音响报警信号和简短的警告语句，并指出应采取的措施。

（2）机械—电子技术。微电子技术与机械、电工、测试、控制等技术的结合，形成机械-电子这门新兴技术。目前国外井巷掘进都已使用防爆激光指向仪；回采工作面采用地声检测仪，用以预测煤与瓦斯突出和冲击地压，传感器把记录的信息传输到地面控制台；矿井用红外线CO分析仪预报井下火灾。

（3）生物技术。利用微生物降低煤瓦斯含量；利用细菌对煤炭进行脱硫；利用微生物使泥炭转化成代用天然气。

（4）航天技术。航天工业是发展最快的高技术工业之一。利用卫星进行煤田地质普查，可以减少野外工作量，节约资金；利用卫星遥感技术，探测深度不大的煤矿井下断层和破碎带，以查明冒顶隐患，改进矿井技术；利用卫星摄影监视露天煤矿的开采。

（5）新材料。与煤矿有关的新材料，主要有高性能合金、工程塑料、合成树脂、高性能复合结构材料、光纤等。利用新材料，可使煤矿机械寿命增加，可使监控系统更先进。

2.采煤技术发展前景

据世界有关专家的预测和设想，未来的采煤技术有以下几种：

（1）计算机控制的自动化矿井。

全矿生产过程用计算机控制，应用电磁、超声波、同位素等会感器检测数据；用激光仪监测瓦斯和机器导向；用电视监视设备运行。

（2）采煤机器人。井下机器人将首先用于掘进工作面。

（3）煤炭地下气化。

（4）化学采煤。现着手研究的主要有三类，即：溶剂萃取法、化学破碎法、微生物分解法。

上述四种未来的采煤技术，都在试验阶段和设想阶段，实际应用尚需解决一系列的问题。如精确预测煤层地质技术；高精度定向钻孔；破碎或分解过程的自动监控；产品提到地面的方法；采空区处理与控制；大量化学剂的供应；其他专业的高水平技术的配合及研制经费、周期等。

第一章 井田开拓基本知识

第一部分 系统理论知识

第一节 煤田划分为井田

煤田:在地质历史发展的过程中,有含炭物质沉积形成的基本连续的大面积含煤地带,称为煤田。我国煤炭资源丰富,而且分布广,煤炭品种齐全。煤田有大有小,大的煤田面积可达数百到数万平方千米,煤炭储量从数亿吨到数百上千亿吨;小的煤田面积只有几千平方米,储量较少。

矿区:开发煤田形成的社会组合叫矿区。就山西来讲,有大同、宁武、西山、沁水、霍西、河东六大煤田。就其面积来讲,沁水煤田最大,河东煤田次之,大同煤田最小。

煤田与矿区的关系:一个煤田可以划分几个矿区开发,如沁水煤田分阳泉、潞安、晋城三个矿区;一个煤田归一个矿区开发,如大同矿区开发大同煤田,轩岗矿区开发宁武煤田;一个矿区开发几个煤田,如淮南矿区。

井田:在矿区内,划归给一个矿井(或一个露天矿)开采的部分煤田,称为井田。例如铜川矿区,划分成东坡、鸭口、徐家沟、金华山、王石凹、李家塔、三里洞、桃园、史家河等井田。

因此,在煤田划分为井田时,要保证各井田有合理的尺寸和境界,使煤田各部分都能得到合理的开发。

一、井田划分的原则

1.要充分利用自然条件划分井田

在可能的条件下,尽量利用大断层等自然条件作为井田边界,或者利用河流、铁路、城镇下面留设的安全煤柱作为井田边界。这样做既相对减少了煤柱损失,提高资源采出率,又减少了给开采工作造成的困难,还有利于保护地面设施。如图1-1所示。

在地形复杂的地区,如地表为沟谷、丘陵、山岭的地区,划定的井田范围和边界要便于选择合理的井筒位置及布置工业场地。对于煤层煤质、牌号变化较大的地区,如果需要,也可以考虑依不同煤质、牌号按区域划分井田。

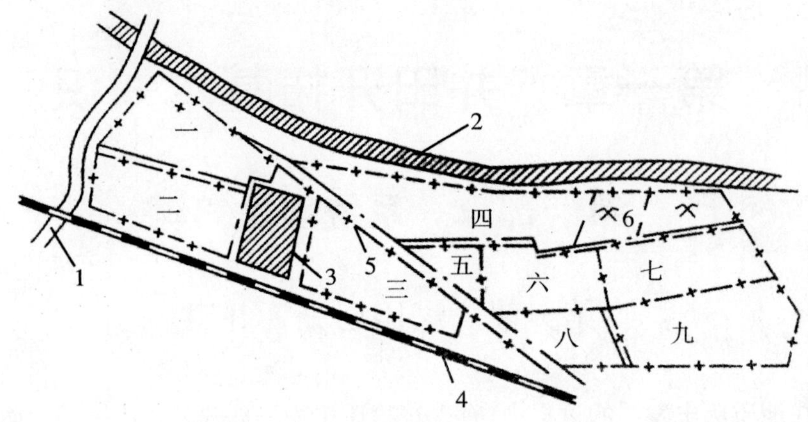

图1-1 利用自然条件作为井田边界

1——河流；2——煤层露头；3——城镇；4——铁路；5——大断层；6——小煤窑

一、二、三、四、五、六、七、八、九——划分的矿井

2.要有与矿井开采能力相适应的井田范围

井田范围必须与矿井生产能力相适应，保证矿井有足够的储量和合理的井田参数，尤其是要有合理的走向长度。在一般情况下，为便于合理安排井下生产，井田走向长度应大于倾斜长度。如井田走向长度过短，则难以保证矿井各个开采水平有足够的储量和合理的服务年限，造成矿井生产接替紧张；或者在这种情况下，为保证开采水平有足够的服务年限而加大阶段（水平）高度，给矿井生产带来困难。井田走向长度过长，又会给矿井通风、井下运输带来困难。因此，在矿井生产能力一定的情况下，井田走向长度过长或过短，都将降低矿井的经济效益。

3.合理规划矿井开采范围，必须处理好与相邻井田的关系

划分井田边界时，通常把煤层倾角不大、沿倾斜延展很宽的煤田，分成浅部和深部两部分。一般应先浅后深，先易后难，分别开发建井，以节约初期投资，同时也能避免浅、深部矿井形成复杂的压茬关系，给开采带来困难。

当需加大开发强度，必须在浅、深部同时建井，或浅部已有矿井开发需在深部另建新井时，应考虑给浅部矿井的发展留有余地，不使浅部矿井过早地报废。

4.要为矿井的发展留有余地

划分井田时，应充分考虑煤层赋存条件、技术发展趋势等因素，适当将井田划得大一些；或者是为矿井留一个后备区，为矿井的发展留有适当的余地。

5.直线（或折线）的境界划分原则

在不受其他条件限制的情况下，一般采用直线或折线形式来划定井田境界线，尽量避免曲线境界线。这样划定的井田，有利于矿井设计和生产技术管理工作。

6.保证有良好的安全经济效果

划分井田时，要力求使矿井有合理的开拓方式和采煤方法，便于选定井口位置和地面工业场地，有利于保护当地的生态环境，矿井井巷工程量小，投资省，建井期短，生产作业环境

好，安全可靠，为煤矿企业取得最大的经济效益和社会效益打下良好的基础。

二、井田人为境界的划分方法

井田的境界，除了利用自然条件作为井田境界之外，在其他条件不受限制时，往往要用人为划分的方法确定井田的境界。人为境界的划分方法，常用的有垂直划分、水平划分、按煤组划分及按自然条件形状划分等。

（一）垂直划分

相邻矿井以某一垂直面为界，沿境界线两侧各留井田边界煤柱，称为垂直划分。井田沿走向两端，一般采用沿倾斜线、勘探线或平行勘探线的垂直面划分。

（二）水平划分

以一定标高的水平面为界，即以一定标高的煤层底板等高线为界，并沿该煤层底板等高线留置边界煤柱，这种方法称作水平划分。

（三）按煤组划分

按煤层（组）间距的大小来划分矿界，即把煤层间距较小的相邻煤层划归一个矿井开采，把层间距较大的煤层（组）划归另一个矿井开采。

矿界还可以按地质构造条件来划分，例如以断层为矿界，各矿沿断层线留置矿界煤柱。

应当指出，无论用何种方法划分井田境界，都应力求做到井田境界整齐，避免犬牙交错，造成开采上的困难。

第二节　矿井储量、生产能力和服务年限

一、矿井储量

矿井储量是指井田内可采煤层的全部储量。通过对矿井储量分级和分类，表明煤炭的质量、地质情况被查明的程度、储量的可靠性，以及可以被开采和利用的价值。

（一）煤炭储量的分级分类

2003 年 3 月 1 日起实行的地质矿产行业标准 DZ/T 0215—2002《煤、泥炭地质勘查规范》，对煤炭资源/储量分类及类型条件、储量估算等作了新的划分和规定。依照该规范，煤炭储量按可行性评价阶段分为概略研究、预可行性研究和可行性研究储量；从经济意义上分为经济的、边际经济的、次边际经济的、内蕴经济的和经济意义未定的基础储量；从地质可靠程度上分为探明的、控制的、推断的、预测的储量。

（二）对煤炭资源采出率的规定

国家对采区和采煤工作面的采出率提出了具体要求。

采区采出率：薄煤层不低于 85%，中厚煤层不低于 80%，厚煤层不低于 75%，采用水力采煤的采区采出率不低于 70%。

采煤工作面采出率：薄煤层不低于97%，中厚煤层不低于95%，厚煤层不低于93%。

（三）储量损失

在开采过程中，由于各种原因，不可能把全部储量开采出来，而要损失掉一部分储量，这部分损失为储量损失。储量损失分为设计损失和实际损失两部分。

1.设计损失

根据煤层赋存条件、所采用的采煤方法以及保证开采安全的需要，在设计中规定永远遗留在地下的一部分储量为设计损失。设计损失分为：

（1）全矿性损失。包括矿界隔离煤柱，工业广场煤柱，井筒煤柱，建筑物下、水体下及铁路下的煤柱，防水煤柱及长期使用的巷道煤柱；由于地质构造复杂及水文地质条件复杂不能开采的损失；采区设计损失。

（2）采区损失。包括采煤工作面的设计损失与采煤方法有关的损失。

（3）采煤工作面损失。包括面积损失、厚度损失和落煤损失。面积损失是指在开采过程中，部分地段不能开采所造成的损失。厚度损失是指在采煤工作面上遗留顶煤或底煤，厚煤层分层开采时留设过多的煤皮假顶所造成的损失等。落煤损失是指工作面在开采过程中遗留在采煤工作面或巷道中的浮煤。

2.实际损失

指在开采过程中实际发生的煤量损失，根据其发生的范围，也可分为采煤工作面损失、采区损失和全矿井损失。

由于管理和技术等方面的影响，储量实际损失往往大于合理的设计损失。其中，凡是符合设计规定的煤炭损失均为合理损失；凡是设计上没有规定或生产过程中不应有的煤炭损失均为不合理损失。

不合理损失主要包括：

（1）违反开采顺序所造成的损失

先采下层煤或下分层，破坏了上层煤或上分层所造成的损失。

先采下水平或下阶段，破坏了上水平或上阶段所造成的损失。

（2）不按设计规定开采所造成的损失

超过设计规定尺寸留设煤柱的煤量。

超过设计规定厚度留设煤皮的煤量。

超过设计规定的落煤损失量。

乱采巷道煤柱造成的损失量。

（3）采用不合理的巷道布置所造成的损失

（4）采用非正规的采煤方法所造成的损失

（5）井下水灾所造成的损失

采区或巷道被水淹没后，不能再进行开采的煤量。

在被淹采区或巷道下部的邻近煤层，因受上部水的威胁，不能开采的煤量。

（6）井下火灾所造成的损失

在火区内已被燃烧掉的煤量。

由于火灾不能开采的煤量。

（7）巷道或工作面冒顶所造成的损失

巷道或工作面冒顶后，必须重开巷道或开切眼从而损失在新开巷道与冒顶区间的煤量。

二、矿井生产能力

(一)矿井生产能力

矿井生产能力亦称井型,是指矿井设计生产能力,即设计中规定的矿井在单位时间(年或日)内采出的煤炭的数量。有些生产矿井或者原来没有正规设计,或者原来的生产能力已经改变,因而需要对生产矿井的各个生产环节重新进行核定。核定后的矿井生产能力,称为矿井核定生产能力。

根据矿井生产能力的大小,我国把矿井划分为大、中、小三类:

大型矿井:生产能力为120、150、180、240、300、400、500万t/a及500万t/a以上的矿井。其中300万t/a及其以上的矿井又称为特大型矿井;

中型矿井:生产能力为45、60、90万t/a的矿井;

小型矿井:生产能力为9、15、21、30万t/a的矿井。

(二)矿井生产能力的确定

在确定矿井生产能力时,应该在国家能源政策的指导下,根据国民经济发展的需要,充分考虑地区经济发展的特点,结合井田的尺寸和储量,以及开发技术条件、装备水平和安全生产的要求等权衡确定。

1.井田储量

井田储量是确定矿井生产能力的一个重要因素。 通常井田储量越大,矿井生产能力应越大,反之则矿井生产能力应越小。

2.开采条件

确定矿井生产能力时,不但要看储量,而且要分析储量的精确程度,综合储量和开采条件两个方面进行考虑。开采条件包括:可采煤层的层数、层间距离、煤层厚度及稳定程度、煤层倾角、地层的褶曲断裂构造、瓦斯赋存状况、围岩性质及地压火成岩活动的影响、水文地质条件及地热等。

3.技术装备水平

决定矿井生产能力最主要的因素是采掘技术和机械装备。对新矿井设计来说,是根据矿井生产能力的需要选用合适的技术装备水平,一般不成为限制生产能力的因素。但如果设备供应条件限制,则有可能按限定的设备能力来确定矿井生产能力。新设计矿井的各生产环节都有一定的储备能力,足以保证矿井开采的要求。

4.安全生产条件

主要指瓦斯、通风、水文地质等因素的影响。如矿井的瓦斯等级高,所需风量很大,则通风能力可能成为限制井型的因素。生产矿井也有不少因通风能力不足而改造通风系统,以满足矿井增产需要的例子。矿井涌水量很大时,为了减少矿井排水的年限,可适当加大开采强度,缩短开采年限。

三、矿井服务年限

矿井服务年限是指按矿井可采储量、设计生产能力,并考虑储量备用系数计算出的矿井开采年限。

矿井服务年限可由十几年到百余年。一般来说,矿井服务年限一定要与矿井的生产能力相适应,即各类井型,都有适宜的服务年限。

四、矿井生产能力、服务年限与储量的关系

矿井生产能力、服务年限与井田储量之间有密切关系，可用下式表示：

$$T=\frac{Z_k}{AK} \tag{1-2}$$

式中　Z_k—矿井可采储量(万t)

T—矿井设计服务年限(a)

A—矿井设计生产能力(万t/a)；

K—储量备用系数。

储量备用系数K是为保证矿井有可靠服务年限而在计算时对储量采用的富裕系数。根据我国现场的生产实践，储量备用系数K一般取1.2~1.5。

第三节　井田再划分

一、井田划分为阶段或盘区

1.阶段

在井田范围内，沿着煤层的倾斜方向，按一定标高把煤层划分为若干个平行于走向的长条部分，每个长条部分具有独立的生产系统，称之为一个阶段。

2.开采水平

布置有主要运输大巷和井底车场，并且负担该水平开采范围内主要运输和提升任务的水平。

对近水平煤层开采时，可既采上山，又采下山，即一个水平开采两个阶段。

根据煤层赋存条件和井田范围的大小，一个井田可用一个水平开采，也可用两个或两个以上的水平开采，前者称为单水平开拓，后者称为多水平开拓。

二、阶段内的布置方式

1.采区式划分

采区：在阶段范围内，沿走向把阶段划分为若干个具有独立生产系统的块段，每一块段称为采区。

区段：在采区内，沿煤层倾斜方向再划分的单元部分。回采工作面长为80－250m。

适应条件：煤层倾斜长度长，走向长度长的大型矿井。

特点：生产系统复杂，采区准备工作量大，能适应复杂地质条件，生产能力大。图1–5中，井田沿倾向划分为3个阶段，每个阶段又沿走向划分为4个采区。

2.分段式划分

在阶段范围内不划分采区，而是沿倾斜方向将煤层划分为若干平行于走向的长条带，每

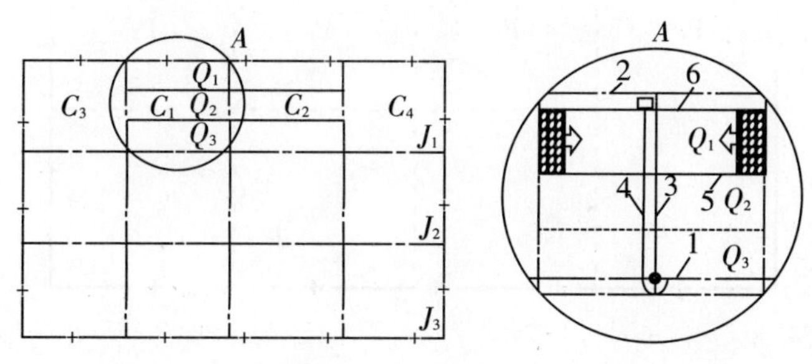

图1-5　采区式划分

图例:—－—－—采区边界;—＋—＋—井田边界

J_1,J_2,J_3—第一、二、三阶段;C_1,C_2,C_3,C_4第一、二、三、四采区;Q_1,Q_2,Q_3—第一、二、三区段

1—阶段运输大巷;2—阶段回风大巷;3—采区运输上山;

4—采区轨道上山;5—区段运输平巷;6—区段回风平巷

个长条带称为分段,每个分段沿倾斜布置一个采煤工作面,这种划分称为分段式。

采煤工作面沿走向由井田中央向井田边界连续推进,或者由井田边界向井田中央连续推进。

适应条件:煤层地质构造简单,走向长度短的小型矿井。

特点:生产系统简单,开拓量小。

3.带区式划分

在阶段内沿煤层走向划分为若干个具有独立生产系统的带区,带区内又划分成为若干个倾斜分带,每个分带布置一个采煤工作面。

分带内,采煤工作面沿煤层倾斜推进,即由阶段的下部边界向阶段的上部边界推进,或者由阶段的上部边界向阶段的下部边界推进。一般由2—6个分带组成一个带区。

适应条件:煤层倾角小于12°。

特点:巷道布置系统简单,开拓量小。

此划分法适用于倾斜长壁采煤法。

三、近水平煤层井田划分

开采近水平煤层,井田沿倾斜方向的高差很小。通常沿煤层的延展方向布置大巷,在大巷两侧划分成为具有独立生产系统的块段,这样的块段称为盘区或带区。盘区内巷道布置方式及生产系统与采区布置基本相同。带区则与阶段内的带区式布置基本相同。如图1-6所示盘区内巷道布置方式。

采区、盘区、带区的开采顺序一般采用前进式,先开采井田中央井筒附近的采区或盘区、带区,以有利于减少初期工程量及初期投资,使矿井尽快投产。

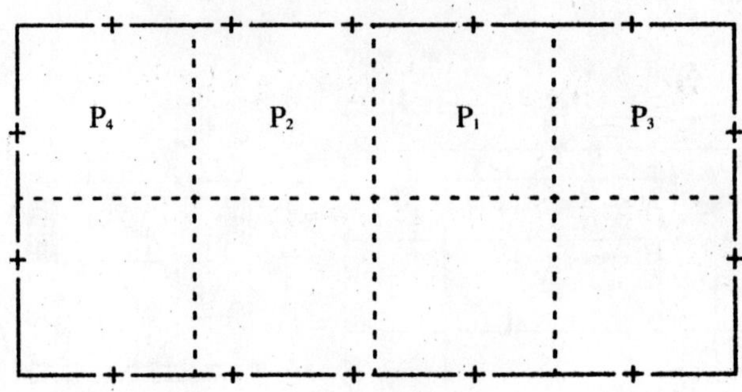

图1-6　井田直接划分为盘区

P_1, P_2, P_3, P_4——第一、二、三、四盘区

第二部分　专业核心知识点

1. 了解矿井生产概况、煤田划分为井田以及井田内再划分。
2. 掌握矿井储量、生产能力和服务年限三者的关系。

复习题

1.解释煤田和井田的概念。
2.煤田划分为井田要考虑哪些主要因素?
3.试述井田境界的划分方法。
4.绘图说明阶段与水平的概念。
5.阶段内再划分有哪几种方式?试述每一种方式的基本内容。
6.如何合理确定矿井的生产能力?
7.确定矿井服务年限为何要考虑储量备用系数?
8.试述矿井生产能力、服务年限与矿井储量之间的关系。

讨论题

1.请问你矿采区划分是怎样划分的?
2.请问你矿矿井储量、生产能力以及服务年限是多少?

第二章　井田开拓

第一部分　系统理论知识

第一节　井田开拓的概念及分类

一、井田开拓的概念

为了开采煤炭，从地面向地下开掘一系列井巷通达采区，称为井田开拓。井田开拓是通过一系列的井巷工程来实现的，如从地面向井下开掘的井筒（平、斜、立）、井底车场、主要运输大巷、采区石门、总回风道、总回风石门、风井等井巷，这些为全矿井或开采水平服务的井巷统称为开拓巷道。由于开拓巷道在井田内相互组成的形式不同，不同的井巷型式则组成不同的开拓方式。我们一般所说的开拓，如斜井开拓、立井开拓和平硐开拓，就是指开拓方式而言。所以，井田开拓方式即是开拓巷道在井田内的总体布置方式。由这些井巷构成的生产系统称为井田开拓系统。

二、井田开拓的分类

由于井田范围、煤层埋藏的深度、层数、倾角、厚度及地质构造等条件各不相同，因此井田开拓方式也不同。

根据井筒形式划分：立井、斜井、平硐开拓、综合开拓。

根据水平数目划分：单水平、多水平。

根据煤层内的布置方式分：阶段布置式、盘区布置式。

根据阶段内的布置方式分：采区式、分段式和带区式。

三、确定井田开拓方式的原则

井田开拓所解决的主要问题是合理确定矿井生产能力、井田范围，进行井田内的划分，确定井田开拓方式，井筒数目及位置；选择主要运输大巷布置方式及井底车场型式；确定井筒延深方式及井田开采顺序等。这些问题关系到矿井生产系统的总体部署，既影响着矿井建设时期的技术经济指标，又将影响到整个矿井生产时期的技术面貌和经济效益。因此，对矿井开拓方式的选择要综合考虑各种因素的影响。

确定井田开拓方式应遵循以下几项原则：

1.贯彻执行我国煤炭工业技术政策、法律法规，适应煤炭工业现代化发展的要求，为多出煤、早出煤、出好煤，建设高产高效安全生产矿井创造条件；合理集中开拓部署，建立完整而尽可能简单的生产系统，避免生产分散，为集中生产创造条件。

2.严格执行《煤矿安全规程》等规定，建立完善的通风系统，创造良好的生产条件，为安全生产和提高劳动生产率创造条件。

3.井巷布置和开采顺序安排要尽量减少煤柱损失，以提高煤炭资源采出率；减少巷道维护量，使主要巷道经常保持良好状态。

4.尽可能减少开拓工程量，尤其是要尽量减少矿井初期工程量和岩巷工程量，以降低矿井初期投资额，缩短建井工期。

5.在充分考虑国家技术水平和装备供应的同时，要为采用新技术和发展矿井机械化、自动化生产创造条件。

6.满足市场对不同煤种、不同煤质的需要，在开拓部署时，应考虑将不同煤质、不同煤种的煤层以及其他有益矿物分别进行开采。

第二节　斜井开拓

斜井开拓是我国矿井广泛采用的一种开拓方式，即主、副井均为斜井的开拓方式。它是利用倾斜巷道由地面进入地下的一种开拓方式。

斜井开拓有单水平和多水平两大类，按照阶段内的布置方式不同，又可进一步分为斜井单水平分区式、条带式和盘区式，以及斜井多水平阶段式和盘区式。

一、斜井多水平分段式开拓（即连续式或片盘斜井）

特点：沿井田内煤层倾斜划分为若干个阶段，每个阶段内沿煤层倾斜方向布置左右两个回采工作面，井田两翼同时开采。如图2–1所示。

斜井分段式的优点：初期工程量小，投资少，建井期短，出煤快，矿井生产系统和技术装备简单。

缺点：矿井生产能力小，服务年限短，开采深度小，井筒延深频繁。

适用条件：煤层埋藏浅，地质构造简单，煤层稳定，井田走向长度较短，产量不大的矿井。

二、斜井分区式开拓

1.斜井单水平分区式上、下山开拓

特点：用一对斜井开拓井田，井田内划分为上下两个阶段，开采水平以上的为上山阶段，开采水平以下的为下山阶段，沿阶段走向划分为采区，上部的为上山采区，下部的为下山采区，运输大巷和井底车场服务于上、下两个阶段。如图2–2所示。

优点：开采水平服务年限长，可以充分利用设备设施和开拓巷道，保证矿井稳产、生产集中，开拓工程量小。

沿阶段走向划分为若干个采区，矿井可以几个采区同时生产，每个生产采区内又可同时有几个工作面生产，因而矿井生产能力大，且有利于集中生产；采区具有独立的生产系统，互不影响，有利于安全生产。另外可以利用地质条件变化来划分采区，对地质变化的适应性强。

适用于斜长不大的缓倾斜煤层，有点像盘区开拓中的上山盘区和下山盘区。

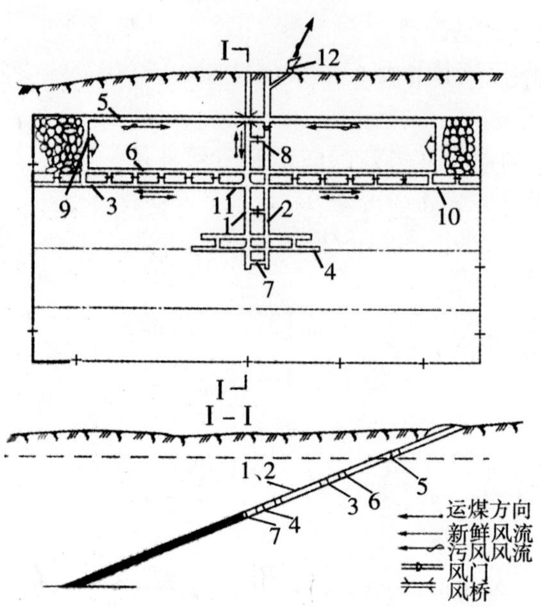

图2-1　片盘斜井开拓

1——主井；2——副井；3——第一分段运输平巷；4——第二分段运输平巷；5——第一分段回风平巷；6——副巷；7——井底水仓；8——联络巷；9——采煤工作面；10——联络巷；11——车场；12——通风机

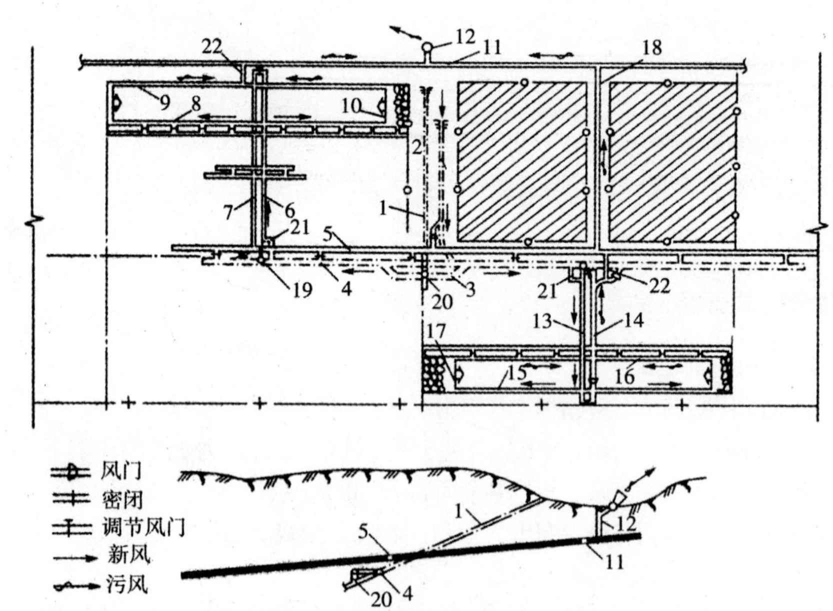

图2-2　斜井单水平分区式开拓

1——主井；2——副井；3——井底车场；4——水平运输大巷；5——副巷；6——采区运输上山；7——采区轨道上山；8、15——区段运输平巷；9、16——区段回风平巷；10、17——采煤工作面；11——阶段回风大巷；12——回风井；13——采区运输下山；14——采区轨道下山；18——专用回风上山；19——采区煤仓；20——井底煤仓；21——行人进风斜巷；22——回风联络巷

2.斜井多水平分区式开拓

特点：矿井阶段斜长大，水平服务年限长，但初期工程量大，需用设备多，投资大，建井期长。

适用于井田斜长大的倾斜及缓斜煤层的大中型矿井。

采区的开采顺序一般为采区前进式，即先采靠近井筒的采区，依次向井田边界推进。

采区内的开采顺序一般为下行式，区段内采用后退式，即由采区边界向上山方向推进。对于下山采区，一般采用上行式。

三、斜井形式的选择

斜井井筒的倾角受提升方式和矿井生产能力的影响。

当矿井生产能力大，采用带式输送机提升煤炭时，倾角不大于17°；当矿井生产能力不大，采用串车（矿车）提升煤炭时，倾角不大于25°；当矿井生产能力不大，采用箕斗提升煤炭时，倾角不大于35°；小型矿井采用无极绳提升煤炭时，倾角不大于15°。

斜井开拓时，有时由于煤层倾角和地形的限制，或为了减少工程量，将斜井不完全沿煤层底板开掘，而出现了穿层斜井或折返式斜井，穿层斜井有顶板穿层斜井（适用于煤层倾角较小）、底板穿层斜井（适用于煤层倾角较大）和由于地形限制出现的折返式斜井。

斜井采用绞车提升时，运输能力受井筒长度的影响较大，当井筒较长时，运输能力受到限制。

斜井采用带式输送机提升，井筒的运输能力得到大幅度提高，而且经过带式输送机不断改进，使运距大大加长，运输能力加大，结构简单有时还可以乘人，解决了斜井开拓的主提升问题，为广泛应用斜井开拓创造了条件。

斜井开拓的优点：施工技术简单，开掘速度快，地面工业建筑、井筒装备、井底车场及硐室都比立井简单，初期投资小，上马快，建井期短，井筒延深较立井方便。

缺点：在自然条件相同的情况下，斜井要比立井长，围岩不稳固时，井筒维护费用高，采用绞车提升时，速度低，能力小，动力消耗大，提升费用高。沿斜井铺设的管线长，通风路线长。当表土层较厚和有流砂层时，斜井井筒掘进技术复杂。

适用条件：井田内煤层埋藏不深，表土层不厚，水文地质情况简单，井筒不需特殊施工的缓倾斜煤层。

第三节　立井开拓

立井开拓即主、副井均为立井的开拓方式，是利用垂直巷道由地面进入地下，并开掘一系列巷道到达煤层的一种开拓方式。

无论井田划分为阶段或盘区，是单水平或多水平，都可以采用立井开拓。

一、立井单水平分区式开拓

这种开拓方式是利用一个水平负担全矿井两个阶段的开采工作，每个阶段内划分采区和区段。显然，立井单水平开拓适用于煤层倾角较缓、倾斜长度较小的井田。

当采用分带式开拓时，在阶段内不划分采区，而是按一定的条带宽度将阶段沿走向划分为若干个条带，每个条带内布置一个工作面进行回采，即倾斜长壁开采。

立井单水平带区式开拓方式如图2-3所示，井田划分为两个阶段，阶段内带区式布置。

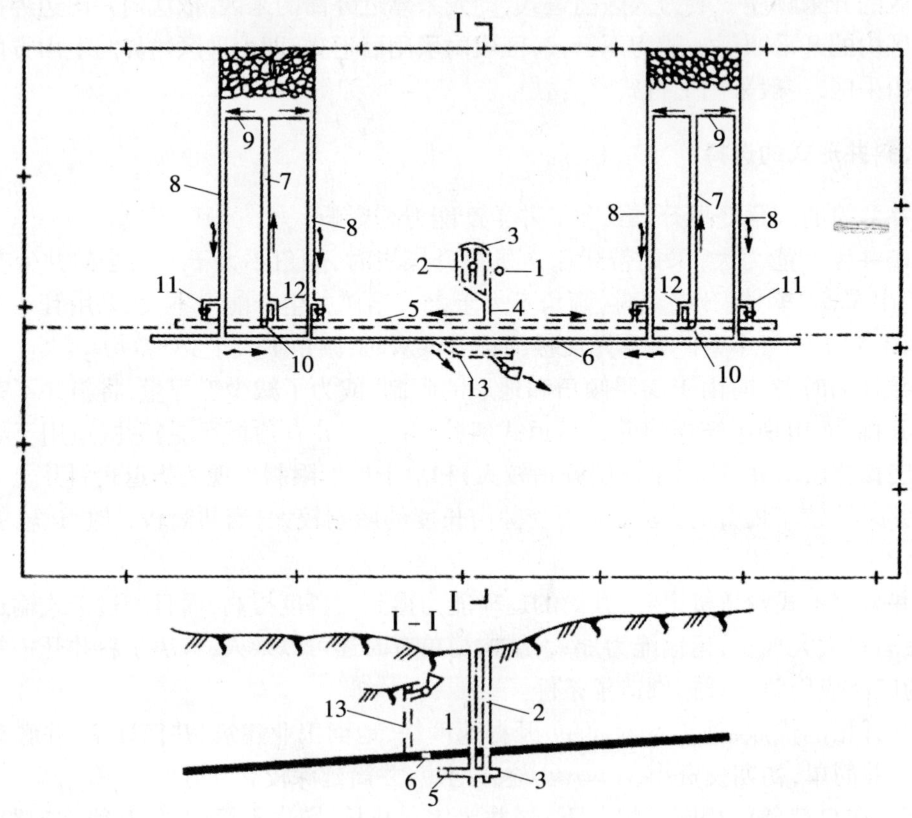

图2-3　立井单水平分带式开拓

1——主井；2——副井；3——井底车场；4——主要石门；5——运输大巷；6——回风大巷；7——分带运煤巷；8——分带回风巷；9——工作面；10——溜煤眼；11——运料斜巷；12——行人进风斜巷；13——回风井

二、立井多水平采区式开拓

立井多水平采区式开拓如图2-4所示。井田内有两层煤，分为两个阶段，其下部标高分别为+100m，-100m，每个阶段沿走向划分为若干采区。

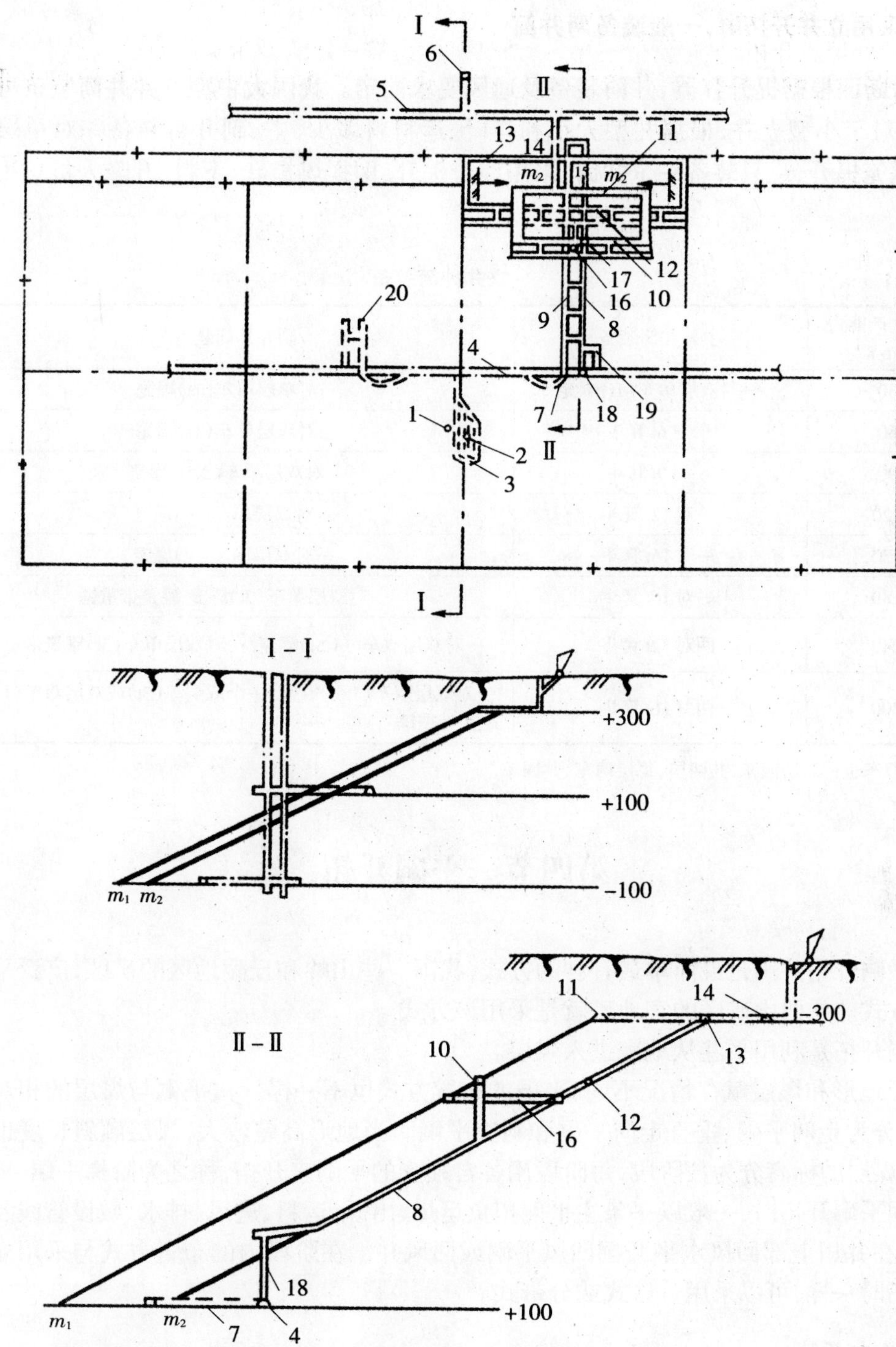

图2-4 立井多水平采区式开拓

1——主井；2——副井；3——井底车场；4——主要石门；5——水平运输大巷；6——回风井；7——采区下部车场；8——运输上山；9——轨道上山；10——m_1层区段运输平巷；11——m_1层区段回风平巷；12——m_2层区段运输平巷；13——m_2层区段回风平巷；14——回风石门；15——采区上部车场；16——运输石门；17——区段溜煤眼；18——采区煤仓；19——行人进风斜巷；20——掘进工作面

三、采用立井开拓时，一般装备两井筒

井筒断面根据提升容器、井筒装备及通风要求而定。我国大中型立井井筒装备可参考表2-1。对于小型立井，根据井型大小和排矸、运材料多少，主、副井可装备一对单层单车（一吨）罐笼提升，或只装备一个井筒，采用混合提升，即提煤提矸、下料、升降人员均用该套设备。

表2-1　立井井筒装备

矿井生产能力/万t·a^{-1}	主井井筒装备	副井井筒装备
30	一对双层单车(1t)罐笼	一对单层单车(1t)罐笼
60	一对6t箕斗	一对双层单车(1t)罐笼
90	一对9t箕斗	一对双层单车(1.5t)罐笼
120	一对12t箕斗	一对双层单车(3t)罐笼
150	一对16t箕斗	一对双层单车(3t)罐笼
180	一对16t箕斗	一对双层单车(3t)罐笼,罐笼带重锤
240	两对12t箕斗	一对双层双车*(1.5t)罐笼, 一对双层单车(5t)罐笼带重锤
300	两对16t箕斗	一对双层双车(1.5t)罐笼, 一个双层单(5t)或双层双车(1.5t)罐笼带重锤

*双层双车也称双层四车，共两层，每层两车，共四车

第四节　平硐开拓

用平硐开拓井田是最简单最有利的方式，我国一些山岭和丘陵地区的矿区，广泛采用这种开拓方式。如西山矿区的官地矿就是采用该方式。

平硐开拓是利用平巷从地表进入煤层。

由于地形和煤层赋存情况不同，平硐的布置方式也不一样。按平硐与煤层的相对位置不同，可分为走向平硐、垂直走向平硐和斜交平硐。当地形高差较大，煤层倾斜长度也较大时，可按煤层的标高分为数阶段，每阶段用各自独立的平硐来开拓，称之为阶梯平硐。

采用平硐开拓时，一般以一条主平硐担负运煤、出矸、运料、进风、排水、敷设管线及行人等任务，在井田上部回风水平开掘回风平硐或回风井。在阶段内的布置方式与采用立井或斜井开拓时一样，可以采用分区式或分带式。

一、走向平硐

主平硐一般沿煤层开掘。走向平硐相当于一条大巷，等平硐掘过第一采区后，即可开掘采区石门，进入煤层进行采区准备。

走向平硐开拓的井巷工程量最小，投资省，施工简单，建井期短，出煤快，但是走向平硐开拓具有单翼开采的特点，同时生产的采区不宜太多。

如图2-5所示为走向平硐开拓。由图可知，平硐是沿煤层走向开拓，把煤层分为上、下山两个阶段，具有单翼井田开采的特点。

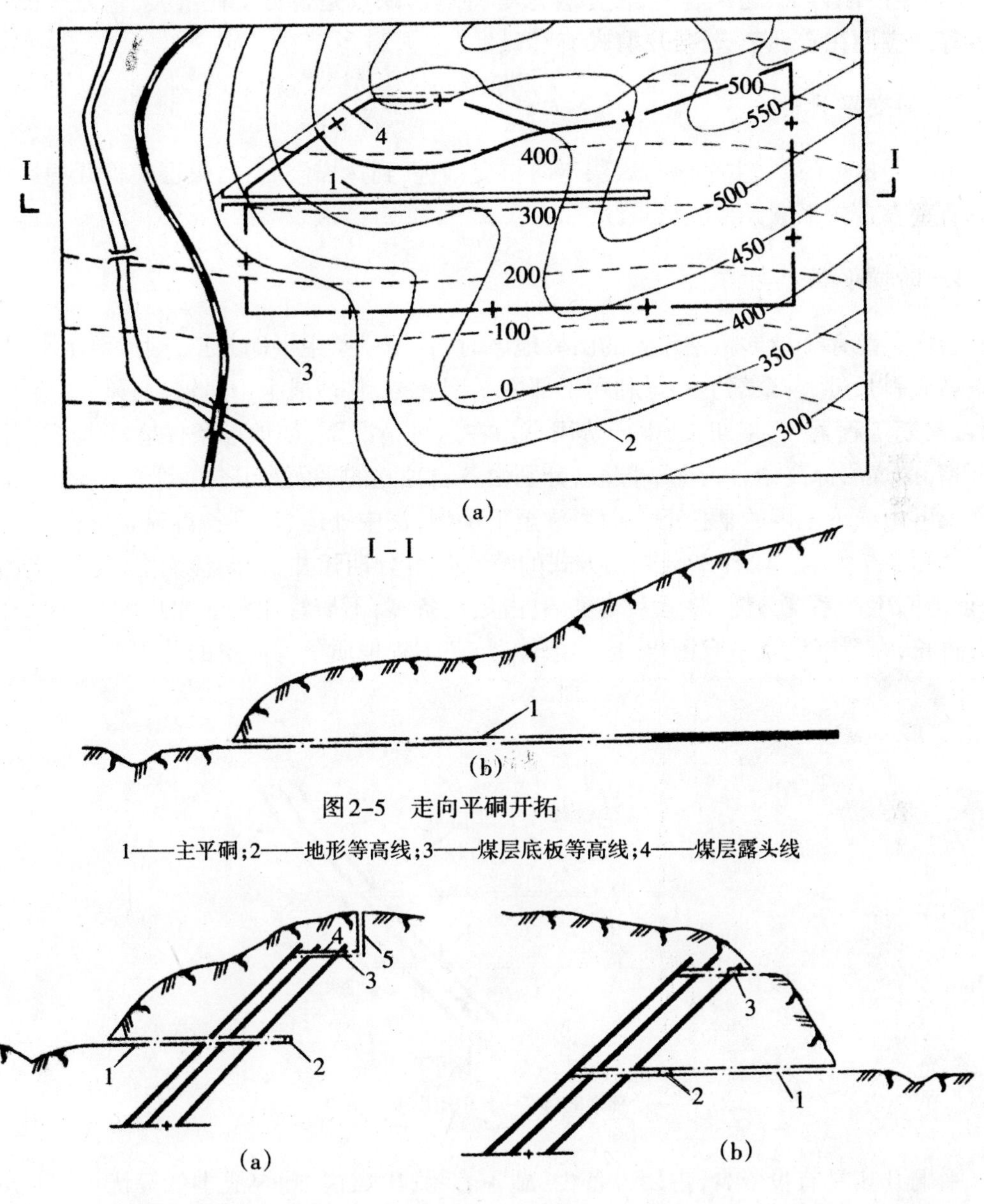

图2-5 走向平硐开拓

1——主平硐；2——地形等高线；3——煤层底板等高线；4——煤层露头线

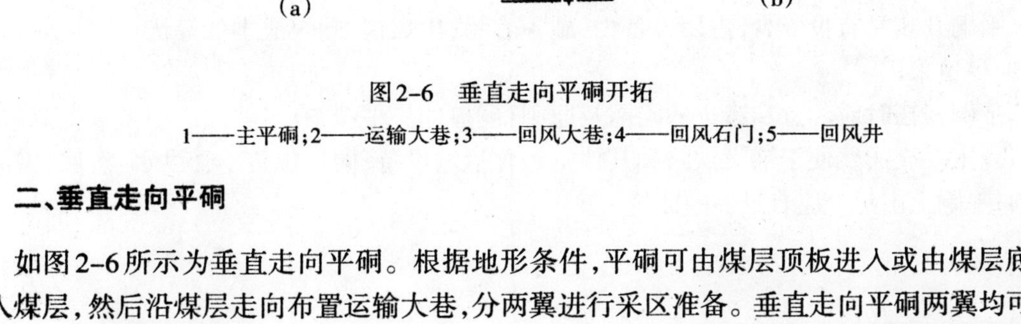

图2-6 垂直走向平硐开拓

1——主平硐；2——运输大巷；3——回风大巷；4——回风石门；5——回风井

二、垂直走向平硐

如图2-6所示为垂直走向平硐。根据地形条件，平硐可由煤层顶板进入或由煤层底板进入煤层，然后沿煤层走向布置运输大巷，分两翼进行采区准备。垂直走向平硐两翼均可布置采区，因而矿井生产能力较大。平硐将井田沿走向分成两部分，故具有双翼井田开拓特点。

与走向平硐相比较，优点是平硐易维护，具有双翼井田开拓，运输费用低，巷道维护时间短，矿井生产能力大，通风容易，便于管理等特点。缺点是岩石工程量大，建井期长，初期投资大等。应用在有利于选择平硐口的位置。

三、斜交平硐

由于受地形限制，主平硐与煤层走向斜交掘进，到达煤层后，沿煤层底板开掘运输大巷，它具有垂直走向平硐开采的特点。

四、阶梯平硐

当煤层赋存于地形高差较大的山岭地区时，若用一条主平硐开拓，则平硐水平以上的煤层垂高或斜长过大；全部上山煤利用下部主平硐开拓，将造成上山运输、通风、巷道维护上的困难，初期工程量大，工期长，生产费用高。在这种情况下，如地形条件适宜，可采用阶梯平硐开拓，按煤层标高划分为上下数段，分别由各自独立的平硐来开拓。上平硐的煤可由专用的溜煤下山或下平硐的某一条上山溜放至下平硐，集中外运，也可各自独立外运。

如图2–7所示。阶梯平硐开拓方式的特点是可分期建井，分期移交生产，便于通风和运输；但地面生产系统分散，装运系统复杂，占用设备多，不易管理。这种开拓方式适用于上山部分过长，布置辅助水平有困难，地形条件适宜，工程地质条件简单的井田。

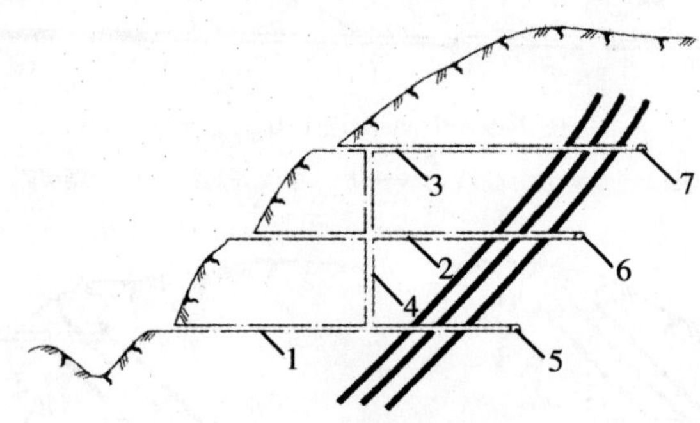

图2–7　阶梯平硐开拓

1,2,3——阶梯平硐；4——集中溜煤眼；5,6,7——运输大巷

平硐开拓具有投资少，占用设备少，施工容易，出煤快，吨煤成本低等优点，只要条件适合，应尽量采用。

平硐开拓时应注意和满足的问题及原则：硐口地势平缓，有足够的面积布置工业广场；硐口到主要交通线便于铺设铁路和其他机械化运输设备；硐口位置不受洪水、滑坡、雪崩等威胁；平硐上山部分应有足够的储量。

第五节　综合开拓

一、综合开拓的类型

采用立井、斜井、平硐等任何两种或两种以上的井田开拓方式称为综合开拓。三种井筒(硐)形式各有其优缺点。根据井田的具体条件，选择能发挥其各自优点的井筒形式是很有必要的，不应局限于某种单一井筒(硐)形式。三种井筒(硐)形式能组合成斜井—立井、平硐—立井、平硐—斜井等多种方式。

(一)斜井—立井综合开拓

如图2–8所示为斜井—立井开拓方式。斜井作主井，主要是利用斜井可采用强力胶带输送机，提升能力大及井筒易于延深的优点，但是若采用斜井串车提升，因井筒较长则提升能力小、环节多，且矿井通风困难。因此，用立井作副井提升方便、通风容易。这种开拓方式取了立井、斜井各自的优点，对开发大型井田，在技术和经济上都是优越的。主斜井与副立井相组合的综合开拓方式，在条件适宜的情况下是建设特大型矿井的技术发展方向。

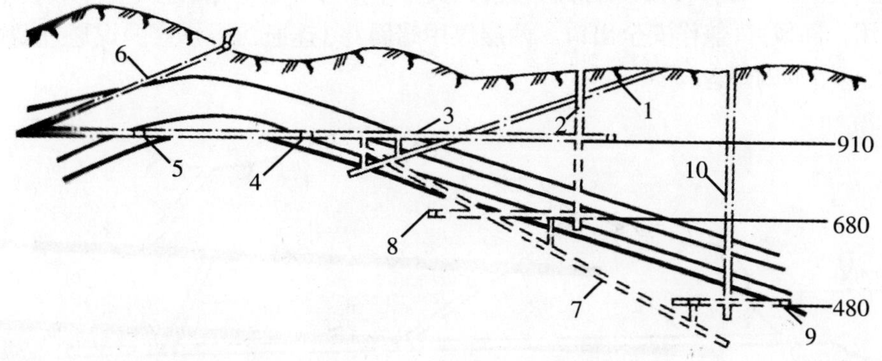

图2–8　斜井—立井开拓

1——主斜井；2——副立井；3——第一水主石门；4——第一水平一大巷；5——第一水平二大巷；6——回风斜井；7——暗斜井；8——第二水平运输大巷；9——第三水平运输大巷；10——第三水平副立井

(二)平硐—立井综合开拓

在具体条件下，可采用平硐作主井、立井作副井，如图2–9所示为平硐—立井开拓方式。

平硐垂直于煤层走向掘进，另开副立井作为进风、升降人员、提矸和深部煤层的辅助提升。

平硐水平以下的煤经暗斜井3提升到平硐水平，再经平硐将煤转运到地面。这种开拓方式既发挥了平硐的优越性，也利用了立井之长，解决了通风困难和井田深部辅助提升问题。

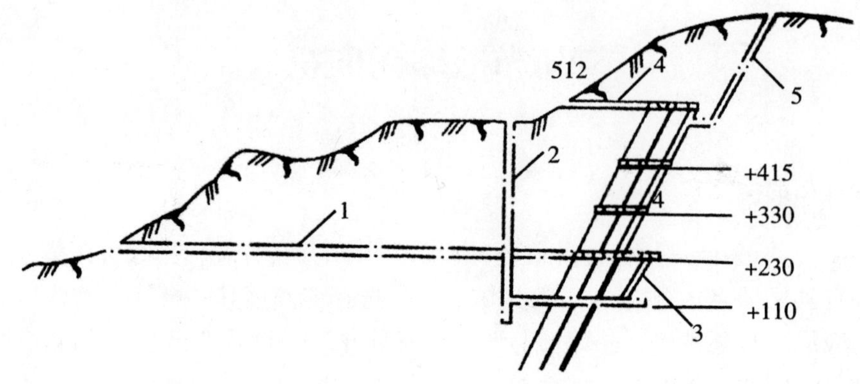

图2-9 平硐—立井开拓

1——主平硐；2——副立井；3——暗斜井；4——回风小平硐；5——回风斜井

(三)平硐—斜井综合开拓

如图2-10所示为平硐—斜井开拓方式。该井田内有8号、9号两层煤，煤层倾角2°～5°，煤层埋藏较稳定。主平硐沿+1400m标高布置，担负整个矿井井下运输、进风及排水等任务；另掘斜井2和4用作回风井，兼作安全出口。两层煤用暗斜井3连通，8号煤层的煤通过溜煤眼溜到9号煤层后，再由平硐外运。

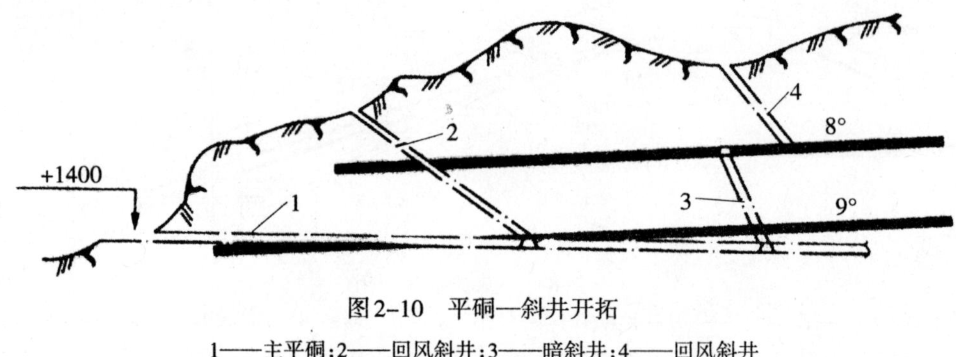

图2-10 平硐—斜井开拓

1——主平硐；2——回风斜井；3——暗斜井；4——回风斜井

二、综合开拓的适用条件

对于地面地形和煤层赋存条件复杂的井田，如果主、副井筒均为一种井筒形式，可能会给井田开拓造成生产技术上的困难，或者是在经济上具有不合理性。在这种情况下，可以根据井田范围内的具体条件，主井和副井选择不同形式的井筒，采用综合开拓方式为宜。

第六节　井筒形式分析及选择

井筒上接工业场地，下连矿井各开采水平，是矿井生产的咽喉。正确地确定井筒的形式是矿井开拓的重要问题。

一、井筒形式分析

1. 井筒的形式

井筒的形式有平硐、斜井和立井，我国统配矿井采用各种井筒形式的比例是：按井口数目分，平硐占有11%，斜井占57.8%，立井为31.2%；按生产能力计算，平硐占有12.4%，斜井占43.5%，立井为44.1%。

一般情况下，平硐最简单，斜井次之，立井最复杂。但在解决具体问题时，必须从自然地质条件出发，结合技术条件和经济条件等多方面的因素，综合进行分析。

2. 各种井筒形式的优缺点及适用条件

（1）平硐与斜井、立井比较的优缺点

平硐开拓井田是最简单、最有利的方式，且具有生产系统简单，通过能力大，一硐多用等优点。省去了井底车场和排水设备以及绞车房和井架等。它的不足之处是会受地形及埋藏条件的限制。平硐施工条件好，开掘速度快。因此，在地形条件合适，煤层赋存较高，上山部分的储量能满足井型水平服务年限的要求时，尽可能采用平硐开拓。

（2）斜井与立井相比较的优缺点

斜井井筒掘进技术和施工设备比较简单，掘进速度快，地面工业建筑、井筒装备、井底车场及硐室较立井简单。一般不需大型提升设备，同类井型号的斜井其提升绞车也较立井小，因而初期投资少，上马快，建井期短。多水平开采时，斜井的石门总长度较立井的短，斜井延深较立井方便。

缺点是当条件相同时，斜井较立井长。围岩不稳定时，维护费用高，提升速度慢，能力小，钢丝绳磨损大，动力消耗大。当斜长较长时，多段提升，转载环节多，占用设备和人员多，沿井筒敷设的管线长，通风线路长，风阻大，穿过含水层和流砂层困难等。

（3）斜井开拓的适用条件

井田内煤层埋藏不深，表土层不厚，水文地质情况简单，井筒不需特殊法施工的缓斜和倾斜煤层，一般可采用斜井开拓。

（4）立井开拓的适用条件

立井开拓一般不受煤层倾角、厚度、瓦斯、水文等自然条件的限制，立井的井筒短，提升速度快，提升能力大，通风阻力小，管线铺设短。当井田的地形地质条件不利于平硐或斜井的合理应用时，都可采用立井开拓。

对于煤层赋存较深，表土层较厚，水文情况比较复杂，井筒需用特殊法施工，或多水平开采急倾斜煤层的矿井，一般都应采用立井开拓。

二、井筒形式选择的原则

根据煤层赋存特点及地面地形特点，一般考虑井筒形式的选择原则：先平硐，后斜井，再立井。

第七节　多井筒分区域开拓

随着采煤技术的发展，矿井开采的集中化程度日益提高，生产和新建矿井的井型日益增大，以皮带斜井或大型箕斗立井提煤的应用，保证矿井年产量达到数百万吨至千万吨是没有困难的。但井田尺寸大，辅助提升任务繁重，矿井需要风量大，通风线路长，而其他管线也存在线路长的问题，为解决这一矛盾，就采用了多井筒分区域开拓。

多井筒分区域开拓即是在一个井田内（当井田范围较大），将井田划分为几个区域，每个区域内独立建井，形成辅助生产系统（通风、运料、供电、压气等系统）。所有区域的煤，集中到一个主井提升到地面。这样充分发挥了主井集中提煤效率高，分区井筒担负通风、辅提任务比较好的优点，使矿井生产更集中，便于获得更好的经济效益。而且也便于分期建设，加快矿井建设速度。

我国一些生产矿井，在浅部分别建井，如淮南的新庄孜矿、毕家岗矿，在深水平合并为一个矿井，集中由新庄孜矿出煤，分区进回风、提矸、运料、升降人员，从而提高了矿井的生产能力和技术经济效果，实质上就是多井筒分区域开拓的应用。

第二部分　专业核心知识点

1. 了解井田开拓的概念；
2. 熟悉斜井开拓、平硐开拓、立井开拓、综合开拓的定义；
3. 掌握井筒(硐)形式分析及选择。

复习题

1.矿井开拓及开拓方式的概念。
2.斜井井筒布置方式有几种？各有何特点及其适应条件？
3.简述几种平硐开拓的特点及适应条件。
4.简述综合开拓的类型及适应条件。
5.分区域开拓有何特征及其适应条件？
6.绘图说明立井单水平采区式开拓的巷道掘进顺序及生产系统。

讨论题

1.平矿的开拓方式是怎样的？为什么这样开拓？合理吗？
2.对于几种开拓方式你是否熟悉？
3.你认为你矿的开拓方式哪一种更合适？

第三部分　专业技能训练

1.平硐开拓模型实训

(1)绘图说明各类平硐与煤层走向的关系。

(2)简述平硐的适用条件及平硐常见装备。

2.多水平上山式开拓模型实训

(1)绘制斜井多水平上山式开拓平、剖面简图。

(2)标注巷道名称。

(3)说明主要生产系统。

3.片盘斜井开拓模型实训

(1)绘制平剖面简图并标注井巷名称。

(2)简述井巷开掘顺序。

4.立井多水平开拓模型实训

(1)绘制平剖面简图。

(2)简述井巷开拓顺序。

(3)简述立井适用条件。

第三章　井底车场

第一部分　系统理论知识

第一节　井底车场组成

井底车场是连接井筒和井下主要运输巷道的一组巷道和硐室的总称，是连接井下运输和提升两个环节的枢纽，担负煤炭、矸石、材料、设备及人员转运，并承担为矿井供电、排水、通风等任务。为了完成这些任务，在井底车场内布置一系列轨道运输线路和一些硐室。

一、井底车场硐室及运输线路

1.井底车场硐室

(1)主井(箕斗井)系统：包括翻笼硐室、煤仓、箕斗装载硐室，清理斜巷及绞车硐室、主井井底水窝和泵房等。

(2)副井(罐笼井)系统：包括马头门、中央变电所、中央水泵房、水仓、排水管子道、候车室等。

此外，还有调度室、机车库及修理间、防火门硐室、消防列车库、乘车站等硐室。

2.井底车场运输线路平面布置及存车线长度的确定

(1)存车线：设在主井两侧的包括主井重车线和主井空车线；设在副井两侧的包括副井重车线(存放矸石车)和材料车线(存放材料车的线路)，在材料车一旁设有存放由副井放下的空车的线路即副井空车线。

大型矿井主井空重车线长度各为1.5 ~ 2.0列车长；中小型矿井为1.0 ~ 1.5列车长。大型矿井副井空、重车线长度为1.0 ~ 1.5列车长；中小型矿井为0.5 ~ 1.0列车长。

材料车线长度：大型矿井应能容纳10个材料车，一般为15 ~ 20个材料车；中小型矿井能容纳5 ~ 10个材料车。

调车线长度通常为1.0列车和电机车长度之和。

(2)行车线：即空、重车运行的线路，包括调车线和绕道线路。为使电机车由列车头部调到列车尾部顶推重列车进入重车线而专门设置的轨道线路，称为调车线。电机车将列车顶推入重车线之后，需要通过轨道线路，牵引空列车和材料车驶出井底车场，这样的线路称为绕道线路。

(3)辅助线路：通往井底水仓、清理井底斜巷、机车修理库的一些轨道线路。

二、井底车场的调车方式

以(图3-1)立井刀式环行井底车场为例讲述。

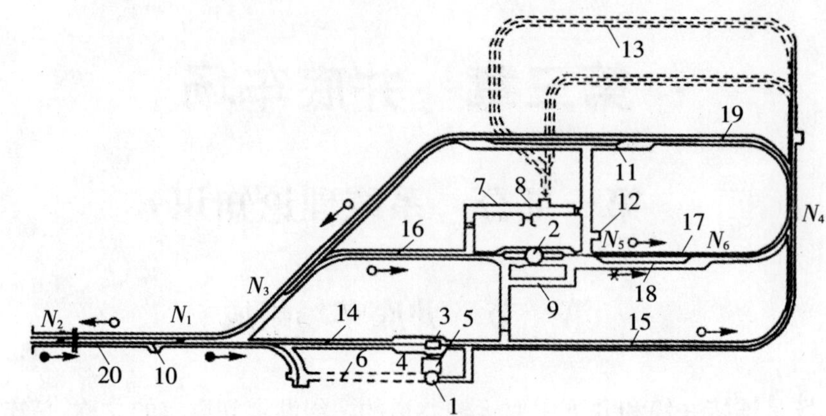

图3-1 井底车场

1——主井；2——副井；3——翻车机硐室；4——井底煤仓；5——装载硐室；6——清理井底撒煤斜巷；7——井下主变电硐室；8——主排水泵房；9——等候室；10——调度室；11——人车停车场；12——工具室；13——水仓；14——主井重车线；15——主井空车线；16——副井重车线；17——副井空车线；18——材料车线；19——绕道；20——调车线；N_1、N_2、N_3——道岔编号

1.顶推调车

电机车牵引重列车驶入车场调车线20，电机车摘钩，驶过道岔N_1，经错车线过N_2道岔绕至列车尾部，将列车顶入主井重车线，然后电机车经过道岔N_1，绕道回车线19，入主（副）井空车线，牵引空列车驶向采区。

2.专用设备调车

设置专用调车机车、调车绞车或钢丝绳推车机等专用调车设备在调车线上，当电机车牵引重列车驶进调车线后，电机车摘钩，驶向空车线牵引空车，调车作业由专用设备完成。这种方式车场内要设专用设备。

3.甩车调车

电机车牵引重列车行至分车道岔N_1前10-20m进行减速，并在行进中电机车与重列车摘钩，电机车加速驶过分车道岔后，将道岔搬回原位，重列车借助惯性驶向重车线。

4.顶推拉调车

在重车线上始终存放一列重车，在下列重车驶入调车线的同时，将原存重车顶入主井重车线，新牵引进来的重列车暂留在调车线内。

第二节　井底车场的形式及其选择

由于井田开拓方式、大巷运输方式不同，井底车场的形式亦不同。但从矿车在车场内运行的特点看，不论是斜井还是立井，井底车场都可分为环行式和折返式两大类。固定式矿车运煤时，两类车场均可选用；底卸式矿车运煤时，则一般用折返式车场。

一、环形式井底车场

1.立井环行式井底车场

环形式井底车场的特点是重列车在车场内总是单向运行。调度工作简单,通过能力较大,应用范围广,但车场开拓工作量较大。

(1)立井卧式环行井底车场。主、副井存车线与运输大巷或石门平行,距离较近。如图3-2所示。

特点:利用主要运输巷道作为绕道回车线及调车线,车场开拓工作量小,调车方便。电机车在弯道上顶推调车安全性较差,需慢行。

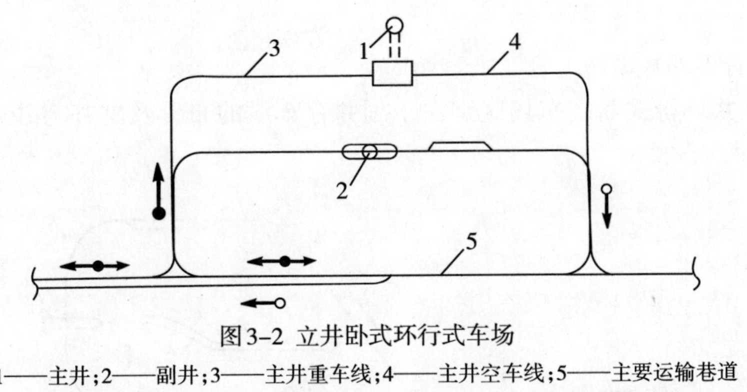

图3-2　立井卧式环行式车场

1——主井;2——副井;3——主井重车线;4——主井空车线;5——主要运输巷道

(2)立井斜式环行井底车场。主副井存车线与运输大巷或石门斜交。如图3-3所示。

特点:右翼来重列车可顶推入主井重车线,比较方便;左翼驶来的重列车需在大巷调车线调车。

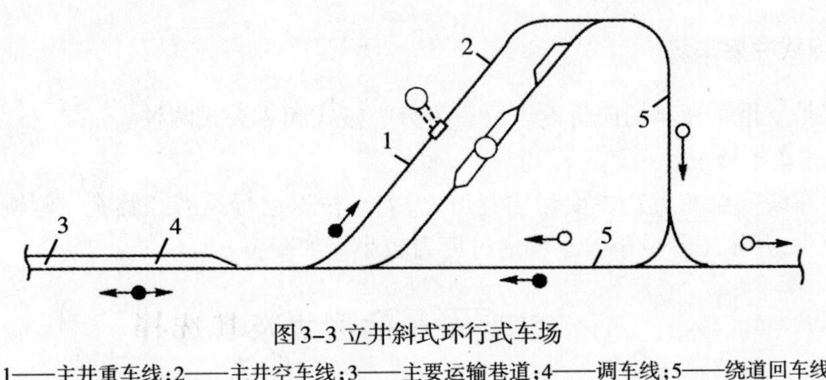

图3-3 立井斜式环行式车场

1——主井重车线;2——主井空车线;3——主要运输巷道;4——调车线;5——绕道回车线

(3)立井立式环行井底车场。主副井存车线与运输大巷或石门垂直,距离较远。如图3-4所示。

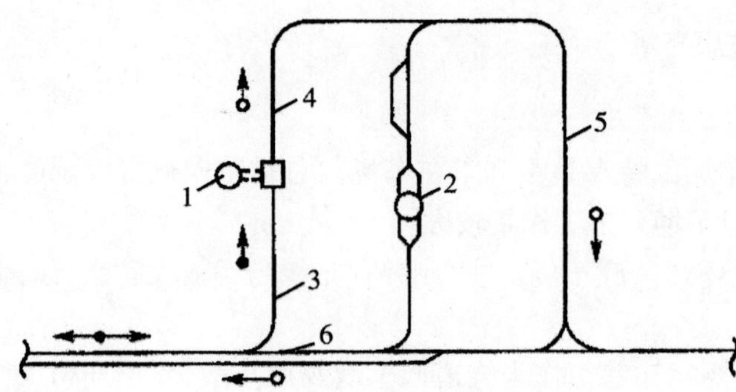

图3-4 立井立式环行井底车场

1——主立井；2——副立井；3——主井重车线；4——主井空车线；5——副井重车线；6——调车线

2.斜井环行式井底车场

斜井与立井环行式井底车场区别在于副井存车线的布置及副井与井底车场的联接方式。如图3-5所示。

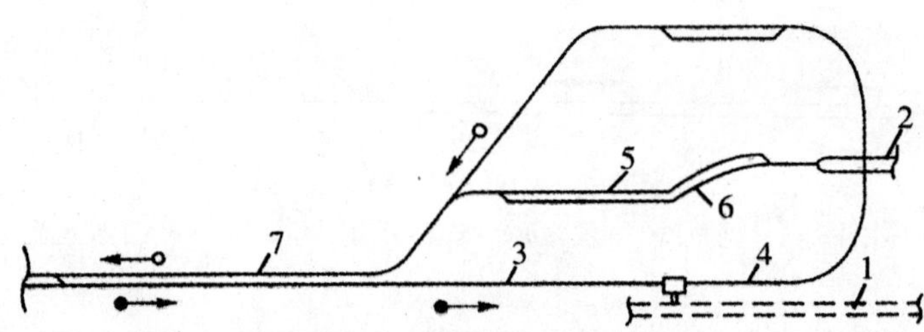

图3-5 斜井立式环行式车场

1——主斜井；2——副斜井；3——主井重车线；4——主井空车线；5——副井重车线（矸石车线）；6——副井空车线（材料车线）；7——调车线

二、折返式井底车场

其特点是空重车在车场内折返运行。可分为梭式和尽头式两种。

1.梭式井底车场

主井存车线完全布置在主要运输巷道上，列车往返运行只需经翻笼一侧轨道即可。其特点是弯道少，开拓工程量小。车场通过能力较小。如图3-6所示。

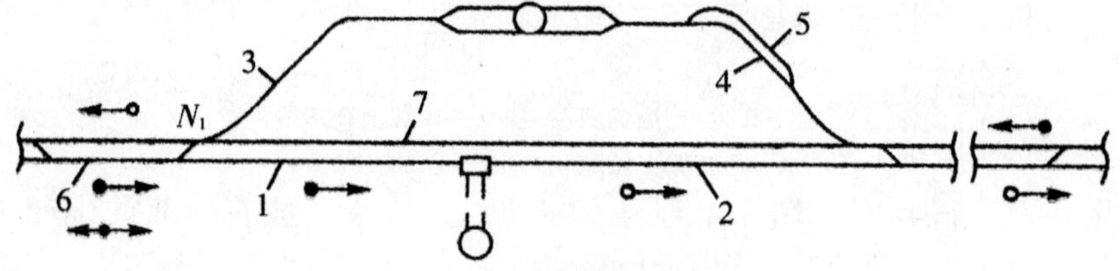

图3-6 立井梭式车场

1——主井重车线；2——主井空车线；3——副井重车线；4——副井空车线；5——材料车线；6——调车线；7——通过线

2.尽头式井底车场

尽头式车场与梭式车场的线路布置基本相似。其特点是空重列车只从车场的一端出入，另一端为线路的尽头。如图3-7所示。

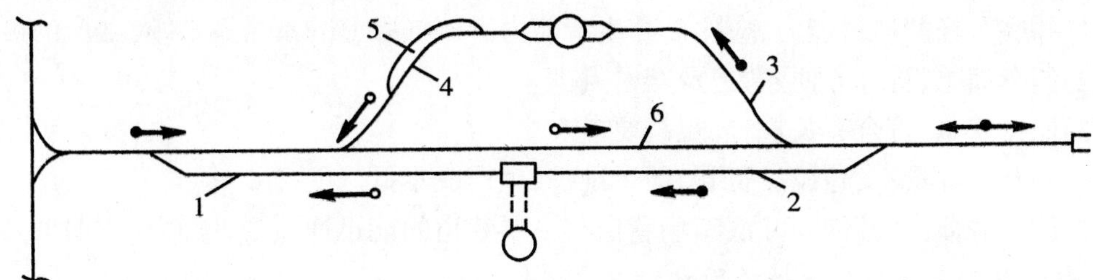

图3-7 立井尽头式车场

1——主井空车线；2——主井重车线；3——副井重车线；4——副井空车线；5——材料车线；6——通过线

三、大巷用带式输送机运煤的井底车场

采用带式输送机代替矿车运煤，煤炭经输送机直接送入井底煤仓，井底车场只担负辅助运输任务，故车场形式和线路结构可简化。

图3-8为设计生产能力4Mt/a矿井的井底车场线路布置图。井底车场分上(带式输送机运煤系统)、下(辅助运输系统)两部分。主井运煤采用"带式输送机上仓方式"，主井井底只掘至井底车场水平，煤仓及装载硐室均高于车场水平之上，清理井底洒煤直接在车场水平的主井井底清理通道进行，故主井清理洒煤系统简单、方便。由于该车场采用了带式输送机运煤系统，使车场形式大为简化，实际它只是一个带有机车绕道的单环行车场，线路布置简单，坡度调整方便，工程量也较小。

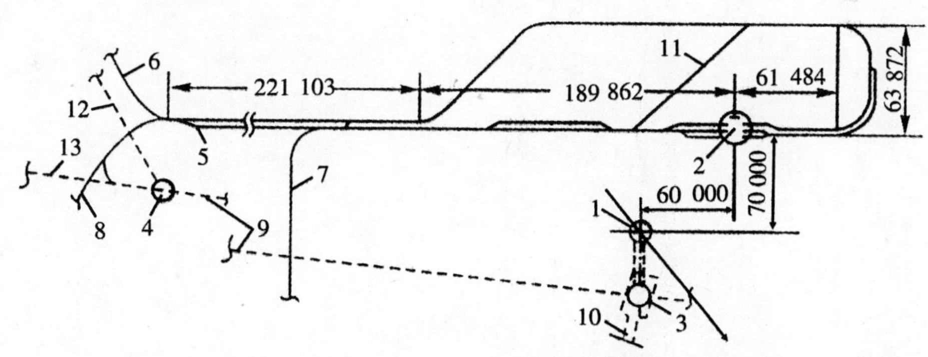

图3-8 大巷采用带式输送机运煤的井底车场线路布置图

1——主井；2——副井；3——中央煤仓；4——中间煤仓；5——轨道中石门；6——西翼轨道巷；7——东翼轨道巷；8——中区轨道巷；9——中、西上仓运输斜巷；10——东翼上仓运输斜巷；11——机车绕道；12——西翼运输斜巷；13——中区运输斜巷

四、井底车场形式的选择

1.井底车场形式的选择原则

(1)井底车场的通过能力,应比矿井生产能力有30%以上的富裕系数,有增产的可能性。

(2)调车简单、管理方便、弯道及交岔点少。

(3)操作安全,符合有关规程、规范要求。

(4)井巷工程量小,建设投资省,便于维护,生产成本低。

(5)施工方便,各井筒间井底车场巷道与主要巷道间能迅速贯通,缩短建设时间。

2.影响井底车场形式选择的因素

(1)矿井生产能力只选择井底车场形式的决定因素。

(2)井底车场形式随井筒形式改变,同时还取决于主、副井筒和主要运输巷道的相互位置。

(3)运输巷道的运输方式。

(4)矿井地面生产系统布置方式。

(5)矿井瓦斯等级。

(6)不同煤种需分运分提的矿井;井底车场应分别设置不同煤种的卸载系统和存车线路。

第二部分　专业核心知识点

1. 熟悉井底车场组成；

2. 熟悉井底车场形式及其选择。

复习题

1.解释井底车场的概念。

2.井底车场的调车方式有几种？

3.按照矿车在井底车场内的运行特点，井底车场可分为几类？各有何特点？各有什么适用条件？

4.小型矿井的井底车场与大型矿井的井底车场相比，有哪些相同之处与不同之处？

5.采用带式输送机运煤的井底车场较轨道矿车运煤的井底车场有什么不同？为什么我国现有矿井中，普遍采用带式输送机运煤？

6.选择井底车场形式的主要原则有哪些？选择井底车场形式时，需要考虑哪些因素？

讨论题

1.你矿采用什么样的井底车场？

2.如果你矿采用带式输送机运煤，井底车场是否能够简单许多？为什么？

第四章　矿井开拓的基本问题

第一部分　系统理论知识

第一节　井筒数目和位置

一、井筒数目的确定

井筒数目主要由矿井生产能力的大小、矿井地质、水文地质、地形、煤层埋藏及沼气含量等因素确定。

二、井筒位置的确定

井筒形式确定后，需要正确选择井筒位置，但在不少场合，井筒位置与井筒形式是伴随在一起确定的。主副井筒出口要布置工业场地，建设地面工业设施和民用建筑，还要在其下部设置开采水平，进行开采部署。合理的井筒位置应使井下开采有利，井筒的开掘和使用安全可靠，地面工业场地布置合理。

（一）对井下开采合理的井筒位置

对井下开采有利的井筒位置应使井巷工程量、井下运输工作量、井巷维护工作量较少，通风安全条件好，煤柱损失少，有利于井下的开采部署。应分别分析沿井田走向及倾向的有利井筒位置。

1.井筒沿井田走向的位置

井筒沿井田走向的有利位置应在井田中央。当井田储量呈不均匀分布时，应在储量分布的中央，以此形成两翼储量比较均衡的双翼井田，以便沿井田走向的井下运输工作量最小，风量分配比较均衡，通风网路较短，通风阻力较小。应尽量避免井筒偏于一侧、造成单翼开采的不利局面。

2.井筒沿煤层倾向的位置

斜井开拓时，斜井井筒沿煤层倾向的有利位置主要是选择合适的层位和倾角。

（二）对掘进与维护有利的井筒位置

为使井筒的开掘和使用安全可靠、减少其掘进的困难及便于维护，应使井筒通过的岩层及表土具有较好的水文、围岩和地质条件。井筒应尽可能不通过或少通过流砂层、较厚的冲积层及较大的含水层。

为便于井筒的掘进和维护，井筒不应设在受地质破坏比较剧烈的地带及受采动影响的地区。井筒位置还应使井底车场有较好的围岩条件，便于大容积硐室的掘进和维护。

（三）便于布置地面工业场地的井筒位置

因为井筒出口是地面工业场地，故井筒位置必须为合理布置地面工业场地创造有利条件。在选择井筒位置时，要力求合理布置工业场地，尽可能避开农田、林业田和经济作物区，不妨碍农田水利建设，避免拆迁村庄及河流改道，并且应注意符合下列要求：

（1）要有足够的场地，便于布置矿井地面生产系统及其工业建筑物和构筑物，如主、副井绞车房及井口房、井口车场、受煤仓、筛选厂（选煤厂）等。根据需要，还应考虑为以后扩建留有适当的余地。

（2）要有较好的工程地质和水文地质条件，尽可能避开滑坡、崩岩、溶洞、流沙层、采空区等不良地段，这样既便于施工，也可防止自然灾害的侵袭。

（3）要便于矿井供电、给水和运输，并使附近有便于建设居住区、排矸设施的地点。

（4）要避免井筒和工业场地遭受水患，井筒位置应高于当地最高洪水位，在平原地区还应考虑工业场地内雨水、污水排出的问题。在森林地区，工业场地和森林间应有足够的防火距离。

（5）要充分利用地形，使地面生产系统、工业场地总平面布置及地面运输合理，并尽可能使平整场地的工程量较少。

综上所述，选择井筒位置既要力求做到对井下开采有利，又要注意使地面布置合理，还要便于井筒的开掘和维护，而这些要求又与矿井的地质、地形、水文、煤层赋存情况等因素密切联系。在具体条件下，要寻求较合理的方案，必须深入调查研究，分析影响因素，分清主次，综合考虑。

第二节　开采水平的划分

一、上、下山开采

上山开采是指回采开采水平以上的部分，下山开采是指回采开采水平以下的下山阶段，在下山阶段底部不另设置开采水平。

1.上、下山开采的比较

主要通过运输提升、通风、排水、掘进等方面进行比较。

（1）运输提升方面：上山开采时，煤向下运输，运输能力大，运输费用低，有折返运输；下山开采时，煤向上运输，运输能力小，运输费用高，但没有折返运输，总的运输工作量少。

（2）排水方面：上山开采时，采区内的涌水可直接流入水仓，排水系统简单；下山开采时，需开掘排水硐室和安装排水设备，排水工作量和费用较高。

（3）掘进方面：下山掘进时，装载、运输、排水等工序比上山复杂，掘进速度慢、效率低、成本高。

（4）通风方面：上山开采时，新鲜风和污风均向上流动，沿倾斜方向的风路较短，风阻小；下山开采时，风流在进风下山和回风下山内流动的方向相反，沿倾斜方向的风路长，风阻大，瓦斯涌出量大时，通风更加困难。

(5)基本建设投资方面:采用下山开采时,可减少水平数目,节省开拓和基本建设投资。

2.下山开采的适用条件

对煤层倾角小于16°的缓斜煤层,在井田倾斜尺寸较短,埋藏比较稳定,产量较小,而瓦斯和涌水量不大时,可以考虑下山开采。

当有些煤田的底部有奥陶纪石灰岩,含水量大时,为了避免井筒及石门穿过石灰岩,可利用下山来开采。

二、水平高度的确定

1.阶段内应有合理的区段数目:

缓倾斜煤层可取3~5段,倾斜和急倾斜煤层不少于2~3段。

2.有利于采区的正常接替。

3.保证开采水平有合理的服务年限及足够的储量。

4.要有利于采区沿倾斜方向的运输。

5.经济上有利的水平垂高。

三、辅助水平的应用

为了增大开采水平储量和服务年限等原因,有时需设辅助水平(有的称之为中间水平)。

一般情况下,一个阶段由一个开采水平来开采。但当阶段斜长较长时,用一个开采水平开采就有一定的困难,这时可在主水平之外的适当位置设一个生产能力小、服务年限短、与主水平大巷相联系的水平,即辅助水平。辅助水平设有阶段大巷,担负辅助水平的运输、通风、排水等任务,但不设井底车场,大巷运出的煤需下运到开采水平,经开采水平的井底车场再运至地面。辅助水平大巷离井筒较近时,也可设简易材料车场,担负运料、通风和排水任务。

辅助水平主要用于以下几种情况:

(1)开采水平上山部分或下山部分斜长过大,可利用辅助水平将其分作两部分开采;

(2)井田形状不规则或煤层倾角变化大,开采水平范围内局部地段斜长过大,在该处设置一个用于局部开拓的辅助水平;

(3)近水平煤层分组开采时,主水平设在上煤组(或下煤组),相应地在下煤组(或上煤组)设置辅助水平,利用暗井(或溜井)与主水平相联接。

设置辅助水平增加了井下的运输、转载环节和提升工作量,使生产系统复杂化,占用较多的设备和人员,而且生产分散,不利于集中生产,故一般情况下不采用。

第三节　大巷布置

为了开采井田内各个阶段,需要在开采水平标高上开掘阶段运输巷,并在阶段上部边界开掘阶段回风巷,通常称为运输大巷和回风大巷。运输大巷和回风大巷都是为整个阶段或水平服务的。

一、运输大巷的运输方式

1.轨道运输

我国各类井型矿井的大巷,大部分采用矿车轨道运输。采用矿车运输经济、方便、可靠、灵活性强,运输距离长短均可。轨道运输大巷的轨距一般有600mm和900mm两种。矿车一般可分为固定式矿车与底卸式两种,矿车类型分为1吨、3吨和5吨。牵引设备有架线式电机车、蓄电池电机车及各类绞车,选用时应根据井型和矿井瓦斯等级确定。

2.带式输送机运输

我国煤矿用于井下大巷的带式输送机主要有两种:高强度(嵌钢丝芯)带式输送机和钢丝绳带式输送机。

带式输送机运输对大巷的要求有以下方面:巷道断面、巷道的方向与坡度、巷道的数量。

二、运输大巷的布置方式

由于煤层数目、层间距离不同,运输大巷的布置方式可分为分层运输大巷、集中运输大巷和分组集中运输大巷三种。

1.分层运输大巷

在开采水平内,对每一层煤都单独布置一条运输大巷,用主要石门贯穿各煤层。分层大巷一般都布置在煤层当中。

2.集中运输大巷

在开采水平内只开掘一条运输大巷为水平内的各煤层服务,它通过采区石门与各开采煤层联系,这条运输大巷一般都布置在煤层的底板岩层中。

3.分组集中大巷

将井田内的煤层分为若干组,每一组布置一条大巷,为该组内各煤层集中服务,这种大巷称为分组集中大巷。

三、运输大巷的位置

由于支护技术手段的不断提高,近年来,运输大巷一般布置在煤层中。视煤层顶底板岩性情况,可以选择沿顶板或沿底板布置。如果煤层群联合开采,则一般布置在最下一层煤中。

四、阶段回风大巷的布置

其布置原则与运输大巷基本相同,在多水平开拓中,上水平的运输大巷常作为下水平的回风大巷,而不另掘阶段回风大巷。第一阶段回风大巷一般布置在煤层沿走向的上部岩层中。

对于近水平煤层,为避免下行风和减少护巷煤柱,总回风巷可与运输大巷平行布置。

第四节　开采顺序

一、沿煤层走向的开采顺序

阶段内采区的开采顺序，一般情况下，可根据矿井实际情况分为前进式和后退式两种。

回采工作面的推进方向也分为前进式和后退式，一般情况下，回采工作面多采用后退式开采。

二、沿煤层倾斜的开采顺序

阶段内开采顺序，一般是沿煤层的倾斜方向自上而下按阶段依次进行回采，即称为下行开采顺序。

采区内各区段间的开采顺序一般采用下行式。

三、煤组及煤层间的开采顺序

煤组或煤层之间的开采顺序一般采用自上而下逐次开采的下行开采顺序。在煤层群中，两组或两层煤同时开采时，为了避免开采时的相互影响，上、下煤层开采时要考虑上层煤回采超前下层煤一定的距离。

当上部煤层有煤与沼气突出、冲击地压或当上部有含水量大的煤层时可先采下组煤层。

第五节　采掘关系与三量管理

采煤与掘进是煤矿生产的两个基本环节，采煤必须先掘进，掘进为采煤做准备。要保持矿井的稳产高产，必须根据采煤的需要，合理安排掘进工作。通常将采煤与掘进的配合关系称为采掘关系。“采掘并举，掘进先行”是煤炭工业的一项技术政策。为确保矿井的采掘平衡，必须认真制订开采计划和巷道掘进工程计划，并切实执行。

一、开采计划

根据市场对矿井的煤炭产量和质量提出的要求，按照地质情况和生产技术条件，统筹安排采区及工作面的开采与接替称为开采计划。开采计划包括采煤工作面年度接替计划（生产计划）、采煤工作面较长期接替计划和采区接替计划。

采煤工作面较长时期接替计划是指5～10 a的规划，在此规划中要考虑到采区与水平的接替，以保证矿井在长期生产过程中的采掘平衡与协调。

采煤工作面年度接替计划是根据采煤工作面较长时期接替计划与生产实际情况做出具体的安排，每年都要安排采煤工作面的年度接替计划和掘进工作面的掘进工程计划，要采煤和掘进队组落实具体的工作地点和时间。

(一)采煤工作面接替计划

(1)根据采区和工作面设计,在设计图上测算各工作面参数,如采高、工作面长度、推进度和可采储量等,并掌握煤层赋存特点和地质构造等情况。

(2)确定各工作面计划采用的采煤工艺方式,估算月进度、产量和可采期。

(3)根据生产工作面结束时间顺序,考虑采煤队力量的强弱,依次选择接替工作面。所选定的接替工作面必须保证开采顺序合理,满足矿井产量和煤质搭配开采的要求,并力求生产集中,便于施工准备等。

(4)将计划年度内开采的所有采煤工作面,按时间顺序编制成接替计划表。

(5)检查与接替有关的巷道掘进、设备安装能否按期完成,运输、通风等生产系统和能力能否适应。如果不能满足需要,或采取一定的措施,或调整接替计划。这样,经过几次检查修改,最后确定采煤工作面接替计划。

(二)采区接替计划

编制采区接替计划,应使投产采区或近期接替生产的采区准备工程量小,时间短,生产条件好。同时生产和同时准备的采区数目不宜太多,几个采区同时生产的矿井,采区接替的时间宜彼此错开,不宜排在同一年度,必须保证同时生产的采区能力之和能满足矿井设计能力或计划产量的要求。

二、巷道掘进工程计划

巷道掘进工程计划是按照井田开拓方式以采区准备方式,并根据开采计划规定的接替要求和掘进队的施工力量,安排各个巷道施工次序及时间,以保证采煤工作面、采区及水平的接替。

在接替时间上要留有富裕时间,以免发生意外情况时接替不上,即在现生产的采区内,采煤工作面结束前10~15d,完成接替工作面的巷道掘进及设备安装工程;在现有开采水平内,每个采区减产前1~1.5个月,必须完成接替采区和接替工作面的掘进工程和设备安装工程;在现在开采水平内,要求在同采采区总产量开始递减前1~1.5a,完成下一个开采水平的基本井巷工程和准备、安装工程。

三、三量划分和规定

1.开拓煤量。它是井田范围内,已掘进开拓巷道所圈定的尚未采出的可采储量。

2.准备煤量。它是指在开拓煤量范围内,被开掘完了的准备巷道(采区上山、采区运输和回风平巷等)所圈定的可采储量。

3.回采煤量。它是在准备煤量的范围内,为回采巷道(区段平巷、切割眼)所切割的可采煤量。

生产矿井或投产矿井的三量可采期按下式计算:

年开拓煤量可采期=期末开拓煤量/当年计划产量或设计能力

年准备煤量可采期=期末准备煤量/当年平均月计划产量或平均月设计能力

年回采煤量可采期=期末回采煤量/当年平均月计划采煤量

四、采掘比例关系指标及计算方法

1.采掘工作面个数比

它反映矿井每个采煤工作面需要配备几个掘进面为其做准备。

采掘工作面个数比=年平均采煤工作面个数/年平均掘进工作面个数

矿井采掘工作面个数比与采煤工艺、掘进工艺方式等有关,目前我国通常在1:1.5~1:2.5之间,一般为1:2。

2.掘进率

它是生产矿井在一定时期内每产1万吨煤所需掘进的生产巷道总进尺数和开拓总进尺数,即掘进相对量。其包括:生产掘进率、开拓掘进率和生产矿井全部掘进率。

其计算式如下:

生产掘进率=生产掘进总进尺/矿井产量,m/万吨

开拓掘进率=开拓巷道掘进总进尺/矿井产量+工程出煤,m/万吨

生产矿井全部掘进率=生产矿井全部井巷掘进总进尺/矿井产量+工程出煤,m/万吨

第六节　矿井开拓延深

为了保证矿井均衡生产,多水平开拓的矿井在上水平减产前就要提前完成井筒延深和下水平的开拓准备工作。在矿井正常生产的过程中开拓新的水平,必然与生产水平的运输、提升、通风等工作互相干扰。因此,正确选择矿井延深方案,使矿井生产与井筒延深施工密切配合,切实处理好新旧水平的接替,是矿井延深工作中应解决的重要问题。

一、选择开拓延深方案的原则及要求

(1)保持或扩大矿井生产能力;

(2)充分利用现有设施,降低投资;

(3)积极采用新技术、新工艺和新设备;

(4)加强管理,减少对生产的影响;

(5)尽可能缩短新、旧水平的同时生产时间。

二、开拓延深方案

(一)直接延深原有井筒

这种延深方式是将主、副井直接延深到下一开采水平。

其特点是可以充分利用已有设备、设施,投资少,提升单一,转换环节少,车场工程量相对减少等。但延深与生产互相影响而且矿井提升能力相对降低。

直接延深方式的适用条件:

(1)地质构造及水文地质等条件不影响井筒直接延深及井底车场布置;

(2)井筒断面和提升设备能力均能满足延深水平生产要求;

(3)若提升设备能力满足不了延深水平的要求,但经过论证更换提升设备合理时,也可采用此方式。

（二）暗井延深

这种方式是利用暗立井或暗斜井开拓深部水平。其特点是延深与生产互不干扰，原有井筒提升能力不降低，暗井的位置不受原井筒限制，可选在对开采下部煤层有利的位置上。

暗井延深方式的适用条件：

（1）由于地质条件或技术经济等原因，原井筒不宜直接延深；

（2）用平硐开拓的矿井，延深水平因地形限制没有开阶梯平硐的条件时，一般多采用暗斜井。

（三）直接延深一个井筒，新打一个暗井

这种延深方式是直接延深原来的主井或副井，另一井筒采用暗井延深。其特点和适用条件介于直接延深与暗井延深方式之间。

（四）新开一个井筒，延深一个井筒

这种方式是从地面新开一个主井（或副井）筒通达延深的水平，另外用暗井延深或直接延深副井（或主井）。其特点是：能大幅度增加矿井生产能力；便于采用先进的技术装备，开拓延深与生产相互影响小。但要改造原地面生产系统，增加基建费用。

新开一个井筒、延深一个井筒的方式一般适用于结合矿井改扩建的大型矿井开拓延深。

（五）深部新开立井或斜井

当煤田浅部为小井群开采时，随着向深部发展，如果每个小井都各自向下延深，将造成井口多，占用设备多，生产环节多，生产分散的情形。所以，可将几个矿井联合开拓延深。该方案的实质是结合开拓延深，进行矿井合并改造。从开拓延深的角度分析，该方案的特点是：将各小井的深部合并为一个井田，建立统一的开采水平即延深水平，延深时不影响生产。

三、生产水平过渡时期的技术措施

矿井的某一个开采水平开始减产直到结束，其下一个开采水平投产到全部接替生产，是矿井生产水平过渡时期。水平过渡时期，上、下两个水平同时生产，增加了提升、通风和排水的复杂性，所以应采取恰当的技术措施。

（一）生产水平过渡时期的提升

生产水平过渡时期，上、下两个水平都出煤。对于采用暗斜井延深的矿井、新打井的矿井或多井筒多水平生产的矿井，分别由两套提升设备担负提升任务，一般没有困难。对于延深原有井筒的矿井，尤其是用箕斗提升的矿井，则必须采取下列有效的技术措施。

（1）利用通过式箕斗两个水平同时出煤。所谓通过式箕斗，其实是通过式装载设备，即将启闭上水平箕斗装载煤仓闸门的下部框架改装成可伸缩的悬臂，提上水平煤时悬臂伸出；提下水平煤时，悬臂收回让箕斗通过。这种办法提升系统单一，并不增加提升工作量。但每变换一次提升水平时，都需调整钢丝绳长度，经常打离合器，增加了故障几率。当水平过渡时期不长时，可采用这种方法。

（2）将上水平的煤经溜井放到下水平，主井在新水平集中提煤。这种方法提升系统单一，提升机运转维护条件好，但要增开溜井，增加提升工程量和费用。上水平剩余煤量不多时，宜采用这种方法。

（3）上水平利用下山采区过渡。上水平开始减产时，开采1～2个下山采区（一般为靠近井筒的采区），在主要生产转入下一水平后，再将该下山采区改为上山采区。这种方法可推迟生产水平接替，有利于矿井延深，但采区提运系统前后要倒换方向，要多掘一些车场巷道。另外，只有煤层倾角不大时，方宜采用。

（4）利用副井提升部分煤炭。采用这种方式时，要适当地改建地面生产系统，增建卸煤设施。此外，如风井或主井有条件安装提升设备时，也可考虑增设一套提升设备，用来解决两个水平同时提煤问题。

（二）生产水平过渡时期的通风

生产水平过渡时期，要保证上水平的进风和下水平的回风互不干扰，关键在于安排好下水平的回风系统。通常，可以采取以下方法：

（1）维护上水平的采区上山为下水平的相应采区回风；

（2）利用上水平运输大巷的配风巷作为过渡时期下水平的回风巷；

（3）采用分组集中大巷的矿井，可利用上水平上部分组集中大巷为下水平上煤组回风。

（三）生产水平过渡时期的排水

生产水平过渡时期可采用下列排水方式：

（1）一段排水，上水平的流水引入下水平水仓，集中排至地面；

（2）两段分别排水，两个水平各有独立的排水系统直接排至地面；

（3）两段接力排水，下水平的水排到上水平水仓，然后由上水平集中排至地面；

（4）两段联合排水，上下两个水平的排水管路联成一套系统，设三通阀门控制，上下水平均可排水至地面。

具体采用哪种方式，需根据矿井涌水量大小、水平过渡时期长短、设备情况等因素，经方案比较后确定。

第七节　矿井技术改造

一、矿井改扩建

矿井改扩建的直接目的就是在科学技术进步的基础上，提高矿井生产能力和技术经济效益。矿井改扩建就是扩大井田范围，增加矿井储量，增加矿井产量。通常有以下几种方法。

（一）直接扩大井田范围

我国不少改扩建矿井采用这种方式，取得了很好的效果。随着勘探工作的进行，矿井可以向深部发展，也可向走向方向发展。

（二）相邻矿井合并改造

有些矿井，特别是中小型矿井，生产能力小而且分散，有条件的应当合并改造，扩大井田储量，提高生产能力。

(三)结合矿井开拓延深进行合并改扩建

开采煤田浅部的矿井,井田范围小、井型小,当发展到深部时,结合开拓延深将几个中、小型井合并改造为一个大型井,可以减化生产系统,减少设备,有利于井上下集中生产,提高技术水平和经济效益。

二、合理集中生产

不断改革生产矿井的开拓、准备与采煤系统,提高机械化程度,实现合理集中生产是我国煤炭工业的一项重要的技术政策。生产集中化是指生产手段和劳动力在时间和空间上的集中,在单位时间及较小空间上,用最少的劳动消耗,取得最大的产量和最佳的经济效果。

目前,国内外现代化矿井正在向高度集中化发展,一个大型矿井正在向一个开采水平、一个采区、一个采煤工作面的高产高效矿井方向发展。矿井生产的合理集中可简化生产系统,减少辅助设备与人员,降低巷道掘进率,从而取得更好的经济效益。

上述矿井改扩建,实质都是矿井的合理集中。此外,还有开采水平集中、采区集中和采煤工作面集中。

(一)水平集中

水平合理集中生产的含义包括两个方面:其一是减少同时生产的水平数目,尽可能以一个水平满足全矿产量;其二是在开采水平内实现集中开拓。采用分组集中大巷时,尽可能在一个分组内满足全矿产量。条件适宜时可采用分煤层布置大巷,实现单一煤层集中开拓,集中生产。

(二)采区集中

采区合理集中生产是指提高采区生产能力,尽可能减少矿井内同时生产的采区数目,同时应适当加大采区走向长度,增加采区的可采储量和服务年限,减少采煤工作面搬迁,实现采区稳产和高产;近距离煤层群采用集中平巷联合准备,是炮采、普采采区的一种集中方式,是单产较低、采区内同采面较多情况下合理集中生产的成功经验。

在开采水平内,减少矿井同采采区数,减少了大量财力、物力、人力投入,可显著提高矿井生产的效率。

(三)工作面集中

采煤工作面合理集中生产是指提高采煤工作面的单产水平,尽可能减少采区内同采工作面数目。综采采区一般以一个工作面保证采区产量;炮采、普采采区,同采的采煤工作面数目一般为两个,不超过三个,可保证采区产量。同时适当增加采煤工作面长度,在条件适宜时推广对拉工作面等也是采煤工作面合理集中生产的有效措施。

采煤工作面合理集中生产是矿井、水平、采区集中生产的基础和核心。只有提高采煤工作面单产,才能为整个矿井集中生产创造条件。

三、矿井主要生产系统的技术改造

(一)地面生产系统的改造

主要是减少地面线路,简化地面运输和装载系统及地面主要设施的集中布置。

(二)矿井提升系统的改造

在矿井产量或开采深度增加后,主副井提升能力不足往往成为技术改造后矿井增加产量的瓶颈。为提高矿井提升能力,对提升系统的改造措施有:改装箕斗加大容量;罐笼提升改为箕斗提升;斜井串车提升改为箕斗提升或带式输送机运输;提升绞车由单机拖动改为双机拖动;加大提升速度或减少辅助时间;缩短一次提升时间和增加每日的提升时间;增加井筒数目,增加提升设备,以及斜井单钩改双钩,立井罐笼单层改双层,单车改双车提升等。

(三)大巷运输系统的改造

提高水平大巷运输能力的措施有:增加机车和矿车数目;单机牵引改双机;加大机车装载重量和矿车容积;固定式矿车改为3 t、5 t容量的底卸式矿车;采用带式输送机连续运输;改换或增加电机,加快带式输送机运行速度,改用大能力、高强度带式输送机,以及采用大巷运输的自动控制系统等措施。

(四)井底车场的改造

当矿井产量增大而井底车场通过能力不够,或大巷运输由固定式矿车改为底卸式矿车,或改为胶带输送机运输而井底车场形式不适应时,需要改造井底车场,提高井底车场通过能力,如增加通过线或复线,设置新卸载线路等。

(五)辅助运输环节的改造

目前,我国煤矿采区辅助运输环节的运输能力低,占用设备和人员多,对矿井产量和效率的影响较大。应该采用新的技术装备,代替目前广为使用的小绞车和无极绳牵引运输。

(六)通风系统的改造

为了增加风量,提高通风机效率,降低耗电量,改善井下通风安全条件,通常采取的技术措施有:主要通风机并联运转;更换为高效通风机;改用大功率离心式通风机;改装叶片;离心式通风机更换高效转子等。

(七)排水系统的改造

主要是简化系统,缩短排水管路,对多水平同时生产的矿井,改造多水平排水为集中排水;下山开采涌水量较大时,改造采区单独排水为设置排水大巷集中排水或采取从地面打钻孔,进行分区独立排水。

第二部分　专业核心知识点

1. 熟悉井筒的数目、位置以及各自功能。
2. 掌握开采水平的划分方法及水平大巷的布置。
3. 掌握开采顺序的原则，熟练掌握采掘关系与三量管理。
4. 了解矿井开拓延深的几种方法及技术改造的意义。

第三部分　专业技能训练

技能井田开拓现场技能训练

1. 了解实习矿井的开拓方式：主井、副井和风井的形式、数目、位置及布置方式，井筒的断面形式、断面大小和支护方式，井筒的装备和提升容器，井筒内的管线敷设，井筒连接处和井底硐室，矿井安全出口的设置情况。

2. 了解井底车场的型式和布置方式、硐室的布置、调车方式、存车线长度、车场线路的坡度、通过能力，并绘出井底车场的简图。

3. 了解开采水平的划分，上、下山开采情况，煤层群分组情况，以及这些划分和决定的依据和合理性分析，了解开采水平高度、阶段尺寸的确定及其依据。

4. 了解主要开拓巷道（主要石门、采区或带区石门、运输大巷、总回风巷等）的布置及其依据，采区或带区的划分、尺寸和布置的确定及其依据。

5. 了解主要运输大巷、主石门、总回风道的运输方式，运输设备的技术特征，大巷断面形式和支护方式，矿井三量是否符合规定，采区和带区接替是否正常。

6. 绘出实习矿井开拓系统（包括运输、通风系统等）示意图。

复习题

1.选择井筒位置时应考虑哪些因素？如何确定？

2.开采水平大巷的布置方式有几种？分别说明其适用条件。

3.试分析比较阶段运输大巷采用矿车运输和采用胶带输送机运输的优缺点及适用范围。

4.在什么条件下设置辅助水平？辅助水平的作用是什么？辅助水平与开采水平有何区别？

5.试分析上、下山开采的优缺点及适用条件。

6.合理的开采顺序的要求是什么？

7.为什么说“三量”只能间接地反映采掘关系？如果矿井“三量”达到规定，就一定不会出现采掘失调吗？为什么？

8.矿井技术改造有什么重要意义？其内容包括哪几个方面？

9.什么是矿井开拓延深？矿井开拓延深方式有哪些？

10.矿井改扩建的基本条件是什么？矿井改扩建的方式有哪几类？

11.生产矿井的合理集中改造有哪几种方式？

讨论题

1. 你矿分几个水平开采？是怎么延深的？合理吗？
2. 如果你是矿总工程师，如何编制采煤工作面接替计划？在编制中应注意哪些问题？
3. 你矿的“三量”是怎么计算的，你会吗？
4. 你矿的整个井田开采顺序是怎样的？合理吗？
5. 何谓“采掘平衡”，你矿的“采掘平衡”正常吗？它在煤矿生产中具有什么意义？

第五章　采煤方法概述

第一部分　系统理论知识

第一节　采煤方法的概念及分类

一、基本概念

1.采场

在采区内,用来直接大量开采煤炭资源的场所,称为采场。

2.采煤工作面

在采场内进行采煤的煤层暴露面称为煤壁,也称为采煤工作面。在实际工作中,采煤工作面就是指采煤作业的场地,与采场是同义语。

采煤工作面煤层被采出的厚度称为采高,采煤工作面的煤壁长度称为采煤工作面长度。

3.采煤工作

在采场内,为了开采煤炭资源所进行的一系列工作,称为采煤工作。采煤工作包括破煤、装煤、运煤、支护、采空区处理等基本工序及其一些辅助工序。

4.采煤工艺

由于煤层的自然赋存条件和采用的采煤机械不同,完成采煤工作各道工序的方法也就不同,在进行的顺序、时间和空间上必须有规律地加以安排和配合。这种在采煤工作面内各道工序按照一定顺序完成的方法及其相互配合称为采煤工艺。在一定时间内,按照一定的顺序完成采煤工作各项工序的过程,称为采煤工艺过程。

5.采煤系统

采煤系统是指采区内的巷道布置系统以及为了正常生产而建立的采区内用于运输、通风等目的的生产系统。为形成完整生产系统,需要掘进一系列的准备巷道(如采区石门、采区上(下)山、区段石门、区段共用平巷以及为采区服务的各种硐室等)和回采巷道(如区段运输平巷、区段回风平巷、联络巷及其辅巷、开切眼等)。

6.采煤方法

根据不同的矿山地质及技术条件,可有不同的采煤系统与采煤工艺相配合,从而构成多种多样的采煤方法。采煤方法是指采煤系统和采煤工艺的综合及其在时间、空间上的相互配合。不同采煤工艺与采区内相关巷道布置的组合,构成了不同的采煤方法。

二、采煤方法分类

我国煤炭资源分布广,赋存条件多样,开采地质条件各异,南北地域采煤方法差别较大,形成了多样化的采煤方法。我国使用的采煤方法已达50多种，是世界上采煤方法种类最多的国家。

煤炭开采方法总体上可分为露天开采和井工开采(也称作矿井开采)两种方式。

露天开采是指直接从地面揭露出煤炭并将其采出的开采方式。

矿井开采是指通过在地下煤岩层中的井巷采出煤炭的开采方式。矿井开采的采煤方法有多种分类方法，通常按采煤工艺、矿压控制特点等，将采煤方法分为壁式体系采煤法和柱式体系采煤法两大类，我国矿井开采主要采煤方法及其特征见表5-1。

(一) 壁式体系采煤法

又称为长壁体系采煤法。壁式体系采煤法是以长壁工作面采煤为主要特征，目前在我国应用最普遍的一种采煤方法，产量约占到全国煤矿产量的95%以上。

1.壁式体系采煤法的主要特点

(1)在采煤工作面的两端至少各布置一条巷道，构成完整的生产系统；

(2)采煤工作面长度较长，一般在80 ~ 250m以上；

(3)采煤工作面可分别采用爆破、滚筒式采煤机或刨煤机破煤和装煤，用与工作面煤壁平行铺设的可弯曲刮板输送机运煤，用自移液压支架或单体液压支柱、铰接顶梁组成的单体支架支护采场工作空间，用全部垮落法或充填法处理采空区；

(4)随着采煤工作面推进，顶板暴露面积增大，矿山压力显现较为强烈。

2.壁式体系采煤法的类型

(1)壁式体系采煤法，按煤层倾角的大小，可分为缓斜、倾斜煤层采煤法和急斜煤层采煤法；

(2)按开采煤层的厚度，可分为薄煤层采煤法、中厚煤层采煤法、厚煤层采煤法；

(3)按工作面布置和推进方向不同，分为走向长壁采煤法和倾斜长壁采煤法；

(4)按工作面采煤工艺，分为爆破采煤法、普通机械化采煤法和综合机械化采煤法；

(5)按工作面采空区的处理方法，分为全部垮落采煤法、煤柱支撑(刀柱)采煤法、充填采煤法；

(6)按煤层的开采方式，分为整层采煤法和分层采煤法。

(二)柱式体系采煤法

柱式体系采煤法又称为短壁体系采煤法，是以房、柱间隔采煤为主要特征，常见的有巷柱式、房式、房柱式采煤法。

主要特点：

(1)工作面短，但数量多，采房及回收煤柱设备合一；

(2)压力显现减弱，生产过程中支架及处理采空区工作较简单，有时可不处理采空区；

(3)采场内煤的运输方向是垂直于工作面的，采煤配套设备均能自行行走，灵活性强；

(4)工作面通风条件较壁式体系恶劣，回采率较低。

表5-1　　我国矿井开采主要采煤方法及其特征表

序号	采煤方法	体系	整层与分层	推进方向	采空区处理	采煤工艺	适用条件
1	单一走向长壁采煤法	壁式	整层	走向	垮落法	综采、普采、炮采	薄及中厚煤层
2	单一倾斜长壁采煤法	壁式	整层	倾斜	垮落法	综采、普采、炮采	缓斜薄及中厚煤层
3	刀柱式采煤法	壁式	整层	走向或倾斜	煤柱支撑法	普采、炮采	顶板坚硬的缓斜薄及中厚煤层
4	大采高一次采全厚采煤法	壁式	整层	走向或倾斜	垮落法	综采	缓斜5m以下的厚煤层
5	倾斜分层走向长壁下行垮落采煤法	壁式	分层	走向	垮落法	综采、普采、炮采	缓斜、倾斜厚及特厚煤层
6	倾斜分层倾斜长壁下行垮落采煤法	壁式	分层	倾斜	垮落法	综采、普采、炮采	缓斜、倾斜厚及特厚煤层
7	倾斜分层走向长壁上行充填采煤法	壁式	整层	走向或倾斜	充填法	炮采	缓斜、倾斜特厚煤层
8	放顶煤采煤法	壁式	整层	走向或倾斜	垮落法	综采为主	缓斜5m以上的厚煤层
9	水平分段放顶煤采煤法	壁式	分层	走向	垮落法	综采为主	急斜特厚煤层
10	水平分层、斜切分层下行垮落采煤法	壁式	分层	走向	垮落法	炮采	急斜厚及特厚煤层
11	掩护支架采煤法	壁式	整层	走向或倾斜	垮落法	炮采、风镐	急斜中厚及厚煤层
12	台阶式采煤法	壁式	整层	走向	垮落法	炮采、风镐	急斜薄及中厚煤层
13	仓储巷道长壁采煤法	壁式	整层	走向为主	垮落法	炮采	急斜薄及中厚煤层
14	水力采煤法	柱式	整层	走向或倾斜	垮落法	水采	不稳定煤层急斜煤层等
15	柱式体系采煤法	柱式	整层	走向或倾斜	垮落法	炮采	非正规条件回收煤柱

第二节　采煤方法的选择及发展方向

一、选择采煤方法的原则

选择采煤方法，应当结合区域经济特点，根据煤层赋存条件、矿井开采技术水平等因素，选用技术先进、经济合理、安全生产条件好、资源回收率高的采煤方法。必须满足安全、经济、煤炭采出率高的原则。

二、影响采煤方法选择的因素

为了满足采煤方法三方面的原则要求，在选择和设计采煤方法时，必须充分考虑到具体的地质、技术和经济因素的影响。

1.地质因素

(1)煤层倾角

煤层倾角是影响采煤方法选择的重要因素。煤层倾角的变化不仅直接影响到采煤工作面推进方向、破煤方式、运煤方式、工作面长度、支护方式、采空区处理方法，而且还直接影响到采区巷道布置、运输方式、通风系统、顶板灾害防治措施以及各种参数的选择。

(2)煤层厚度

煤层厚度及其变化也是影响采煤方法选择的重要因素。根据煤层的厚度，可以选择相应的采煤方法。一般条件下，薄及中厚煤层通常采用一次采全高的采煤方法，厚煤层可采用大采高综合机械化采煤一次采全高、放顶煤采煤方法，也可以采用分层开采的方法。此外，煤层厚度还会影响到采煤工作面的长度，影响采空区处理方法的选择。在开采自然发火期较短的厚煤层时，就必须采取综合预防煤层自然发火的措施，采用全部充填法或局部充填法处理采空区。

(3)煤层特征及顶、底板稳定性

煤层的硬度、煤层的结构(含夹矸情况)、含煤层数及煤层顶、底板岩石的稳定性，都直接影响到采煤机械、采煤工艺以及采空区处理方法的选择，影响着采区巷道布置、巷道维护方法、采区主要参数的确定。

(4)煤层地质构造

采煤工作面内的断层、褶皱、陷落柱等地质构造，直接影响着采煤方法的选择和应用。由于地质构造的影响，有时不得不放弃技术先进的采煤方法，而采用适应性较强、安全可靠性较高的采煤方法。一般情况下，对于地质构造简单，埋藏条件稳定的煤层，有利于选用综合机械化采煤方法；对于地质构造复杂、埋藏条件不稳定的煤层，可选用普通机械化采煤、爆破落煤采煤方法以及其他适应性较强、安全可靠性较高的采煤方法；多走向断层的宜采用走向长壁采煤法；多倾斜断层的，宜采用倾斜长壁采煤法。因此，在选择采煤方法之前，必须加强地质勘查和测量工作，准确掌握开采范围内的地质构造情况，以便正确地选择适宜的采煤方法。

(5)煤层含水性

煤层及其顶、底板含水量较大时,需要在采煤工作面开采前采取疏排水措施,或在采煤过程中布置疏排水设施,且应在选择采煤方法时加以充分考虑。

(6)煤层瓦斯含量

煤层瓦斯含量较高时,在选择采煤方法时,应当考虑布置预抽瓦斯专用巷道和预抽瓦斯钻孔,并通过瓦斯管网进行瓦斯抽放。还要考虑在开采过程中加强通风和瓦斯管理,防止瓦斯事故的发生。

(7)煤层自然发火倾向性

煤层自然发火倾向性直接影响着采区巷道布置、工作面参数、巷道维护方法和采煤工作面推进方向等,决定着是否需要采取防火灌浆措施或选用充填采煤法,因此在选择采煤方法时应予以考虑。

2.技术发展及装备水平

技术发展及装备水平也会影响采煤方法的选择。改革开放以来,我国采煤方法和采煤工艺技术在创新中得到不断地发展,新方法、新工艺、新装备的推广应用为采煤方法的选择提供了更广阔的空间。厚煤层放顶煤采煤法、大采高一次采全厚采煤法、伪斜柔性掩护支架采煤法、伪斜走向长壁采煤法等得到广泛应用。工作面采煤工艺技术、装备能力和强度不断提高,工作面单产水平和劳动效率迅速增长。因此在采煤方法选择时,应考虑不同装备水平的工艺技术,工作面单产水平必须同矿井各个生产环节能力相适应,并留有适当的发展余地。

顶板管理和支护技术也影响到采煤方法的选择。如在坚硬顶板条件下,部分矿井采用的高工作阻力液压支架和对顶板岩层进行注水软化技术,在坚硬顶板条件下成功地采用了垮落法处理采空区,取代了传统的煤柱支撑采煤法(即刀柱式采煤法)。

为了保护地面生态环境,开采建筑物下、铁路下、水体下的煤炭资源,可根据具体的自然和技术条件,选择相应的“三下”采煤方法。

3.矿井管理水平

矿井管理水平及员工素质对采煤方法的选择也会产生一定的影响。选择采煤方法时,避免忽视企业管理水平和员工素质的实际情况,在条件尚不具备的情况下,避免盲目采用新的采煤技术和新工艺。

4.矿井经济效益

矿井的经济效益是选择采煤方法的重要因素。在选择采煤方法时,要研究拟采用采煤方法的投入和产出关系,考虑企业的投资能力和采煤方法的经济效果,尽量降低成本。

三、采煤方法的发展方向

选择合适的采煤方法,对提高矿井生产管理水平和煤矿企业经济效益,改变矿井技术面貌,起着决定性作用。我国采煤方法的发展方向,就是要因地制宜发展高产高效安全的采煤方法。主要有几个方面:

(1)改进采煤工艺,因地制宜地发展先进的机械化采煤技术;

(2)扩大走向长壁采煤法和倾斜长壁采煤法的应用范围;

(3)缓斜、倾斜厚煤层推行倾斜分层下行垮落采煤法和放顶煤采煤法;

(4)大力推广无煤柱护巷技术;

(5)急斜煤层开采要进一步探索采煤机械化的发展途径;

(6)"三下一上"采煤技术有广泛的发展空间;

(7)适度发展水力采煤技术;

(8)柱式体系采煤法应用范围将不断扩大;

(9)煤炭地下气化技术前景光明。

采煤方法的核心是采煤工艺,改善采煤工艺既依赖于采煤和设备的改进,又依赖于作业人员素质和管理水平的提高。在改进现有综采设备、研制进一步高产高效和困难条件下应用综采设备的同时,也应加强对作业人员的技术培训,提高作业人员操作技能和管理水平。采煤工艺的改进必将促进巷道布置的改革,而合理的巷道布置又能为充分发挥采煤效能创造良好条件。

第二部分　专业核心知识点

1. 了解采煤方法的概念及分类。
2. 熟悉采煤方法的选择原则。
3. 了解采煤方法的发展方向。

第三部分　专业技能训练

结合本地区煤炭技术水平和发展实际，讨论本地区采煤方法改革和发展趋向。

复习题

1.什么是采煤方法？选择采煤方法应遵循的原则是什么？
2.解释术语：采煤工作面、采煤工艺、壁式体系采煤方法、柱式体系采煤方法。
3.壁式体系采煤方法有什么特点？
4.影响采煤方法选择的因素有哪些？

讨论题

1. 你矿采用什么样的采煤方法？地质条件允许吗？
2. 试述炮采、普采及综采各自的优缺点？

第六章　采煤工作面矿山压力基本规律

第一部分　系统理论知识

第一节　矿山压力的基本概念

一、矿山压力的概念

由于井下采掘工作破坏了岩体中原岩应力平衡状态,引起应力重新分布,把存在于采掘空间周围岩体内和作用在支护物上的力称为矿山压力,简称“矿压”或“地压”。

二、矿山压力的来源

采动前,原始岩体中已经存在的应力是矿山压力产生的根源。井下深部原岩处于复杂的受力状态,承受着上覆岩层重量引起的自重应力、地质构造引起的构造应力、遇水膨胀和温度变化引起的应力等。

三、矿山压力显现及其控制

在矿山压力作用下,围岩和支架所表现出来的力学宏观现象,如围岩变形、离层、破坏和冒落,支架受力变化和折损,煤(岩)突出,充填物产生压缩和地面塌陷等,称为矿山压力显现,简称矿压显现。采煤工作面矿压显现的形式主要有:工作面顶板下沉、支架变形与折损、顶板破碎或大面积冒落、煤壁片帮、支柱插入底板、底板膨胀鼓起等。

矿山压力的显现会给井下采掘工作造成不同程度的危害,为了维护采掘空间,就必须采取各种技术措施加以控制。其中包括对采掘空间的支护、对软弱岩体的加固、强制放顶等,也包括合理地利用矿山压力为采煤工作服务,如无煤柱开采、全部垮落法管理顶板、放顶煤技术的应用和再生顶板的形成等。把所有人为地调节、改变和利用矿山压力的各种技术措施,叫做矿山压力控制,简称矿压控制。

第二节　采煤工作面围岩移动特征

一、煤层顶板分类

1.按相对于煤层的位置及垮落的难易程度分

(1)伪顶。直接位于煤层之上,是一层极易垮落的薄岩层,常随采随落。多由炭质页岩或泥质页岩组成,厚度一般在0.3m~0.5m以下。

(2)直接顶。它位于伪顶或煤层之上,由一层或数层页岩、砂质页岩组成,厚度由几米至十余米,岩层坚硬,是工作面支架支护的主要对象,一般在回柱或移架后很快垮落。

(3)基平顶。它位于直接顶或煤层之上,是由砂岩、石灰岩或砾岩等组成的厚而坚硬的岩层。

2.按顶板的坚硬程度、稳定程度及对工作面矿压影响程度分

(1)直接顶分类

在部颁顶板分类试行方案中,将直接顶分为四类,它所采用的指标将按反映顶板稳定性的岩石单向抗压强度R_C、节理裂隙间距I和分层厚度h综合而成的强度指数D来确定,并以直接顶初始垮落步距L作为参考指标进行检验,如此可将直接顶分成4类,见表6-1。

表6-1　　部颁直接顶分类试用方案

指标＼类别		Ⅰ	Ⅱ	Ⅲ	Ⅳ	
		不稳定顶板	中等稳定顶板	稳定顶板	坚硬顶板	
主要指标	强度指数D	30	31~70	71~120	>120	无直接顶。岩厚度在2~5m以上,δ>60~80MPa,I和h大于1m的整体岩层即基本顶
参考指标	直接顶初次垮落步距L/m	8	9~18	19~25	>25	

表中D为强度指数,　　$D=10R_C\cdot C_1\cdot C_2$式中

Rc—岩石单向抗压强度,MPa;

C_1—节理裂隙影响系数;

C_2—分层厚度影响系数。

(2)基本顶来压强度主要决定于直接顶厚度∑h与采高M的比值N及基本顶初次采压步距L。根据N和L两个指标,将基本顶分为四级,如表6-2所示。

表6-2　　基本顶分级

分级	Ⅰ	Ⅱ	Ⅲ	Ⅳ
基本顶来压显现	不明显	明显	强烈	极强烈
指标	N＞3～5	0.3<N≤3～5，L=25～50m	0.3<N≤3～5，L＞50m N≤0.3，L=25～50m	N≤0.3，L＞50m

（1）N＞3～5，这种基本顶垮落或错动对工作面支架受力无多大影响，称无周期采压或周期采压不明显的基本顶；

（2）0.3<N≤3～5且L=25～50m，这时基本顶的垮落对工作面支架所受载荷有较为严重的影响；

（3）0.3<N≤3～5且L＞50m或≤0.3，L=25～50m，这时基本顶的悬露与垮落都将对工作面支架有严重影响，称周期来压严重的基本顶；

（4）N≤3.0且L＞50m，由于基本顶特别坚硬，因而常能在采空区悬露上万平方米而不跨落。当其跨落时，则在工作面形成剧烈的矿山压力显现，从而要求采取特殊措施加以控制。

二、采煤工作面的移动特征

1.直接顶的初次垮落

当采煤工作面自开切眼推进一段距离后，直接顶悬露达到一定跨度，采空区进行初次放顶，使直接顶垮落下来，这一过程称作直接顶的初次垮落。

直接顶初次垮落的跨距称为初次垮落距。初次垮落距的大小取决于直接顶岩层的强度、分层厚度和直接顶内节理裂隙的发育程度等，一般为6~12m。

2.基本顶的初次垮落与初次来压

随着采煤工作面继续推进，直接顶不断垮落，基本顶悬露跨度逐渐增大并产生弯曲，当达到极限跨度时，基本顶将出现断裂，进而发生垮落。基本顶在采空区的第一次垮落称为基本顶的初次垮落。基本顶由开始破坏直至垮落常要持续一定时间，甚至有时在基本顶垮落前两三天，即出现顶板断裂的声响等来压预兆。在垮落前1~2小时，采空区可能会有轰隆隆巨响。通常煤壁片帮严重，顶板产生裂缝或掉碴，顶板下沉量和下沉速度明显增加，支架载荷迅速增高，这种现象称为基本顶的初次来压。

3.基本顶初次垮落步距的确定

基本顶初次垮落时，其最大悬露跨度$L_{初}$称为基本顶初次垮落步距。该值的大小取决于基本顶的强度、厚度等因素。可按下述力学模型解算。

（1）一般情况下，视基本顶为两端固定梁，将基本顶看作两端固定长度为L的岩梁，受均布荷载q的作用。基本顶受力情况如图6-1所示。

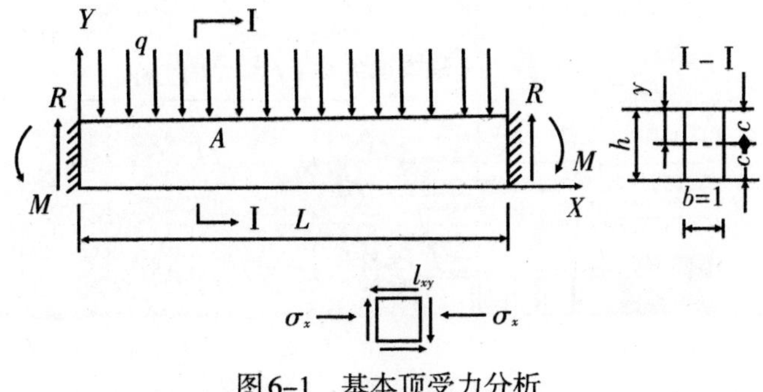

图6-1　基本顶受力分析

(2)浅部煤层情况下,近似视基本顶为简支梁。

基本顶岩梁达到极限跨距形成断裂后,并不一定立即垮落,断裂的岩块间由于回旋形成挤压,也能形成平衡。如图6-2所示,岩层的抗压强度较小,基本顶的断裂一般在岩梁中部的底部及两侧支座的上部。在水平挤压力的作用下,形成三铰拱式的平衡。

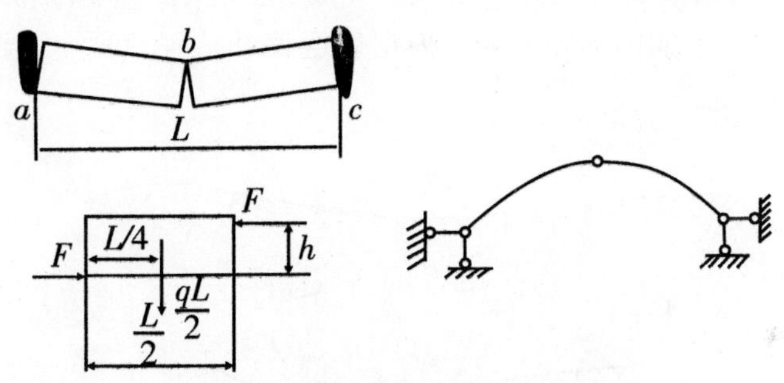

图6-2　基本顶断裂后形成的平衡拱

根据上述两种力学分析,再加上地质构造等因素,基本顶的初次垮落步距差异较大。据大量实测资料统计,一般我国主要矿区基本顶初次垮落步距为:10~30m的约占54%,30~50m约占37.5%,其余为大于55m的情况,有的可达160m左右,如大同矿区的砾岩及砂岩顶板。

4.基本顶的周期来压

随着工作面的推进,老顶周而复始的垮落给工作面造成压力增大的现象称为老顶周期来压。每次周期来压的间距称为周期来压步距,为初次来压的1/2~1/4,一般为10 ~ 20m。

当采煤工作面继续推进,基本顶悬臂跨度达到极限跨度时,基本顶在其自重及上覆岩层载荷的作用下,将沿采煤工作面煤壁甚至在煤壁之内发生折断和垮落。如图6-3所示,随着采煤工作面的推进,基本顶这种“稳定 – 失稳 – 再稳定”现象,将周而复始地出现,使采煤工作面矿山压力周期性明显增大。这种基本顶的周期性折断, 或垮落前后采煤工作面的矿压显现称为基本顶的周期来压。

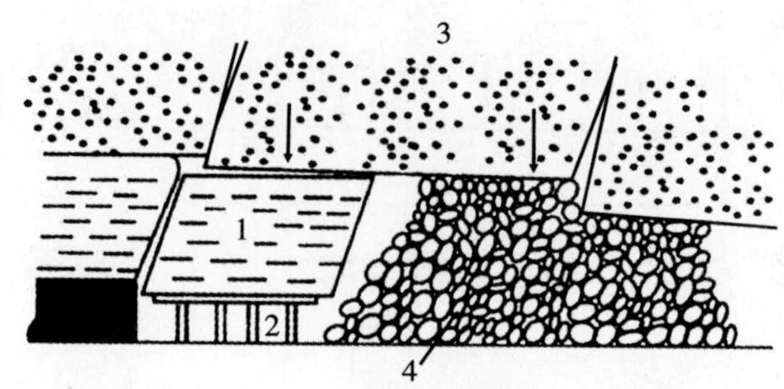

图6-3　基本顶的周期采压

1——直接顶；2——支架；3——已断裂的基本顶；4——冒落矸石

基本顶周期来压的主要表现形式：顶板下沉速度急剧增加，顶板下沉量变大，支柱所受载荷普遍增加，有时还可能引起煤壁片帮、支柱折损、顶板发生台阶状下沉等现象。

三、工作面上覆岩层移动规律

在长壁开采全部垮落法管理顶板的采煤工作面，随着工作面不断推进，上覆岩层发生位移或破坏。岩层移动概貌如图6-4所示。根据岩层移动特征，可将煤层的上覆岩层分为冒落带、裂缝带和弯曲下沉带。

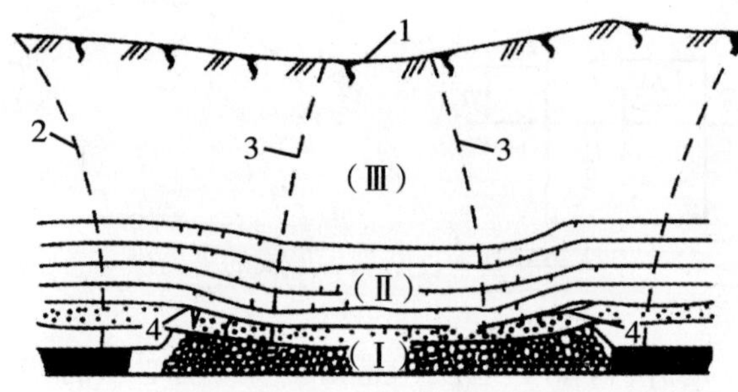

图6-4　开采后岩层移动概貌

1——地表沉降区；2——岩层开始移动边界线；3——岩层移动稳定边界线；4——离层现象

Ⅰ——冒落带；Ⅱ——裂缝带；Ⅲ——弯曲下沉带

（一）冒落带

当采煤工作面移架或回柱放顶后，冒落带岩层将自上而下依次垮落。一般在冒落带下部因岩块垮落时自由度比较大，排列极不整齐；而上部岩块由于自由度比较小，块度较大，排列较规则。一般认为开采后冒落带的高度一般为采高的2~4倍。

（二）裂缝带

裂缝带位于冒落带之上，随冒落带岩石的垮落和逐渐压实，裂缝带岩层出现弯曲下沉，离层和断裂为排列整齐的岩块。裂缝带的范围，由于冒落带上覆岩层的性质、开采高度变化而变化。

(三)弯曲下沉带

裂缝带上方直至地表的岩层为弯曲下沉带，这部分岩层不产生裂缝或仅产生极微小的裂缝，并在采空区上方的地表形成一个比开采范围大的沉降区。

第三节　采煤工作面矿山压力显现规律

一、采煤工作面四周支承压力显现规律

采煤工作面四周支承压力是指采煤工作面前后方、两侧煤柱或采空区大于原岩应力的矿山压力。支承压力的显现特征可用支承压力分布范围、峰值的位置及应力集中系数表示。支承压力分布范围是指沿指定截面(通常是指沿垂直或平行于煤壁的截面)支承压力连续分布的长度；支承压力峰值的位置是指支承压力的最大值所在的位置范围；应力集中系数是指支承压力峰值与原岩应力的比值大小。

(一) 采煤工作面前后方支承压力分布

采煤工作面前后方支承压力分布与采空区处理方法有关，对于采用全部垮落法管理顶板的采煤工作面，由于煤壁处为自由面，抗压强度小，煤壁附近煤层产生压缩变形，支承压力峰值KH随工作面推进向煤壁深处转移。

采煤工作面前方形成的支承压力，最大值发生在工作面中部前方，峰值可达原岩应力的2~4倍，即应力集中系数K值的变化范围为2.0~4.0。前方支承压力的峰值位置可深入煤体内2~10m，其影响范围根据观测资料可达采煤工作面前方90~100m。

根据上述分析，采煤工作面前后方支承压力分布状态，一般可绘成如图6–5所示的形态，应力分布分为应力降低区b，应力增高区a及应力不变区c。

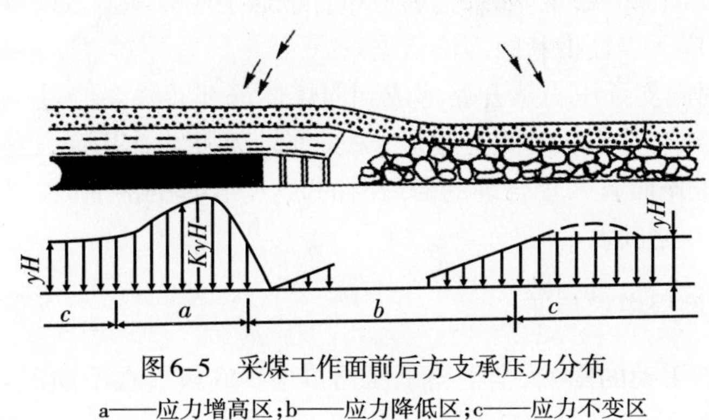

图6–5　采煤工作面前后方支承压力分布

a——应力增高区；b——应力降低区；c——应力不变区

采煤工作面前后方支承压力分布的特点可概括为：

1.采煤工作面前方煤壁一端支承着工作面上方裂隙带及其上覆岩层的大部重量，即工作面前方支承压力远比工作面后方大。

2.由于采煤工作面的推进，煤壁和采空区冒落带是向前移动的，因此工作面前后方支承

压力是移动支承压力。

3.由于裂缝带形成了以煤壁和采空区冒落带为前后支承点的半拱式平衡，所以采煤工作面处于减压力范围。

（二）采煤工作面两侧支承压力分布

采煤工作面两侧的支承压力是指工作面两侧煤柱或煤体上的支承压力。采煤工作面两侧支承压力分布规律的掌握，对采煤工作面区段平巷护巷煤柱尺寸的确定、沿空留巷和沿空送巷位置及时间的选择具有指导意义。随着采煤工作面的推进，除工作面前后方产生支承压力外，工作面两侧的煤柱或煤体也将出现支承压力区，如图6-6所示。在采动影响范围内，工作面两侧支承压力的显现特征比较明显。在工作面前方采动影响范围之外和采空区顶板岩层冒落带稳定之后趋于固定值，因此也称为“固定支承压力”。

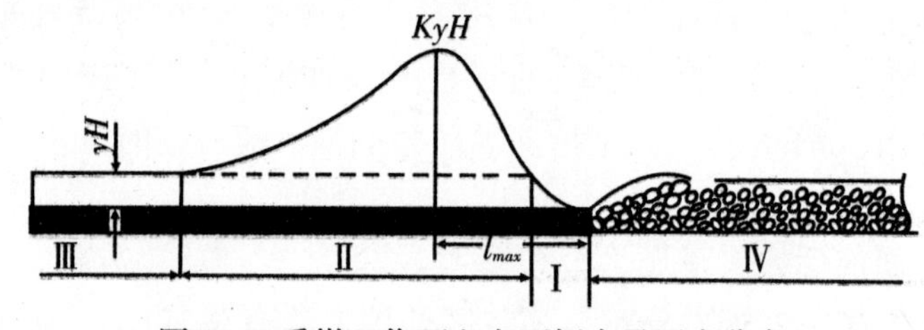

图6-6　采煤工作面左右两侧支承压力分布

根据大量实际观测资料和研究分析，目前对采煤工作面两侧支承压力分布状态可得出以下初步结论：

1.采煤工作面两侧的支承压力剧烈影响区并不在煤体的边缘，而是位于煤体边缘有一定距离的地带。长期以来采用8～25m煤柱护巷，使巷道恰好处于支承压力的高峰区内，这是使用煤柱护巷仍难以维护的根本原因。

2.采煤工作面两侧煤体边缘处于应力降低区，支承压力低于原岩应力，而且工作面推过一定时间后仍能长期保持稳定。如果把巷道布置在这个应力降低区内，可以使巷道容易维护，这是目前广泛推广无煤柱护巷的理论依据。

3.采煤工作面两侧支承压力从开始形成到向煤体深部转移要经过一个时间过程，所以要使沿空掘巷保持稳定，必须从时间上避开未稳定的支承压力作用期，也就是应使沿空掘巷相对于上区段采煤工作面有一个合理的滞后时间，这个合理的滞后时间根据具体条件不同可变化在3个月至1年之间。

二、支承压力在底板中的传递

由于采煤工作面采动的影响，会把支承压力传递到底板。在不同深处压应力的分布有如下特点，如图6-7所示。

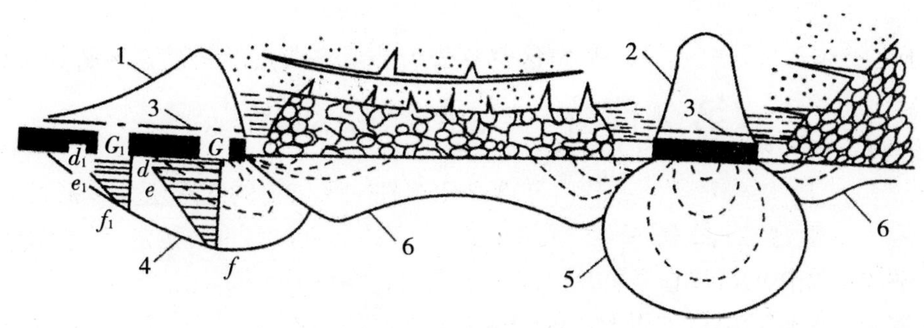

图6-7　底板岩层内的应力分布

1、2——支承压力曲线；3——原岩应力曲线；4、5——应力增高区境界线；6——应力降低区境界线

1.底板内各点的应力大小与施力点的距离成反比，随深度的增加而迅速降低，应力以中心为最大，并向外有一定角度扩展，在边缘处迅速减小。

2.支承压力在底板中的传递与底板的岩性有关，坚硬的底板可使传递的应力迅速分散而减弱，影响深度小，但扩展角度大，影响范围广，而松软岩层的传递正好相反。

三、煤层底板中布置巷道的实际应用

在实际工作中，为了使底板中布置的巷道避开应力增高区，通常采用同时控制两个因素的方法，即与煤层底板的垂直距离和巷道离煤柱边界的水平距离。

1.巷道与煤层底板垂直距离的确定

巷道与煤层底板的垂直距离越远，巷道所受上方煤柱的影响越小，在实际工作中，一般取6~20米，稳定岩层取小值，松软岩层取大值。距离与围岩性质有关。

2.巷道离煤柱边界的水平距离

要求布置在煤柱影响角以外，即巷道离煤柱边界的水平距离，其距离与煤层倾角、围岩性质等有关。煤柱影响角的范围一般在25°~55°之间，其大小与支承压力和煤柱尺寸有关，通常支承压力越大和煤柱尺寸越小，煤柱影响角越大。

底板中布置的巷道位置由以上两个因素共同确定。

第二部分　专业核心知识点

1. 掌握矿山压力基本概念。
2. 了解采煤工作面围岩移动特征。
3. 掌握采煤工作面前后方压力及两侧压力分布特征。
4. 了解采煤工作面顶板分类。

复习题

1.矿山压力、矿压显现的基本概念及相互关系。
2.自重应力和构造应力的特点。
3.直接顶的初次垮落、基本顶的初次来压和周期来压的概念。
4.简述开采后上覆岩层移动特征。
5.绘出工作面前后方支承压力分布,说明其主要特征。
6.采煤工作面两侧支承压力分布有何特征?
7.支承压力在底板中传递的特点。

讨论题

1.你矿工作面超前支护多少米?压力显现是怎么样的状况?分析一下基本原因。

2.根据工作面两侧的支撑压力分布,试说明你矿采区内工作面顺序应该怎样布置,为什么?

第七章　长壁采煤法采煤系统

第一部分　系统理论知识

第一节　概述

一、按采区开采方式，分为上山采（盘）区与下山采（盘）区准备

在煤层倾角较小（一般小于16°）的情况下，可利用水平大巷分别开采上山采区和下山采区。所谓的上山采区是指位于开采水平标高以上的采区，上山采区内需布置采区上山、采区车场、采区煤仓等准备巷道，还要布置区段运输平巷和区段回风平巷等回采巷道。工作面采出来的煤炭是通过运输上山，由上往下运到水平大巷的。所谓的下山采区，则是指位于开采水平标高以下的采区，下山采区内同样要布置采区下山、采区车场、采区煤仓和区段平巷等巷道，此外还要在下山采区的下部布置水仓和排水泵房。下山采区的煤炭运输则是通过采区下山由下往上运到水平大巷的。

在煤层倾角较大的情况下，下山采区在采煤、掘进、运输、通风、排水等方面就有一定的困难。因此，在煤层倾角大于16°的情况下，一个开采水平往往只开采上山采区。

同样，盘区可分为上山盘区和下山盘区。

二、按采（盘）区上（下）山的布置位置，分为单翼采（盘）区、双翼采（盘）区准备

双翼采区准备方式的特点是采区上山（或下山）布置在采区走向的中央，采区上（下）山的两翼分别布置采煤工作面进行开采。与单翼采区相比较，双翼采区相对减少了采区上山、车场、硐室等巷道的掘进工程量，减少了采区运输等设备数量，采区生产能力大，生产比较集中，这是目前应用最广泛的一种准备方式。

当采区受断层、保护煤柱等自然条件和开采条件的限制，采区走向长度较短时，可将上（下）山布置在采区一侧的边界，形成单翼开采方式。上（下）山布置在采区靠近井田边界一侧的，称作前上（下）山单翼采区；上（下）山布置在采区靠近井筒一侧的，称作后上（下）山单翼采区。采用前上（下）山开采时，煤炭运输有折返现象，增加了运输工作量，但采区上（下）山是在未采动的煤体中，上（下）山维护条件较好。

同样，盘区的准备方式有双翼盘区、单翼盘区和跨多石门盘区方式。

三、按煤层群开采时的联系方式，分为单层准备和联合准备

单层准备即在各煤层中分别布置准备巷道，形成各自独立的生产系统。

联合准备是在几层煤层中布置一组共用的集中准备巷道，如采区集中上（下）山、区段集中平巷等，形成一套联合开采的采区巷道系统。

综上所述，按其不同的组合可有数十余种准备方式，如上山双翼采区集中上山联合布置准备方式、上山单翼盘区联合布置准备方式等。针对不同的煤层赋存条件和开采技术条件，可选用适宜的采区准备方式。

选择适宜的采区准备方式，一般应遵循以下原则：

1.有利于合理集中生产，保证采（盘）区有合理的生产能力和增产潜力；

2.安全生产条件好，符合《煤矿安全规程》的有关规定；

3.保证有完整的生产系统，有利于充分发挥机电设备的效能，并为采用新技术、发展综合机械化和自动化创造条件；

4.力求技术先进，经济合理，尽量简化巷道系统，减少巷道掘进和维护工作量，减少设备占用率和生产成本费用，便于采（盘）区和工作面的正常接替；

5.煤炭损失少，有利于提高资源采出率。

第二节　单一薄及中厚煤层长壁采煤法采煤系统

单一煤层长壁采煤法主要应用在缓斜、倾斜薄及中厚煤层，或缓斜3.5~5.0m厚煤层大采高一次采全厚的条件下。

一、采区巷道布置

以单一煤层走向长壁采煤法采区巷道布置为例，如图7-1所示。该采区开采一层中厚煤层，煤层埋藏稳定，顶、底板岩层稳定，地质构造简单，瓦斯涌出量小。采区走向长度2000m，倾斜长度600m，采区沿倾斜划分为3个区段，工作面的采煤工艺为综合机械化采煤。

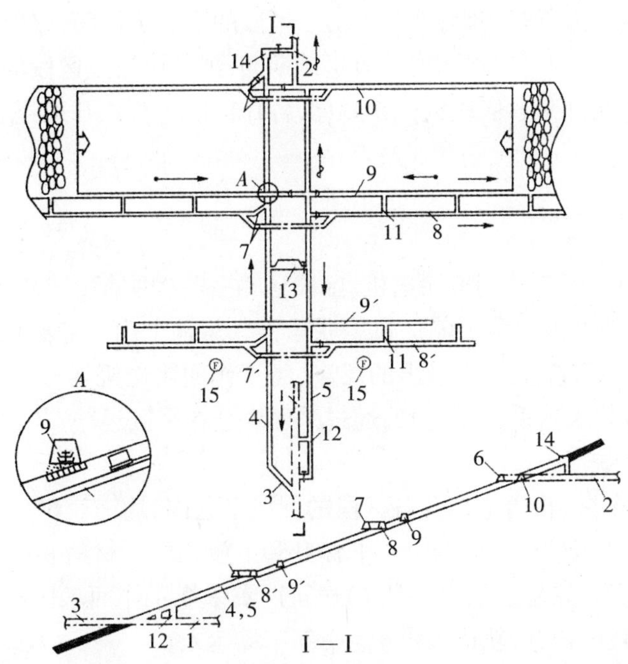

图7–1　单一薄及中厚煤层走向长壁采煤法上山采区巷道布置

1——采区运输石门;2——采区回风石门;3——采区下部车场;4——轨道上山;5——运输上山;6——采区上部车场;7,7'——采区中部车场;8,8',10——区段回风平巷;9,9'——区段运输平巷;11——联络巷;12——采区煤仓;13——采区变电所;14——绞车房

由于运输大巷和回风大巷布置在煤层底板岩层中,因此,在采区下部和上部分别掘出采区运输石门和采区回风石门进入到该煤层。采区石门是位于采区走向长度的中央,分别与运输大巷和回风大巷相垂直的水平岩石巷道。采区巷道掘进顺序是:从运输大巷掘进采区下部的运输石门1,从回风大巷掘进采区上部的回风石门2。在运输大巷1掘到煤层之后,接着掘进采区下部车场3。由下部车场沿煤层向上掘进轨道上山4和运输上山5,这两条上山的水平间距约为20m。两条上山4和5掘至采区上部边界后,再掘采区上部车场6与采区回风石门2。然后在第一区段下部,从轨道上山、运输上山开掘采区中部车场7,用双巷掘进的方法分别向两翼掘进第一区段运输平巷9和第二区段回风平巷8,巷道8和9之间的倾斜间距一般为8~15m,即为区段煤柱宽度(上区段采过后,以此煤柱来维护下区段的回风平巷)。回风平巷8超前于运输平巷9约100~150m掘进,并沿走向每隔80~100m掘一条联络巷11连通巷道8和9。与此同时,在采区上部边界,从上部车场6向两翼开掘第一区段的回风平巷10。在采区边界沿煤层倾斜掘进一条巷道,联通第一区段运输平巷9和回风平巷10,我们把这条巷道称为开切眼,它是采煤工作面开采前的前身。在掘进上述巷道的同时,还需开掘采区煤仓12、采区变电所13、绞车房14等巷道。

待上述巷道和硐室全部掘完并检查其规格质量合格后,即可安装各种机电设备,形成完整的采区生产系统,采区第一个工作面即投入生产。

随着第一区段的采煤,应及时掘出第二区段的中部车场7′、第二区段运输平巷9′、第三区段回风平巷8′及第二区段开切眼，准备出第二区段的采煤工作面，以保证在上区段工作面采完之后及时接替生产。同样，在第二区段生产期间，准备出第三区段的中部车场和回采巷道。这种从上到下依次开采各区段的开采顺序，称作区段下行式开采顺序。

二、采区生产系统

（一）运煤系统

在采煤工作面铺设可弯曲刮板输送机，区段运输平巷9内铺设转载机和带式输送机（普采、炮采工作面也可铺设多台刮板输送机串联运输），运输上山5铺设带式输送机或刮板输送机。其运煤路线为：采煤工作面采出的煤炭，经工作面输送机运送到运输平巷9，再经运输平巷9、运输上山5装入到采区煤仓12，通过采区煤仓在采区运输石门1装车运出采区。

（二）运料排矸系统

采区石门、采区车场、轨道上山及各区段的回风平巷内，均铺设600mm轨距的轨道。运料排矸采用平板车和矿车，在绞车的牵引下提升和下放物料。材料和设备自下部车场3，经轨道上山4、上部车场6，然后经回风平巷10送至两翼采煤工作面。区段回风平巷8、8′和运输平巷9、9′所需材料、设备，沿轨道上山4经中部车场运入。

掘进巷道所产生的煤和矸石，利用矿车从各平巷经中部车场、轨道上山运到采区下部车场，通过采区运输石门运出采区。

（三）通风系统

1.采煤工作面通风

为建立畅通的通风系统，避免新鲜风流和污浊风流的交汇混合，在工作面回采前，需在有关巷道和硐室中设置必要的通风构筑物。如图7–2所示，在第一区段工作面开采期间，需在巷道10与上部车场6交汇处左右两侧设置两道风门，在巷道9、8与上山5交汇处设置三道风门。采煤工作面所需的新鲜风流，从采区运输石门1进入，经下部车场3、轨道上山4、中部车场7，分两翼经轨道平巷8、联络巷11、运输平巷9到达采煤工作面。从工作面出来的污浊风流，经区段回风平巷10，右翼工作面出来的污风直接进入采区回风石门2，左翼工作面出来的污风则需经车场绕道6进入采区回风石门2，排出采区。

第一区段工作面采完后，将上部车场6、第一区段平巷9、10按要求进行采后密闭，保留第二区段回风平巷8。拆除平巷8与运输上山连接处的风门，在中部车场甩车道7′，运输平巷9′与运输上山5连接处两侧各设置一道风门，形成第二区段开采期间的通风系统。第二区段采煤工作面的新风，从轨道上山经中部车场7′分两翼进入8′，经11、9′到工作面。工作面污风经回风平巷8和中部车场7进入到运输上山5，由运输上山排至采区回风石门。

2.掘进工作面通风

图7–1所示的平巷掘进采用的是双巷掘进方法。在巷道8′和5的联接处设置风门，按要求为每个掘进工作面安装局部通风机，形成掘进通风系统。掘进工作面的新风，从轨道上山经中部车场7′进入两翼的区段回风平巷8′，在由局部通风机通过风筒送到掘进工作面，冲洗工作面后的污风经联络巷11、运输平巷9′、运输上山5，进入采区回风石门2。

3.硐室通风

采区绞车房和变电所所需的新风是由轨道上山直接供给。绞车房的回风是经联络小巷处的调节风窗回入采区回风石门2。变电所的回风是经输送机上山回入采区回风石门的。煤仓不通风，而煤仓上口、胶带输送机机头硐室的新风，则由采区运输石门1通过行人斜巷中的调节风窗供给。

（四）动力供给系统

采区动力供给主要有电力供给和压缩空气供给。

高压电由井底中央变电所通过高压电缆，经运输大巷、采区运输石门1、下部车场3、运输上山5到采区变电所13。经采区变电所降压后的电力，通过电缆分别送到采煤、掘进工作面的配电点，以及上山输送机、绞车房等用电地点。

压缩空气是为岩巷掘进或锚杆支护使用的凿岩机提供动力的。压缩空气由地面（有的矿井将空压机房设在井底车场附近）压气机房，通过专用管道送到各用气地点的。

（五）供水系统

采煤工作面、掘进工作面以及平巷、运输上山转载点等所需防尘喷雾用水，由地面（或井下）储水池通过专用管道送到各用水地点。

三、采煤系统分析

（一）采区上（下）山坡度

1.运输上（下）山和自溜上山

除个别小矿井采用上（下）山串车提升的轨道运煤之外，一般情况下，采区内煤炭的运输都采用输送机上（下）运煤或自溜上山溜放。缓斜煤层一般采用输送机上（下）山，倾斜煤层多采用自溜上山。

坡度小于15°的上（下）山，可铺设胶带输送机或刮板输送机运煤；坡度在15°～25°的上（下）山，可铺设刮板输送机运煤；坡度超过25°的上山，则可采用搪瓷溜槽或铸石溜槽溜煤，自溜上山的自溜坡度为30°～35°。

2.轨道上（下）山

轨道上（下）山的提升方式，一般采用绞车牵引的串车方式或循环绞车（无极绳运输）方式。采用串车提升的，要求上山坡度应小于25°；采用循环绞车运输的，要求上山坡度不超过10°。当煤层倾角小于25°时，无论是煤层轨道上（下）山，还是岩层轨道上（下）山，其坡度应与煤层倾角一致；当煤层倾角大于25°时，应将上（下）山坡度控制在25°以下。上（下）山坡度在6°～25°之间，可采用单滚筒绞车辅助提升。

（二）区段参数

区段参数主要是指区段走向长度和区段斜长。

区段走向长度，即为采区的走向长度。区段一翼的走向长度减去采区上山一侧保护煤柱宽度和采区边界煤柱宽度，即为该翼采煤工作面的推进长度。

区段斜长，为采煤工作面长度、区段煤柱宽度和区段上下两条平巷的巷宽之和。

综采工作面长度一般为150～250m，普采工作面长度一般为120～150m，炮采工作面长度一般为80～150m。

为了易于区段平巷维护，一般在上下两个区段平巷之间留设一定宽度的煤柱，使平巷处于工作面上、下方固定支承压力影响较小的区域。缓斜、倾斜薄及中厚煤层，区段煤柱宽度一般在8～15m，厚煤层约为30m左右。

区段平巷的巷宽，对于普采和炮采约为2.5～3.0m，对于综采约为4.0～4.5m。

四、区段平巷的布置方式

1.双巷布置

是指上一区段运输平巷和下一区段回风平巷两巷同时掘进成巷的布置方式。

2.单巷布置

是指一条区段单独掘进成巷的布置方式。

五、区段无煤柱护巷

1.沿空留巷

是在采煤工作面采过之后，将区段平巷用专门的支护材料进行维护，作为下区段的平巷。

为减少沿空留巷的维护时间，在开采顺序上要求上区段采煤结束后应立即转入下区段进行回采。

应用条件：厚度在2～3m以下的薄及中厚煤层、煤层顶板为易冒落或中等冒落、底板不发生严重底鼓。

其优点是少掘了一条巷道，减少了区段煤柱损失，巷道压力小，易维护。

沿空留巷的方法有三种：

A.砌筑矸石带：矸石取自老塘冒落的顶板，以不增加材料消耗，但手工劳动量大，矸石带可缩量大，不能立即起到支撑顶板保护巷道的作用。

B.支架密集支柱或木垛：

在巷道上帮靠采空区处，及时打上单排或双排的密集支柱或木垛。密集支柱可缩量小，而木垛有一定的可缩量，这种方法支撑顶板较及时，强度也大。

C.采用硬石膏充填带或混凝土充填带：随工作面的推进，在巷道采空区侧，采用硬石膏或水泥做刚性充填带，以支撑顶板和维护巷道。充填带的高度为煤层厚度的三分之二左右。硬石膏或水泥充填强度高，阻力增长快，密封严实，对减少自燃发火和改善通风状况有利。

2.沿空掘巷(沿空送道)

是在上区段采煤工作面回采结束后，经过一段时间，待采空区上覆岩层移动基本稳定之后，沿上区段运输平巷采空冒落区边缘，掘进下区段工作面的区段回风平巷。

时间要求：与上区段采煤工作面之间的间隔时间不少于3个月，通常为4~6个月，个别情况下要求8~10个月，坚硬顶板比软顶板所需间隔时间长一些。

应用条件：多用于开采缓倾斜、倾斜、中厚煤层和煤层厚度较大的情况。

第三节　厚煤层倾斜分层长壁采煤法采煤系统

对于缓及倾斜厚煤层,我国目前主要是采用倾斜分层采煤法。所谓倾斜分层,就是用平行于煤层顶板的分层面,按一定的顺序,把厚煤层分成若干个厚度权当于中厚煤层的分层,每个分层分别进行回采,各分层的开采顺序有下行式和上行式两种。上行式大多数采用充填法处理采空区,在我国用得较少。

下行分层开采的第一分层回采后,下分层是在垮落的矸石下进行回采工作的,为保证下分层采煤工作面的安全,上分层开采期间必须铺设人工假顶或形成再生顶板。

同一区段内上下分层的开采方式,有分层分采和分层同采两种。分层分采是在采完上分层后,工作面搬迁到另一区段采煤,经过一段时间待顶板垮落基本稳定后,掘进下分层平巷然后进行回采的方式。分层同采是在同一区段内上下分层之间保持一定错距的条件下同时进行采煤的方式。

一、分层同采的采区巷道布置

(一)采区巷道布置

图7-2为倾斜分层走向长壁下行垮落采煤法分层同采时的巷道布置系统。如图所示,将厚煤层分成3个分层,采区沿倾斜划分为3~5个区段。在煤层底板岩层中布置采区运输上山和轨道上山。由于上下分层同采,需在每一个区段布置各分层共用的区段运输集中平巷和区段轨道集中平巷,并通过联络石门、联络斜巷及溜煤眼与各分层平巷联系。各分层平巷通过最近的溜煤眼、联络巷超前于采煤工作面一定距离保持随采随掘,其超前距离要求始终有两个溜煤眼与分层平巷相通。分层平巷也称为分层超前平巷。

(二)采区巷道掘进顺序

当运输大巷和回风大巷掘过上山位置一定距离后,从运输大巷1开掘采区下部车场3,由下部车场在煤层底板岩层中向上开掘采区运输上山4和轨道上山5,两条上山掘至采区上部边界后,轨道上山以上部车场6与回风大巷2相通,而运输上山则直接与回风大巷2相连接,形成通风系统。然后在第一区段下部掘进中部车场的甩车道7,并由7在煤层底板岩层中掘进区段运输集中平巷10,同时从运输上山掘区段回风石门8,进入到煤层顶分层后掘进区段轨道集中平巷9。巷道10和9每隔一定距离(安设一部刮板输送机长度,一般为100~150m)分别掘出一个溜煤眼12和一条联络巷11,直达第一区段上分层区段运输平巷14的位置,以备与巷道14相通。当9、10掘至采区边界后,由靠近边界的溜煤眼和联络巷进入到煤层上分层,并开始掘上分层第一区段的分层运输平巷14和开切眼。与此同时,在第一区段上部,利用回风大巷2兼作第一区段回风集中平巷,并由2每隔一定距离(通常为150~200m)掘回风石门13到达分层回风平巷15所在的位置。同样,从靠近采区边界的巷道13掘上分层回风平巷15与开切眼相沟通,准备出第一区段上分层的采煤工作面。

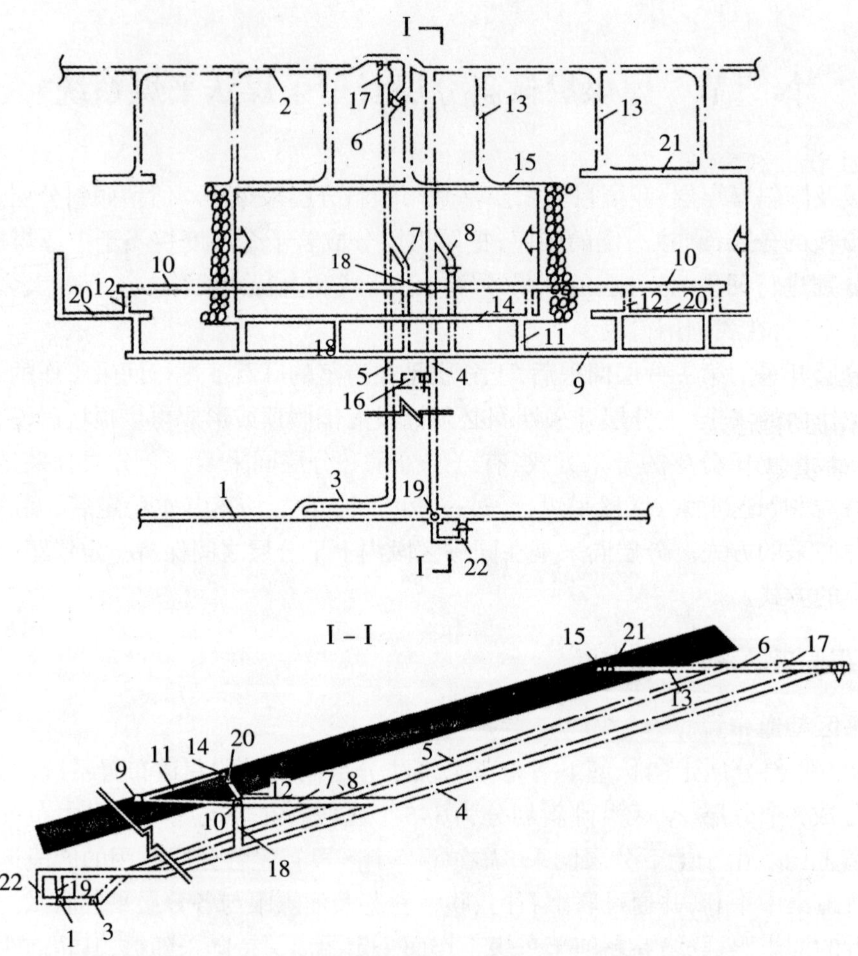

图7–2　厚煤层倾斜分层走向长壁下行垮落采煤法分层同采巷道布置

1——运输大巷；2——回风大巷；3——采区下部车场；4——运输上山；5——轨道上山；6——采区上部车场；7——甩车场；8——区段回风石门；9——区段轨道集中平巷；10——区段轨道集中平巷；11——联络巷；12——溜煤眼；13——回风石门；14——上分层运输平巷；15——上分层回风平巷；16——采区变电所；17——绞车房；18——区段溜煤眼；19——采区煤仓；20——中分层运输平巷；21——中分层回风平巷；22——行人联络巷

在掘进上述巷道的同时，要将下部的采区煤仓19、采区变电所16、绞车房17、区段溜煤眼18等硐室及有关联络巷道掘出，并完善车场线路铺设和通风构筑物的装配。待各巷道及硐室的规格质量经检查合格后，即可安装机电设备移交生产。

采煤工作面开始生产后，随着工作面的推进应继续掘进分层工作面的超前运输平巷和回风平巷，以保证工作面生产有安全通畅的生产系统。当上分层工作面采过第一个溜煤眼，并且上分层采空区垮落稳定之后，即可由联络眼11在人工假顶下掘进中分层工作面的超前运输平巷20及开切眼，从区段回风石门13掘中分层工作面的超前回风平巷21。同样，在中分层采过以后，按相同的方式掘进第三分层的超前平巷和开切眼，从而使同一区段一翼内的几个分层工作面能相互错开一定距离同时回采。

(三)采区生产系统

1.运煤系统

在采煤工作面和分层运输平巷内铺设刮板输送机,在区段运输集中平巷和运输上山内铺设胶带输送机。工作面的运煤路线是:分层工作面→分层超前运输平巷14(或20)→溜煤眼12→区段运输集中平巷10→区段溜煤眼18→运输上山4→采区煤仓19→大巷1装车运出采区。由于从车场7进出的矸石、材料设备车需要横穿巷道10,因此在集中平巷10与车场7的交汇处,需将一部分长度的输送机抬高以便矿车通过。

2.通风系统

采煤工作面的新鲜风流,自运输大巷1→下部车场3→轨道上山5→中部车场7→运输集中平巷10和轨道集中平巷9→联络斜巷11和溜煤眼12(两个溜煤眼中的一个)→分层运输平巷14(中分层为20)→采煤工作面。从工作面出来的污风→分层回风平巷15(或21)→回风石门13→回风大巷2,排到井外。

当上、下区段分别有工作面在同时采煤时,上、下区段必须实行独立通风,如图7-3所示。

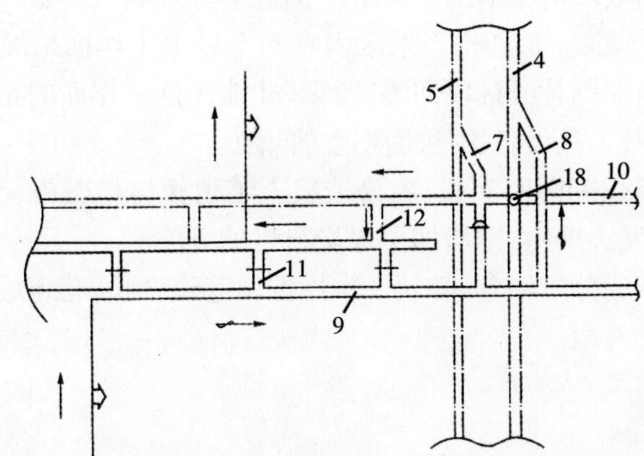

图7-3　厚煤层倾斜分层上下区段同时采煤时的通风系统

4——运输上山;5——轨道上山;7——甩车场;8——区段回风石门;9——区段轨道集中平巷;10——区段运输集中平巷;11——联络巷;12——溜煤眼

3.材料运输系统

采煤工作面所需的材料,自运输大巷1→采区下部车场3→轨道上山5→上部车场6→回风大巷2→回风石门13→分层回风平巷15(或21)→分层工作面。

分层运输平巷14、20掘进所需材料,自轨道上山5→中部车场7→轨道集中平巷9→联络斜巷11运至掘进工作面。

4.排矸及掘进出煤系统

分层运输平巷14和20的掘进出煤,经溜煤眼12和运输集中平巷10运出。分层回风平巷15和21超前掘进出的煤,装入矿车经上部车场6、轨道上山5到下部车场3运出。

第二区段工作面准备期间所出的煤、矸石,一律装入矿车经巷道5、3运出。

二、分层分采的采区巷道布置

分层分采的采区巷道布置，就是没有共用的区段集中平巷，每一分层的区段平巷都是单独准备的。分层平巷不是利用集中平巷随采煤工作面推进超前掘进的，而是当上分层采完后采空区垮落基本稳定之后，才在第二分层层位沿着上分层铺设好的假顶（或再生顶板）下掘出第二分层的区段平巷。厚煤层各分层采用联合开采的方式，其上（下）山一般布置在煤层底板岩层中，上（下）山通过采区车场及石门、斜巷或立眼与各分层平巷联系。

分层分采的优点是：采区巷道布置简单，取消了岩石区段集中平巷及联络巷等岩石巷道，工程量少，有利于减少掘进率和加快掘进速度，缩短采区和区段的准备时间。由于上、下分层工作面采煤间隔时间较长，有利于形成再生顶板，有利于下分层巷道的掘进和维护。厚煤层分层分采，其各个分层的采煤和掘进工作面都具有独立通风系统，通风系统简单，有利于通风管理，而且采掘相互干扰小，运输环节少。

分层分采在工作面单产较低的情况下，存在以下缺点：

（1）不能实现同一区段内上下分层同采，开采强度低。

（2）为了在上分层顶板垮落稳定的采空区下掘进下分层巷道，同一区段内下分层工作面不能及时接替上分层工作面。尤其是当采区内有两个以上工作面采煤时，相邻区段之间难以及时接替，必须采用两翼倒替或区段间隔“跳采”才能保证工作面的正常接替，因而造成采掘工作分散，生产不集中，采掘设备搬迁距离远等问题。

（3）由于上下分层采煤间隔时间长，容易造成人工顶板材料腐朽，不利于下分层的掘进和采煤。如果煤层自然发火期短，则增加了煤炭自燃的危险。

（4）沿煤层走向开掘的分层平巷，必须一次性掘出巷道全长，巷道维护长度大，维护时间长，维护费用高。

三、采煤系统分析

（一）采煤方法主要参数

1.厚煤层倾斜分层厚度

由于多数煤层厚度在采区范围内有变化，而且人工顶板和再生顶板的下沉量都比较大，必须保证在开采底分层时有一定的采高，因此各分层厚度不一定要等分。在当前开采技术条件下，普采、炮采分层厚度一般为2m左右，最大不超过2.4m，综采一般为3m左右，最大不超过3.5m。

2.工作面长度

确定分层开采工作面长度时，除了影响单一长壁工作面长度的因素之外，还要考虑增加了铺网工序和在网下作业带来的影响。由于采用分层平巷内错式布置得较多，使得同区段下分层工作面长度往往小于上分层。

3.分层同采上下分层工作面之间的错距

同一区段内上、下分层同采时，上、下分层工作面之间须保持一定的错距。错距的大小主要取决于上分层采后顶板垮落及其稳定情况。

(二)采区上(下)山的布置

开采厚煤层的采区上(下)山可布置在煤层底板岩层中,也可布置在煤层中。

(三)区段集中平巷的布置

分层同采开采厚煤层时,需要布置区段集中平巷。区段集中平巷包括区段运输集中平巷和区段轨道(回风)集中平巷。

(四)区段分层平巷的布置

厚煤层倾斜分层开采时,各区段分层平巷的相互位置对于巷道的使用和维护状况影响较大。根据煤层倾角的大小和分层层数,各分层平巷的相互位置主要有以下三种基本布置形式:

1.水平式布置

各分层工作面运输平巷和回风平巷分别布置在同一标高上,区段煤柱呈平行四边形,如图7-4(a)所示。这种布置方式各分层之间用水平巷道联系,各分层工作面长度基本一致;避免出现下行污风;材料运输、行人和通风都比较方便;分层运输平巷处于上分层采空区之下,所受到的压力小,易于维护,但分层回风平巷正好处于区段煤柱之下,受到固定支承压力的作用,维护比较困难,在煤层倾角较小的情况下,各分层之间用水平巷道联系,掘进巷道长度较大,工程量大,区段煤柱较大。水平式布置一般适用于倾角大于20°~25°的煤层。

2.倾斜式布置

倾斜式布置,分为内错式和外错式两种。

为了克服水平式布置带来的回风平巷维护困难的问题,可采用内错式布置。内错式布置就是使下分层工作面运输平巷和回风平巷置于上分层平巷的内侧,即处于上分层采空区下方,形成正梯形的区段煤柱。各分层平巷内错半个到一个巷道宽度,如图7-4(b)所示。内错式布置的下分层平巷处于上分层顶板垮落后形成的应力降低区,平巷容易维护,并且沿假顶掘进易于掌握巷道方向。

外错式布置就是将下分层平巷布置在上分层平巷的外侧,处于上分层煤柱的下面,形成倒梯形煤柱,如图7-4(c)所示。这种布置方式的下分层巷道处于固定支承压力区内,维护困难,并且在下分层工作面的上、下出口没有人工假顶,给采煤和支护工作带来困难。采用这种方式布置分层平巷的比较少。

3.垂直式布置

各分层平巷沿垂直方向呈重叠式布置,区段煤柱呈平行四边形,如图7-4(d)所示。这种布置方式在煤层倾角小于8°~10°的煤层,特别是在近水平厚煤层条件下,可减小区段煤柱尺寸,分层平巷受支承压力的影响也较小,易于维护。同时,下分层平巷沿上分层平行铺设的假顶下掘进,容易掌握方向。但对上分层平巷的假顶铺设质量要求严格,否则造成下分层平巷不好掘进和维护。

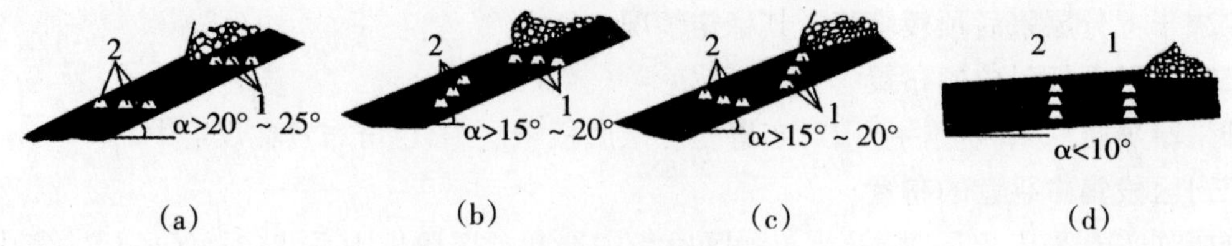

图7-4　分层平巷的基本布置方式

(a)水平式;(b)倾斜内错式;(c)倾斜外错式;(d)垂直式

1——上区段的分层运输平巷;2——下区段的分层回风平巷

(五)分层平巷和区段集中平巷之间的联系方式

区段集中平巷与分层平巷之间的联系方式,主要根据煤层倾角、层间距离、分层平巷的布置形式以及联络巷的用途和运输方式、掘进工程量的大小、采区巷道布置的合理性等因素来确定。一般有石门、斜巷和立眼三种基本方式。

在实际选择联络巷的形式时,往往要根据联络巷的用途、煤层倾角、地质条件、采区巷道布置的总体合理性等因素进行综合考虑,将上述的三种联系方式组合应用。

(六)区段平巷的无煤柱护巷

厚煤层倾斜分层下行垮落采煤法,在上、下区段平巷之间一般都留有护巷煤柱,并起到隔离采空区的作用。但这些煤柱不仅造成大量的煤炭资源损失,留下自然发火的隐患,而且分布在区段煤柱上的支承压力大,使分层平巷不易维护。因此,不少厚煤层采区采用了无煤柱护巷的方法,即区段间不留煤柱。

由于分层平巷要经受上下区段分层工作面的多次采动影响,加上分层平巷位于厚煤层中,维护十分困难,采用沿空留巷的方法技术复杂,对支护材料要求高,维护费用高。因此,厚煤层无煤柱护巷通常采用沿空掘巷的方法,即沿着上区段采空区边缘掘进下区段的分层平巷,或保留上区段的分层运输平巷用作下区段的分层回风平巷。

四、回采工艺特点

每个分层既可以用综采,也可以用普采和炮采,这和中厚煤层一样。但厚煤层开采时在顶板管理方面和假顶下采煤方面有它本身的特点。

1.顶板管理方面的特点

开采顶分层时,顶板管理方法与薄及中厚煤层相同,但以下各分层与顶分层就不相同了。以下各分层是在顶分层之下,顶板为顶分层冒落下来的采空区破碎矸石。这就要求对碎矸采取相应的措施,才能开采下分层。

(1)再生顶板:有的岩层胶结性能较好,开采顶分层垮落后,在上覆岩层重压作用后,过一段时间,重新固结为比较完整的下层顶板,这种顶板即为再生顶板。在再生顶板下采煤,其工艺过程和顶板管理方法与中厚煤层相同。

(2)人工假顶:用人为的方法,使顶分层垮落的矸石与下分层的煤层相隔离,下分层回采在隔离层下进行,这种隔离层称为人工假顶。

常见的人工假顶有以下几种:

①荆(竹)笆假顶:利用竹片或荆条编织而成的荆笆片,在顶分层放顶前铺设在底板(煤底)上来隔离上部的碎矸。具有价格便宜、重量轻、易铺设的优点。缺点是强度低、易腐蚀、不防火、易自燃,只能使用一次、复用率低。

②金属网假顶:用金属丝编织而成的网片,作用与荆笆片同,强度高,可以复用几次,对防火有利,但成本高,不耐腐蚀。

③塑料网假顶:用塑料织成的假顶网片,是近几年发展起来的新型假顶材料。具有成本低、耐腐蚀、强度高、防火等优点,具有很好的应用前景。

2.假顶下采煤工作的特点

假顶下采煤,关键是支护问题,因此为了维护顶板的完整性,必须注意以下问题:

A.尽量减小假顶的悬露面积,必要时可采用打贴帮柱、掏梁窝先挂梁的超前支护,以防出现"网兜"造成扯网漏矸的事故。

B.炮采时顶眼距金属网0.5m以上,不用仰角,以防崩坏假顶,另外还要采用小进度,分小排放炮的方法。

C.采用无密集放顶,但在靠采空区一端的梁端打顺向抬棚,以防顶梁的伸出端扯网。

3.假顶的铺设方法

荆笆的规格为2.2m×0.7~1.0m,两笆片搭接0.2~0.4m,互相用铅丝拴在一起,回柱前铺设。

金属网有铺单层和铺双层之分,铺设时有铺顶网和底网两种。铺设长边平行工作面,这样网卷可一次打开,铺设方便。网片规格:10×0.9m或其他规格,搭接0.3m,用16号铁丝每隔半米拧一道,铺双层网时要两层网的头错开。

塑料网的铺设与金属网相同。

第四节　煤层群长壁采煤法采煤系统

我国多数矿区所开采的煤层为两层或两层以上。缓斜、倾斜煤层群的开采方式有煤层群单层开采和多煤层联合开采两种方式。

一、煤层群单层开采

对于煤层间距较大的煤层群,可在各个煤层中单独布置采区,形成各层煤独立的采区生产系统,单层开采方式的采区巷道布置、生产系统与单一煤层长壁采煤法基本相同。

1.巷道系统布置特点

每一层煤均具有独立的生产系统,即每层煤为一个开采水平。

2.煤层群单层开采的应用条件

煤层群层数较少、间距较大的缓斜、倾斜煤层。

3.煤层群单层开采的的生产系统

与单一煤层走向长壁采煤法生产系统相同。

二、多煤层联合开采

缓斜、倾斜近距离煤层群的联合开采方式，根据煤层数目、层间距离、地质条件、煤层底板岩石性质、煤层厚度及倾角、采区巷道布置的总体合理性等因素，分为采区集中上(下)山联合布置、采区集中上(下)山区段集中平巷联合布置。以采区集中上(下)联合布置为例说明，其他布置方式类似。

如图7-5所示，该采区开采两个煤层，上层煤为中厚煤层，下层煤为薄煤层，两层煤之间相距15m，煤层倾角15°，煤层顶底板岩层中等稳定，地质构造简单，瓦斯涌出量较小。采区双翼走向长度1000m，倾斜长度600m，划分为三个区段。

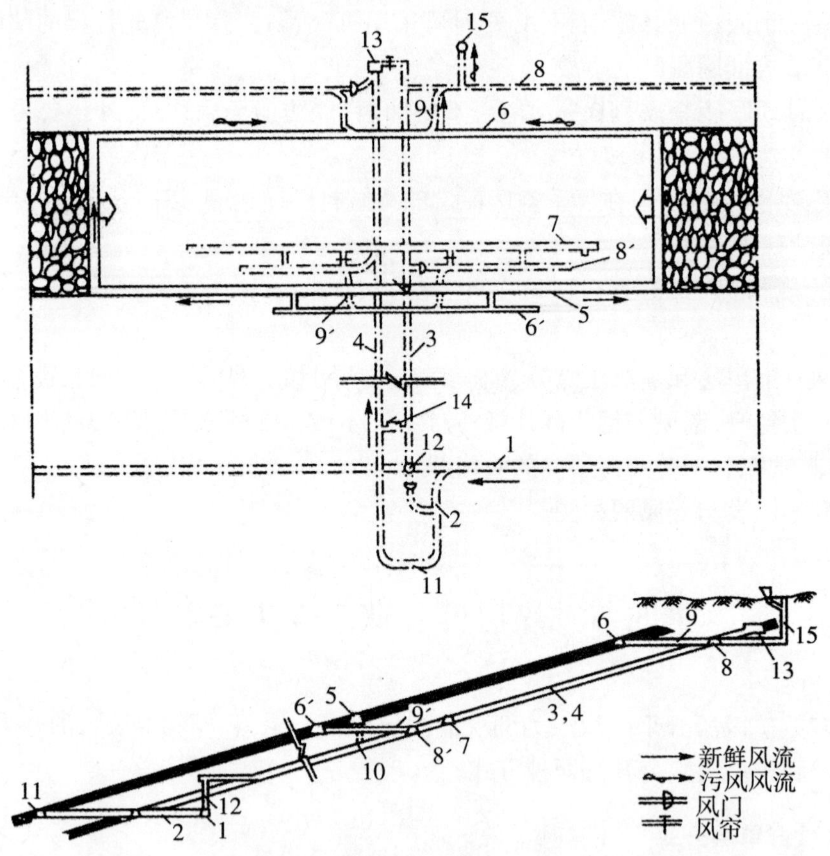

图7-5 采区集中上山联合布置

1——运输大巷；2——采区石门；3——运输上山；4——轨道上山；5——上层煤区段运输平巷；6——上层煤区段回风平巷；7——上层煤区段运输平巷；8，8'——下层煤区段回风平巷；9，9'——区段石门；10——溜煤眼；11——采区下部车场；12——采区煤仓；13——绞车房；14——采区变电所；15——采区风井

1.采区巷道掘进顺序

由于下层煤顶底板岩层比较稳定，可将采区运输上山和轨道上山布置在下层煤中，两条上山相距20m左右，上层煤和下层煤之间用区段石门及溜煤眼连系。

掘进顺序为：在采区走向长度的中央，由运输大巷1掘进采区石门2和采区下部车场

11,由此沿下层煤向上掘进采区运输上山3和轨道上山4,掘至第一区段下部边界后,由上山向上层煤开掘第一区段的区段石门9′。与此同时,在采区上部边界处自地面向下开掘采区风井15到下层煤第一区段回风平巷标高,并由此开掘采区上部车场和回风石门9、绞车房13。同时要掘出采区煤仓12、采区变电所14。待采区上山3、4掘至采区上部车场后,便可掘进上、下两层煤的回采巷道。上层煤第一区段运输平巷5和第二区段回风平巷6′为双巷掘进。当上层煤第一区段的平巷5和6掘到采区边界后,在上层煤掘进工作面开切眼,形成第一区段上层煤的采煤工作面和生产系统。在第一区段上层煤工作面采煤期间,根据开采程序的要求,准备下层煤第一区段工作面或上层煤第二区段工作面,以保证采区内采煤工作面正常接替。

2.采区生产系统

(1)运煤系统

上层煤工作面采出的煤炭自运输平巷5,经区段溜煤眼10、运输上山3到采区煤仓12,在运输大巷1中装车运出采区。下层煤工作面采出的煤,经运输平巷7直接运到采区运输上山3,装入采区煤仓。

(2)通风系统

工作面所需的新风,由大巷1经采区石门2、下部车场11、轨道上山4和区段石门9′,经上层煤第二区段回风平巷6′及联络巷分两翼经运输平巷5到达采煤工作面。从工作面出来的污风,经回风巷6、区段回风石门9到采区风井15排出。下层煤工作面的新风直接由采区上山进入到工作面平巷,污风也直接由工作面回风平巷到采区风井排出。

掘进工作面通风由布置在轨道上山中的局部通风机供给。采区变电所和采区绞车房所需的新鲜风流由轨道上山直接供给,利用调节风窗控制风量。

(3)运料排矸系统

采煤工作面所需材料设备,自采区下部车场11,经轨道上山4,到采区上部区段石门9′进入到下分层区段回风平巷8,再经区段石门9′到上层煤回风平巷6,送到上层煤采煤工作面。下层煤工作面所需的材料设备,直接由巷道8送到工作面。

掘进工作面所需材料设备,由轨道上山4经区段石门9′运到上层煤和下层煤的掘进工作面。

掘进工作面所出的煤和少量的矸石,用矿车从区段石门9或9′经轨道上山4运到下部车场11,由采区石门2经运输大巷1运出。

(4)供电系统

高压电缆由井底中央变电所经大巷1、运输上山3到采区变电所14,降压后通过电缆分别送到采煤和掘进工作的配电点及运输上山、轨道上山、绞车房等用电地点。

(5)供水系统

采掘工作和巷道运输转载点所需要降尘喷雾洒水的用水,是由地面水池通过采区风井用专用管道送到用水地点的;也可以从井底净化水池经过水泵加压后,通过专用管道经大巷、采区石门、运输上山送到用水地点。

四、联合布置采区巷道分析

(一)采区上(下)山的数目和位置

1.采区上(下)山数目确定

联合布置采区的特点主要是各煤层共用一组集中上(下)山。一般情况下,至少需要两条集中上(下)山,其中一条上(下)山铺设输送机,用作运煤、回风(或进风)以及敷设管线,另一条上(下)山铺设轨道用作运料、排矸及进(回)风等。但在下列情况下,则需要布置三条上(下)山,例如:

(1)煤层层数多,生产能力大的煤层群联合布置采区;

(2)生产能力较大,瓦斯涌出量也很大的采区,特别是需要有专门排出瓦斯的上(下)山;

(3)生产能力较大,经常出现上下区段同时生产,需要简化通风系统的采区;

(4)集中运输上山和轨道上山均布置在底板岩层中,需要探清煤层赋存情况或为提前掘进其他采区巷道的采区,或需要专用泄水巷道的采区。

增设的上(下)山一般可专作运煤或通风用,也可兼作行人、辅助提升用。增设的上(下)山,特别是服务年限不长的上(下)山,多数可沿煤层布置,以便减少掘进费用,并起到探清煤层变化情况的作用。

2.采区上(下)山位置的确定

采区集中上(下)山的层位选择,要根据煤层群联合开采的煤层厚度、采区储量和采区上(下)山服务年限、围岩性质、地质条件和运输设备装备等因素,综合技术和经济因素比较分析,确定其合理位置。一般有以下几种布置方式:

(1)一煤一岩上(下)山

当煤层群最下一层煤层为煤质及顶底板岩石坚硬、地质条件好的薄及中厚煤层时,可将轨道上(下)山布置在该煤层中,运输上(下)山布置在底板岩层中。这种布置可减少一些岩石巷道工程量,适用于产量不大、瓦斯涌出量较小、服务年限不长的采区。

(2)两条岩石上(下)山

对于煤层层数多,总厚度较大的联合布置采区,若煤层群最下一层为厚煤层,或者虽为薄及中厚煤层但受煤质松软、顶底板岩层不稳定、自然发火期短等因素影响,不宜布置煤层上(下)山时,可将两条上(下)山都布置在煤层底板岩层中。

(3)两条煤层上(下)山

当煤层群最下一层煤层为煤质及顶底板岩石坚硬、地质条件好的薄及中厚煤层,或者为厚煤层其底板岩层因复杂或不稳定地质因素不宜布置巷道时,可将集中上(下)山布置在煤层之中。这种布置方式掘进施工方便,速度快,掘进费用低,但上(下)山维护工作量大,留设的煤柱宽度大。

(4)两岩一煤上(下)山

为了进一步探清煤层情况和地质构造,在煤层中增设一条通风行人上(下)山,在煤层底板岩层中布置两条岩石上(下)山。掘进时一般先掘煤层上(下)山,为两条岩石上(下)山探清地质变化情况。

(5)三条岩石上(下)山

在煤层底板岩层中布置三条上(下)山,适用于开采煤层层数多、厚度大、储量丰富或瓦斯涌出量大、通风系统复杂的采区。

3.上(下)山间的位置关系

联合布置的采区上(下)山,在层面上需要保持一定的距离。采用两条岩石上(下)山布置的,其水平间距一般取20~25m;三条岩石上(下)山的,其间距可缩小到10~15m;如果是煤层上(下)山,则间距要增大到25~30m左右。上(下)山间距过大,则会使上(下)山之间的联络巷长度加大,过小则不利于巷道维护,也不便在其间布置机电硐室,给中部车场的布置和施工带来一定的困难。

采区上(下)山在垂直层位上,可以布置在同一层位上,也可以使两条上(下)山之间在层位上保持一定的高差。为便于运煤,可将运输上(下)山设在比轨道上(下)山低3~5m的层位上。如果采区涌水量较大,为使运输上(下)山中不流水,可将轨道上(下)山布置在低于运输上(下)山的层位位置上。当两条上(下)山都布置在同一煤层中,且煤层厚度又大于上下山断面的高度时,一般是将轨道上(下)山沿煤层顶板布置,运输上(下)山则沿煤层底板布置,以便于处理区段平巷与上下山的交叉关系。

第五节　采区车场形式

采区车场是采区上(下)山与运输大巷、回风大巷以及区段平巷联结处的一组巷道和硐室的总称,是采区巷道布置系统中的重要组成部分。采区车场的巷道包括甩车道、存车线及一些联络巷道,硐室主要有煤仓、绞车房、变电所和采区水仓等。根据车场所处的位置不同可分为采区上部车场、采区中部车场和采区下部车场。

一、采区上部车场

采区上部车场是采区上山与采区上部区段回风平巷之间的一组联络巷道和硐室。它的基本形式有平车场、甩车场和转盘式车场。

二、采区中部车场

联结采区上山和区段下部平巷的一组巷道称为采区中部车场。采区中部车场一般为甩车场,无极绳运输时可采用平车场。一个采区由于巷道布置、区段划分的不同,一般要设置多个中部车场。中部车场按甩入地点的不同,可分为平巷式、石门式和绕道式三种。

三、采区下部车场

采区下部车场是采区上山与阶段运输大巷相联结的一组巷道和硐室的总称。采区下部车场通常设置有装车站、绕道、辅助提升车场和煤仓等。根据装车站的地点不同,可分为大巷装车式、石门装车式和绕道装车式三种形式;按轨道上山的绕道位置不同,又可分为顶板绕道式和底板绕道式两种。

第二部分　专业核心知识点

1. 熟悉长壁采煤法采煤系统。
2. 熟悉厚煤层及煤层群长壁采煤法采煤系统。
3. 了解采区车场形式。

第三部分　专业技能训练

技能　采区生产系统现场技能训练

1. 了解采区或带区走向长度、区段或分带斜长和数目,各种煤柱的尺寸,以及这些尺寸确定的依据。

2. 了解采区上(下)山、区段平巷、区段集中平巷和它们之间联络巷道的形式、布置方式及其确定的依据。

3. 了解带区巷道布置方式,有无分带集中斜巷,运输大巷、分带集中斜巷和分带斜巷之间的联系方式及其确定的依据。

4. 了解并分析采区或带区煤层开采顺序,同时生产的煤层和回采工作面数目,上下分层,上下煤层,上下区段或相邻分带同时回采时回采工作面的超前距离。

5. 了解并分析采区上、中、下部车场形式或带区车场形式,相应的线路布置,调车方式,高低道布置,储车线长度,特别是下部车场的线路设计情况。

6. 了解并分析采区或带区煤仓位置、形式、规格、容量和支护方式;绞车房和变电所的位置,平面布置,设备类型、型号、技术特征、硐室尺寸和支护方式。

7. 了解并分析采区或带区各主要巷道断面和支护方式,掘进方法,掘进使用的设备型号和技术特征,掘进作业方式,掘进速度,各类巷道的维护状况。

8. 了解采区或带区运输(包括煤、矸石、材料设备)系统、通风系统、供电系统。

9. 了解并分析一个采区或带区内的工作面接替安排、采掘关系,采区或带区的产量递增、递减期和正常生产期;了解采区或带区年产量和采出率。

复习题

1.采区准备方式有哪几类?确定采区准备方式应遵循哪些基本原则?

2.分析采区巷道是由哪几类巷道组成的?简述各巷道的名称、用途、主要技术装备及其巷道形式,分析采区运煤、通风、运料等生产系统。

3.分析区段运输平巷和区段回风平巷在布置上有什么特点。

4.试分析比较区段平巷的单巷布置、双巷布置特点。

5.无煤柱护巷的原理是什么?无煤柱护巷方法有哪几种?试分析各种方法的优缺点和适用条件。

6.厚煤层倾斜分层采煤的分层同采和分层分采各有什么特点?

7.绘图说明厚煤层倾斜分层采煤时分层平巷的几种布置方式及适用条件。

8.采区上部车场有哪几种基本形式?

9.按甩车地点不同,采区中部车场有哪几种形式?

10.按装车站地点不同,采区下部车场有哪几种形式?

讨论题

1.本矿是单层煤开采还是煤层群联合布置开采?
2.如果是煤层群联合布置,那么煤层间是怎么联络的?开采顺序是怎样的?
3.能否说出本矿采区车场形式,为什么这样设置?
4.能否说清楚本矿采区的各大系统?
5.能否说清楚本矿采煤工作面接替顺序?

专业技能训练:(模型实训)

1.单一薄及中厚煤层走向长壁采煤法上山采区巷道布置模型;
2.单一厚煤层倾斜分层走向长壁采煤法采区巷道布置模型;
3.近距离煤层群联合布置走向长壁采煤法采区巷道模型;
4.石门盘区走向长壁采煤法盘区巷道布置模型;
5.单一薄及中厚煤层倾斜长壁采煤法带区巷道布置模型;
6.近距离煤层群力和布置倾斜长壁采煤法带区巷道布置模型。

第八章　爆破采煤法采煤技术

第一部分　系统理论知识

第一节　爆破落煤

爆破落煤，包括打眼、装药、填炮泥、联炮线等工序，即用煤电钻向煤壁钻炮眼，然后在炮眼内装炸药、联线，放炮时通过炮眼药包中电雷管的起爆，使炸药爆炸，将煤炭自煤壁崩落下来。

一、爆破落煤的基本要求

爆破落煤要求保证规定进度，工作面平直，不留顶煤和底煤，不破坏顶板，不崩倒支柱和不崩翻工作面输送机，崩落煤炭高度和块度适中，尽量降低电雷管和炸药消耗。

二、钻眼爆破参数

根据煤层的强度、厚度、节理和裂隙的发育状况及顶板条件，正确确定钻眼爆破参数，包括炮眼排列、角度、深度、装药量、一次起爆的炮眼数量以及爆破次序等。根据爆破落煤所用电雷管不同，可以分瞬发雷管爆破、毫秒雷管爆破（也称微差爆破技术）两种。不同电雷管爆破落煤，所产生的爆破效果和所需的爆破参数也不同。

（一）瞬发电雷管爆破

一般常用的炮眼布置有以下三种：①单排眼，一般用于薄煤层或煤质软、节理发育的煤层，如图8-1(a)。②双排眼，其布置形式有对眼、三花眼和三角眼等，一般适用于采高较小的中厚煤层。煤质中硬时可用对眼，煤质软时可用三花眼，煤层上部煤质软或顶板较破碎时可用三角眼，如图8-1(b)。③三排眼，亦称五花眼，用于煤质坚硬或采高较大的中厚煤层，如图8-1(c)。

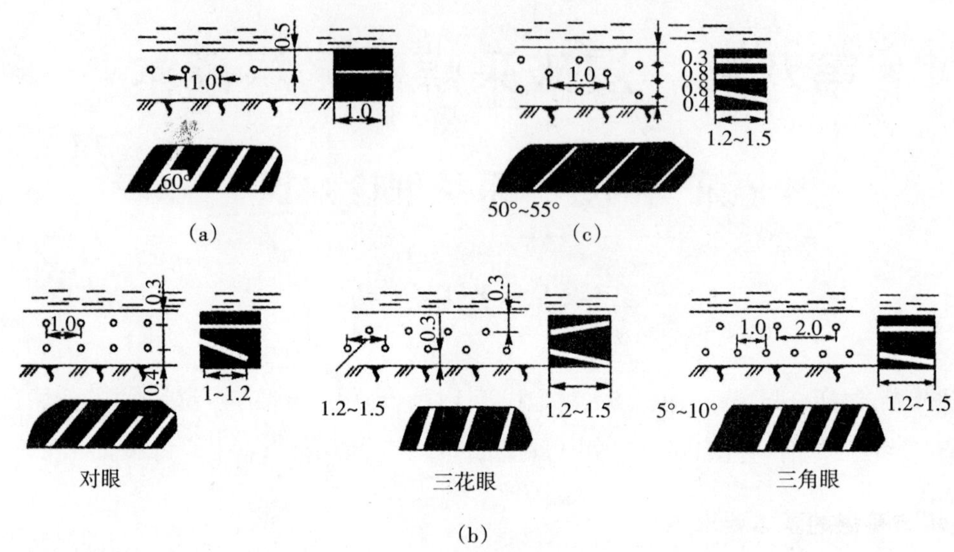

图8-1　炮眼布置图

(a)单排眼；(b)双排眼；(c)三排眼

炮眼角度应满足下列要求：①炮眼与煤壁的水平夹角一般为50°~80°，软煤取大值，硬煤取小值。为了不崩倒支架，应使水平方向的最小抵抗线朝向两柱之间的空档；②顶眼在垂直面上向顶板方向仰起5°~10°，要视煤质软硬和煤层粘顶情况而定，应保证不破坏顶板的完整性；③底眼在垂直面上向底板方向保持10°~20°的俯角，眼底接近底板，以不丢底煤和不崩翻输送机为原则。

炮眼深度根据每次的进度而定。一般每次进度有0.8m、1.0m、1.2m三种，与单体支架顶梁长度相适应。每个炮眼的装药量根据煤质软硬、炮眼位置和深度以及爆破次序而定，通常为150~600g。

爆破采用串联法联线，一般将可弯曲刮板输送机移近煤壁。每次起爆的炮眼数目，应根据顶板稳定性、输送机启动及运输能力、工作面安全情况而定。条件好时，可同时起爆数十个眼；如果条件差，顶板不稳定，每次只能爆破几个眼，甚至采用留煤垛间隔爆破的办法。

(二)毫秒电雷管爆破

近年来推广毫秒电雷管爆破技术，使炮采工艺发生了深刻变化。从使用瞬发电雷管分段(次)发炮，发展到使用毫秒爆破一次多发炮，顶板震动次数减少，在极段时间内爆破产生的震波因互相干扰而消减，从而减轻了对顶板的震动，有利于顶板的管理；同时，毫秒爆破有利于提高爆破装煤量，缩短爆破时间，提高炮采工作面的单产和效率。毫秒爆破在炮采工作面应用时使用的爆破器材、炮眼布置、爆破技术参数、安全技术措施等均与瞬发雷管不同。

炮眼布置原则，一般是根据采高、推进度、煤的硬度、裂隙节理与顶底板岩石性质及有无夹矸而定。采高小于1.6m，采用三花眼布置；采高超过2m，用五花眼布置；采高在1.6~2m之间，视煤质软硬而定：煤质较软，f=1~1.5，按三花眼布置；煤质较硬，f=1.5以上，按五花眼布置。

炮眼深度视推进度而定，一般为0.8～1.25m；炮眼角度在垂直煤壁的立面上，一般仰角为2°～3°，最多5°～8°(顶板破碎时打平眼)，俯角一般为5°～10°，最大不超过15°，见图8-2所示。炮眼与煤层的水平夹角一般为55°～80°(煤软取大值)。

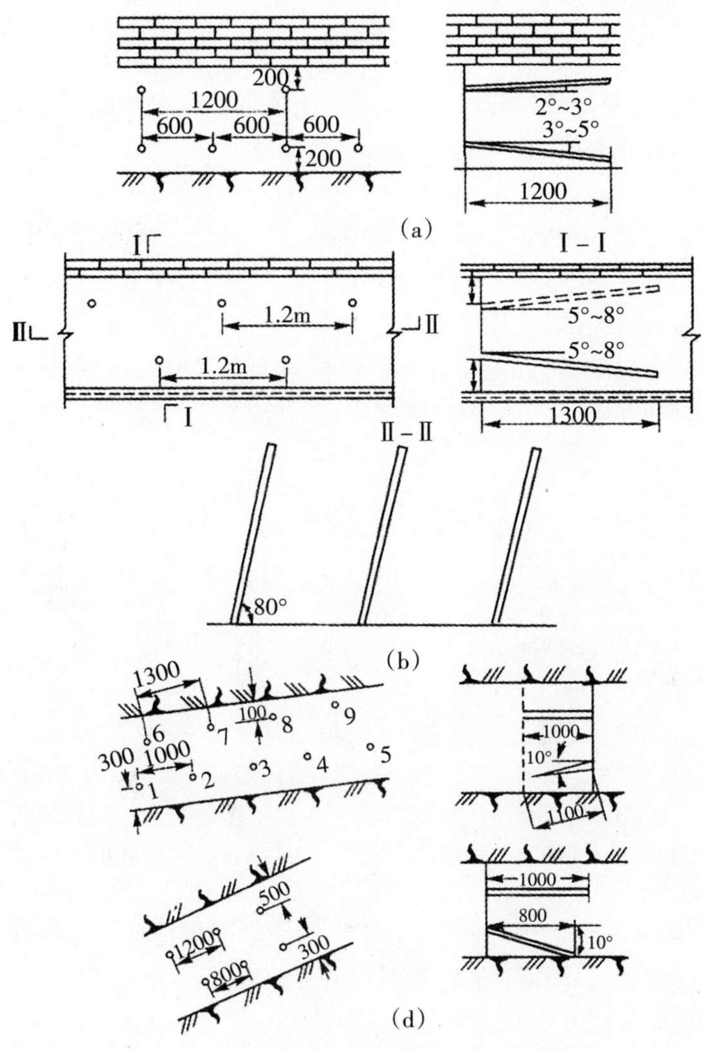

图8-2　用毫秒雷管爆破工作面炮眼布置图

炮眼间距与角度合理与否，直接关系到爆破效果的好坏。炮眼间距过大，爆破后煤块度大，有时需要再次破碎，增加了工人劳动强度和出煤时间；炮眼间距过小，会增加炸药、雷管的消耗量，同时也增加了打眼工作量。据一些矿井试验得出，煤质中等硬度时，顶眼间距为1.1～1.3m，底眼间距0.9～1.0m，装药量为300～500g，可取得较好的爆破效果。

三、爆破作业

采煤工作面的爆破作业包括钻眼、装药、填炮泥、联线、爆破等工艺。

(一)钻眼

采煤工作面打炮眼一般使用煤电钻,煤电钻以电能作为动力,依靠钻头和钻杆的旋转切削煤体,达到钻眼的目的。

(二)装药

炮眼钻好后,根据炮眼装药量的标准将炸药卷和雷管装入到炮眼之中,以待爆破。装药工作分为引药装配和药卷装填。

1.引药装配方法

引药就是常说的炮头,是指装有雷管的药卷,它首先起爆,然后引爆其他药卷。装配引药就是把电雷管装进药卷,形成起爆药卷,即引药。电雷管只许由药卷的平头(非聚能穴一端)装入。具体的装入方法有以下两种:

(1)扎孔装配炸药。用一根比电雷管直径稍粗的尖头木棍,在药卷的平头扎一个圆孔,把电雷管全部插入到药卷中,然后用脚线缠绕固定,如图8-3所示。

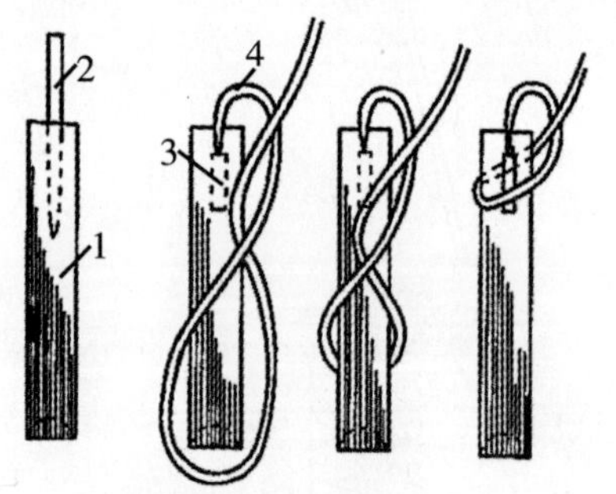

图8-3　扎孔装配引药

1——药卷;2——扎孔棍;3——雷管;4——脚线

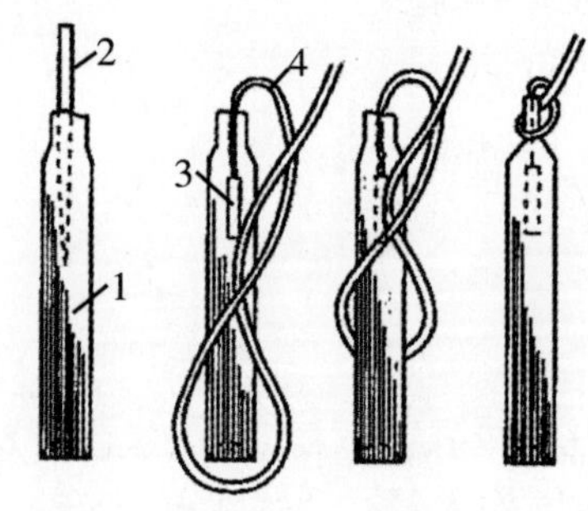

图8-4　撕口装配引药

1——药卷;2——扎孔棍;3——雷管;4——脚线

(2)撕口装配引药。将药卷平头的封口撕开,用两个手掌把炸药揉松软,然后将电雷管沿药卷端面中心全部插进去,用雷管脚线把封口扎住,如图8-4所示。

2.药卷装填及方法

引药装配好以后,根据炮眼装药量的标准将引线和其他被动药卷一同装入到炮眼之中。药卷装填之前,先用掏勺清除炮眼里的煤粉,不然会使装入炮眼内的药卷不能或装不到眼底,影响炸药传爆,可能产生半爆、拒爆或爆燃,留下残眼,甚至引燃平炮眼内煤粉、喷到孔外引起瓦斯、煤尘爆炸。装药时一手带着雷管脚线,另一手用炮棍把装入眼口的药卷一个个轻轻推入,使药卷与药卷彼此密接,不能用炮棍冲撞或捣实药卷,以免发生意外。

在炮眼中装填药卷时,必须注意引药的位置和装填方法,一般情况下每个炮眼只装一个引药。根据引药在炮眼中位置的不同,药卷的装填方法可分为正向装药和反向装药。反向装药与正向装药相比,能够提高炮眼利用率,加强煤体破碎,减少大块率。但反向装药不仅需要较长的脚线，而且不够安全，所以《煤矿安全规程》规定："在高瓦斯矿井、低瓦斯矿井的高瓦斯区域的采掘工作面采用毫秒爆破时，若采用反向起爆，必须制定安全技术措施。"

3.装药时注意事项

（1）装药前要进行安全检查，严格执行"一炮三检"制度。检查中如发现顶板、支架、上下出口有情况应立即处理，未经妥善处理前不得装药。同时必须检查工作面内有无透水、透火、透老空、瓦斯涌出或突出的征兆，若出现异常，不得装药。

（2）如果由于炮眼的仰角大，药卷易掉落，可在药卷装入后装入一段长为30~50mm的炮泥卡住药卷，然后再装其他药卷。

（三）填炮泥

药卷全部装入后，空眼部分必须用炮泥将其全部充填，这样能取得良好的爆破效果，杜绝明火出现，起到消焰作用，确保爆破工作的安全。

装炮泥时，第一、二段要慢用力、轻捣动，以免影响药卷的正常传爆。以后各阶段须一次用力捣实。操作时，用手拉住雷管脚线使其紧贴在炮眼侧壁，但拉得不能太紧，防止拉断脚线或拉坏管口，然后将炮泥装到炮眼之中。

为了确保爆破工作的安全，《煤矿安全规程》对炮眼封泥长度有明确规定：0.6~1m的炮眼封泥长度不得小于炮眼深度的1/2；1m以上的炮眼封泥长度不得小于0.5 m；2.5m以上的炮眼封泥长度不得小于1m。

（四）联线

联线就是按爆破说明书中规定的联线方式把雷管脚线与脚线、脚线与连接线或端线、端线与母线联好接通形成电爆网路，为爆破做准备。联线时要注意：

1.联线时，脚线的连接工作可以由专门培训的班、组长协助进行。脚线连接母线、检查线路和通电工作只能由爆破工1人操作。与联线无关的人员都要撤离到安全地点。

2.联线操作人员应先把手上的药粉、泥、油洗净，以免增加电阻和影响接头导通。而后把炮眼中引出的脚线解开，把接头刮净，按一定顺序从一端开始向另一端进行扭接，联线接头必须扭紧，不能虚接，并要悬空，不得与任何物体相碰。

3.雷管间全部连接好后，再与端线连接。端线要先挽结起来，待工作面做过爆破前的瓦斯检查决定爆破时，必须在爆破母线接电源处的那头仍扭结在一起的情况下，并验明母线确无电源后，方可将端线与母线连接起来。

4.爆破母线必须挂在离电缆、信号线 0.3m 外的地方，不能与金属物体接触，不能从电气设备上通过，不能挂在淋水下面，以免受漏电或其他杂散电流影响而引起意外爆炸。爆破母线的导通与否，严禁用发爆器来检查，以免发生电火花而引起瓦斯煤尘爆炸。

5.爆破

联好线后，即可准备尽心爆破。爆破工作由爆破工人一人完成，爆破工把网路和母线接通后，最后离开爆破地点，撤至有掩护的爆破硐室，用导通表或爆破电桥检查网路，若网路正常并得到班、组长允许爆破的通知后，高呼数声"爆破了！"或鸣笛数声，至少再等5s后方可通电爆破。

1. 爆破前的检查

在爆破前，由班组长、爆破工和各路的警戒人员共同将警戒线之内的所有作业人员全部撤离到安全地点后，班组长和爆破工对工作面爆破影响范围内的支架设备和爆破网路要进行全面、细致地检查，认为可行后便可爆破。在可能通向爆破地点的通道上都须设警戒线，在警戒线处设置岗哨外，还要拉上一段绳子，绳子上挂一块写有"现在爆破，禁止入内"的牌子，做到"人、绳、牌"三警并举。警戒距离：采煤工作面不得小于30m；掘进工作面直线爆破不得小于75m；有直角弯的工作面爆破不得小于50m。

2."一炮三检"和"三人连锁爆破制"

（1）一炮三检，即装药前、爆破前和爆破后必须分别检查风流瓦斯浓度，爆破地点附近20m范围内瓦斯浓度达到1%时，严禁装药和爆破。

（2）三人连锁爆破制，即爆破工联好线后，把"警戒线"交给班组长，由班组长派人警戒，并检查顶板与支架情况，然后将自己携带的"爆破命令牌"交给瓦斯检察员，瓦斯检查员检查瓦斯煤尘合格后将自己携带的"爆破牌"交给爆破工，爆破工发出爆破口哨后进行爆破。

3.爆破后的检查

爆破后，必须立即从发爆器上取下钥匙，妥善保管，将爆破母线摘下扭接在一起。爆破工和班组长必须巡视爆破地点，检查通风、瓦斯、煤尘等情况；观察工作面有无异状；检查有无崩倒的支架、崩翻的溜子、瞎炮、残药；煤壁和顶板是否安全，一面检查，一边处理。同时随地收集碴堆中残留的炸药、雷管和零碎脚线，下班时连同剩余炸药一同交回炸药库。发现有瞎炮，必须做出记号，按规定处理。

第二节　装煤、运煤

一、装煤

（一）人工装煤

人工装煤简单方便，易于操作，但工人劳动强度大，装煤时间长，效率低。若采取以下措施可以适当提高爆破自装率：①采用小推进度爆破。②爆破前将刮板输送机移近煤壁，并保持0.2～0.3m距离。③在刮板输送机靠近采空区一侧架设挡板，防止煤抛向采空区。④适当增加装药量，实行分次爆破。措施得当，爆破自装率可达30%～40%。

（二）机械装煤

人工装煤是炮采面各工序中的薄弱环节，为此我国各矿区研制了多种装煤机械。目前使用最多的是在输送机煤壁侧装上铲煤板，放炮后部分煤自行装入输送机，然后工人用锹将部分煤扒入输送机，余下的部分底部松散煤靠大推力千斤顶的推移用铲煤板将其装入输送机。

二、运煤

(一)运煤方式

炮采工作面运煤,取决于工作面的坡度与煤的湿度及块度。一般在25°以下的湿煤可采用普通刮板输送机或可弯曲刮板输运机。25°～30°采用搪瓷溜槽,大于30°采用溜槽自溜运煤。

工作面输送机应根据落煤方式及落煤能力确定,还需考虑工作面长度,所选的输送机必须适应工作面的落煤能力,即输送机的运输能力应大于工作面的生产能力。

(二)刮板输送机的操作

(1)启动前要发出信号,先断续启动,隔几秒钟后再正式启动。这样可以检查输送机的运转方向是否正确,并且对输送机附近人员发出警戒信号,提醒其注意安全。

(2)输送机运转时,要空负荷启动。严禁超负荷启动和运转。输送机在启动前和停止运转后,不允许采煤机割煤;输送机停止运转之前,应将输送机上的煤尽量拉空,以便启动。

(3)无煤时,应及时停止运转,禁止长时间空运转。

(4)在刮板输送机运转过程中,要做到勤检查、勤加油、勤清理。

(5)刮板输送机的铺设要做到平、直、稳、高。

平就是输送机沿工作面推进方向(煤壁至采空区方向)要平,溜槽不能歪斜,电动机、减速器和联轴器要在同一水平;沿工作面布置方向(工作面输送机机头机尾方向),要自然平缓,沿底板铺设,溜槽接口平整无台阶。

直就是运输机沿工作面要成一直线。弯曲段长度符合规定,一般10~15m,弯曲角度不大于3°,电动机和减速器中心线要对直。

稳就是机头、溜槽和机尾及所属设备部件,安装牢固,整个输送机铺设稳固、运输平稳。

高就是机头抬高,与转载机的相互位置适当,不带回煤。

(6)可弯曲输送机在其运行过程中,可能发生底链出槽、断链、溜槽脱节、输送机不能启动等故障。发生故障后,应及时处理,尽快恢复生产。

底链出槽的原因:刮板过稀,底链过松;输送机过度弯曲,内外链条松紧不一致,张力不相同;链子一根已断,刮起板链被拉斜,链子被拔出等。处理方法:采用倒茬法处理掉底链,速度较快,同时还可及时换溜槽。采用倒茬法时,先把机头过渡槽上的中部槽上的链松开,取出第一节中部槽,接上链,用钢丝绳一头钩住刮板,另一头分成两股钩住上部溜槽,开正车将上部溜槽逐节下拉,直到掉底链处为止,使底链入槽后,加中部槽,接上链后,紧链试运转。

断链的原因:链环磨损、老化;链环连接螺丝脱落;链过紧或过松,装煤多,过载启动,冲击力大等。处理方法:把要断的上链,转到机头处更换;断下链也可用上述倒茬法处理。

溜槽脱节:主要是由连接销损坏或溜子弯度过大所引起 。连接销损坏后,可用长螺杆临时作为销子,待检修班更换。

刮板输送机不能启动的原因:电气故障,传动部减速器、联轴节的故障。但经常是由于刮板输送机负荷过大引起的。因此,除加强机电维修外,在输送机启动前,应设法减轻其负荷并尽量避免频繁启动。

（三）刮板输送机的移置

1.移置的设备及方法

可弯曲刮板输送机的移置方法有液压移置和机械移置。工作面每完成一个推进度，移置一次输送机。

（1）液压移置。如图8–5所示，工作面中部每6m设一台液压千斤顶，机头、机尾处安设2~3台液压千斤顶。移置时溜槽间弯度不能大于3°~4°，弯曲段长度一般不小于15m。

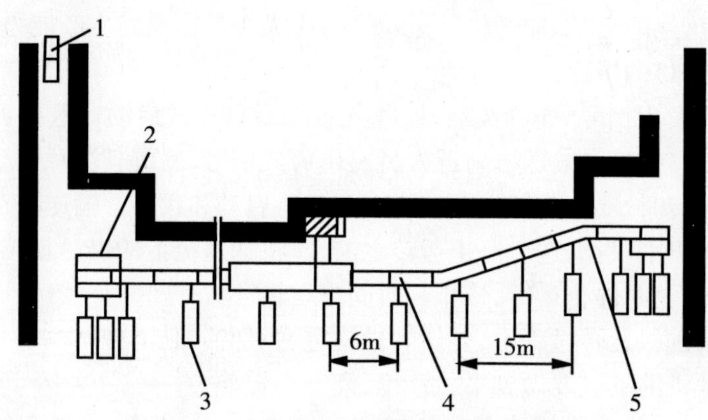

图8–5　刮板输送机液压移置示意图

2.移置时注意事项

移置前应用人工清理浮煤，对凸出的底煤、起伏的底板应预先处理；严格掌握推移顺序，可沿工作面自上而下或自下而上顺序推移，但不允许由两端向中间推移，以免输送机在中部起拱；推移工作宜在输送机运转时进行，以免给输送机再启动带来困难；推移时应保持输送机有不小于15m的弯曲长度；输送机推移后应呈一直线，铺放平稳，溜槽接头严密、平整无错口。

3.拆接机头、机尾溜槽的方法

在移置时，为了适应输送机下滑及工作面长度的变化，经常要拆接溜槽。如图8–6所示。

拆接机头溜槽缩短输送机的方法：

（1）拆开上链及采煤机弹簧筒钢丝绳，利用区段平巷刮板输送机拉斜机头，中间打木楔，如图8–6（a）所示。

（2）钢丝绳反拉机头，使机头复正，过渡槽与中部槽脱节，取下一节中部槽，如图8–6（b）所示。

（3）机头向上拉，如图8–6（c）所示。

（4）换短溜槽，接链，紧链，即可运转，如图8–6（d）所示。

拆接机尾溜槽时，可用回柱绞车为动力，方法与上述相同。

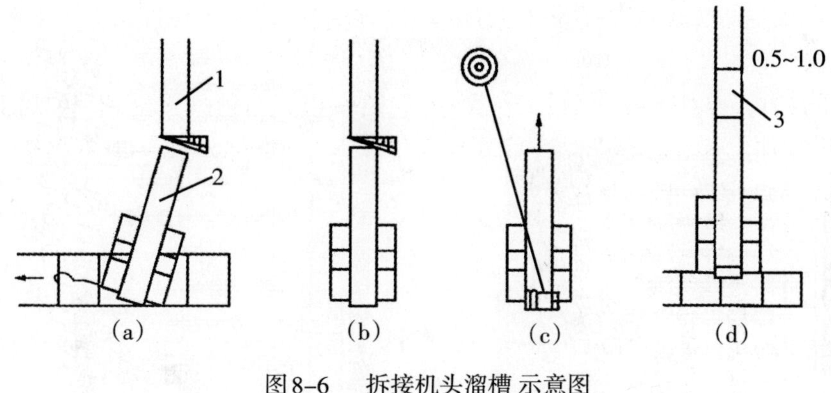

图8-6　拆接机头溜槽 示意图

1——中部槽；2——过渡槽；3——短溜槽

(四)倾斜煤层工作面运输的特点

倾斜煤层工作面使用可弯曲刮板输送机，由于煤层倾角大，输送机容易下滑，为此，可采取以下一些措施防止输送机下滑：

(1)在输送机机头、机尾处设置防滑架，并用2~4根斜撑柱将其固定。

(2)在回风平巷安设一台小绞车拉住机尾，防止输送机下滑。

(3)将输送机机头安装在回风巷，输送机倒拉，机尾与进风巷输送机不直接搭接，中间接有5~10m的陶瓷溜槽，在输送机少量下滑时可起调整作用。

(4)改变输送机的推移顺序，当机头在上方时，先自上而下推移机头下方15~20m溜槽打上临时压柱，再移机头。

(5)撤离机头部的压柱，再移机头。机头移过后重新把机头的压柱打紧，拆除临时支柱，再自上而下推移输送机。

第三节　工作面支护

一、采煤工作面支护

(一)支护方式

目前，我国炮采工作面主要以单体液压支柱和铰接顶梁支护，其布置形式如图8-7所示。其布置主要有两种：正悬臂齐梁直线柱如图8-7(a)和正悬臂错梁三角柱如图8-7(b)，但后者现在采用较少。落煤时，爆深应与铰接顶梁长度相等。最小控顶距时应有3排支柱，以保证有足够的工作空间，最大控顶距时一般不宜超过5排支柱。通常推进一或两排柱放一次顶，即三四排或三五排控顶。在有周期来压的工作面中，当工作空间达到最大控顶距时，为了加强对放顶处顶板的支撑作用，回柱之前常在放顶排处另外架设一些加强支架，称为工作面的特种支架。特种支架的形式很多,有丛柱、密集支柱、木垛、斜撑支架(见图8-8)以及切顶墩柱等。

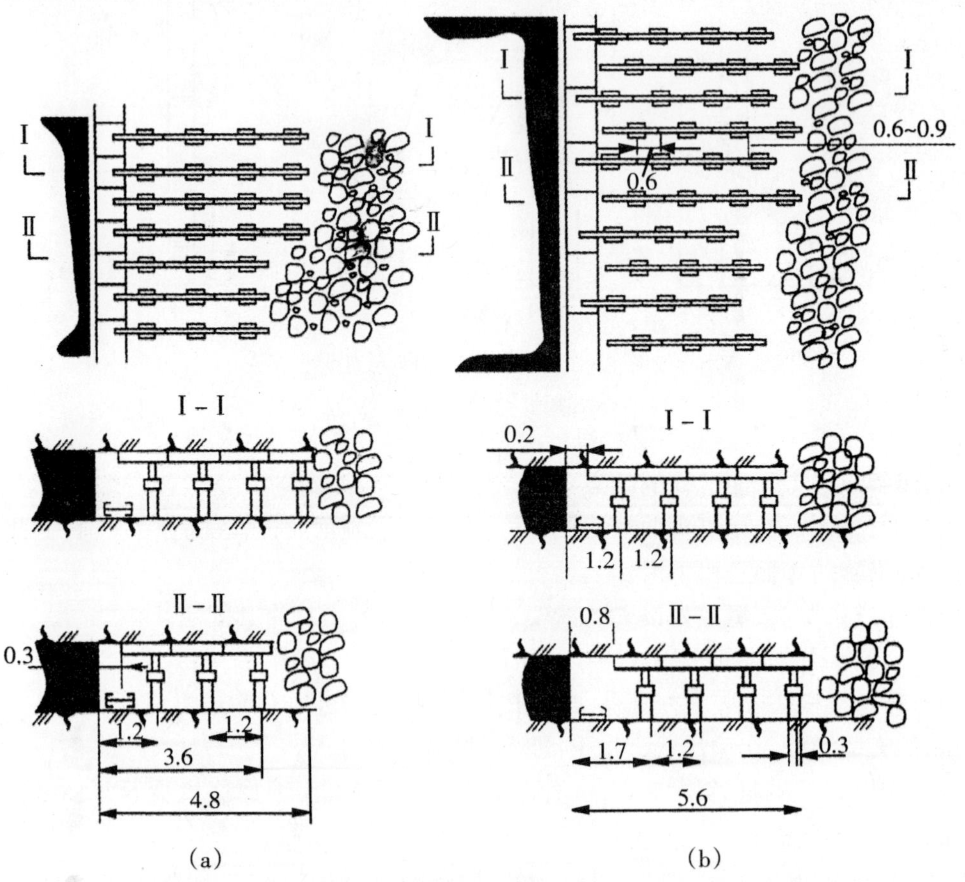

图8-7 炮采面使用单体液压支柱和铰接顶梁的支架布置形式

(a) 正悬臂齐梁直线柱布置;(b)正悬臂错梁三角柱布置

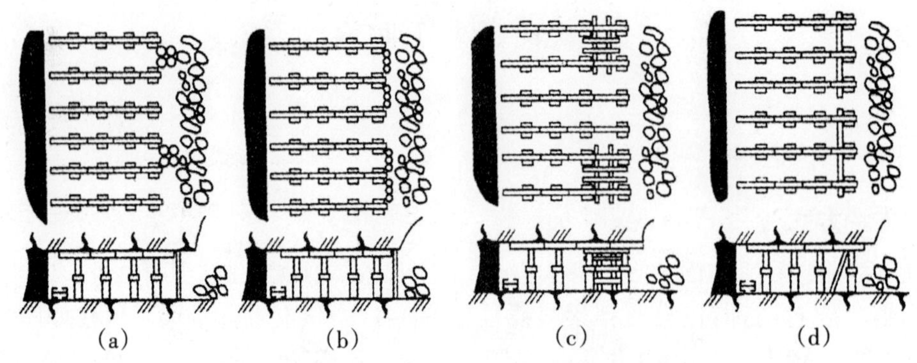

图8-8 炮采工作面特种支架形式

(a)丛柱;(b)密集支柱;(c)木垛;(d)斜撑支架

(二)单体液压支柱

单体液压支柱为恒阻式支柱。支设时可以获得较高的初撑力,随着活柱的下缩,支柱很快达到额定工作阻力,而后尽管活柱继续下缩,支柱工作阻力始终保持工作阻力的大小,支柱可缩量较大。

二、工作面支架的架设

支架的形式虽然很多,但有一些架设方法是相同的,掌握了基本假设方法,架设各种支架都能使用。架设单体液压支柱与铰接顶梁配套的支架的操作方法是:

工作面采煤机割煤(或爆破)后,立即用金属铰接顶梁挂梁,维护着机(炮)道裸露出的顶板。当推移输送机后,按照支护设计的排距、柱距要求(有的工作面用特制的尺杆掌握排距与柱距),清除底板浮煤浮矸,将液压支柱立好,用注液枪升柱,保证达到初撑力后才能停止操作,拔下注液枪再设下一根支柱。操作中一定注意支护的规格质量,保证横成排,竖成线,不合格的支柱一定要检查改正。工作面支柱应实行"对号入座"、"牌板管理"与顶梁配套使用和管理。在现阶段一些高产工作面,对单体液压支柱的支设与管理,实行分段承包是行之有效的办法。

在支设单体液压支柱时,必须注意以下注意事项:

(1)使用的支柱每根都应保持完好状态,任何损坏的支柱不允许支设。

(2)不同性能的支柱不能混用。

(3)工作面支柱均应编号,防止丢失。

(4)新下井支柱或长期未使用的支柱,第一次使用时应先升降1~2次,排净腔内空气后方可支设。

(5)外注式支柱支设前,必须用注液枪冲洗注液阀体,防止煤粉等污物进入支柱内腔。

(6)内注式支柱支设前,必须用注液阀体,防止煤粉等污物进入支柱内腔。

(7)顶盖掉爪(或掉一个爪)的支柱,不允许继续使用。

(8)支柱顶盖与顶梁结合严密,不准单爪承载。

(9)支柱作点柱使用时,应使顶盖柱爪直接与顶板接触。

(10)采高突然变化超过支柱最大高度时,应及时更换相应规格支柱,不得采取在支柱底部垫木板、矸石等临时措施支设。

(11)工作面初次放顶时,应采取相应的技术措施,增加支柱的稳定性,防止推倒和压坏支柱。

(12)中厚煤层和急倾斜煤层工作面人行道两侧支柱应采取安全措施,如采用联结器或栓绳等措施,防止失效支柱倒柱伤人。

第四节　全部垮落法处理采空区

随着采煤工作面不断向前推进,顶板悬露面积越来越大,为了工作面的安全和正常生产,就需要及时对采空区进行处理。由于顶板特征、煤层厚度和保护地表的特殊要求等条件不同,采空区有多种处理方法,但最常用的是全部垮落法。

全部垮落法,通常适用于直接顶易于垮落或具有中等稳定性的顶板。其方法是,当工作面从开切眼推进一定距离后,主动撤除采煤工作空间以外的支架,使直接顶自然垮落。以后随着工作面推进,每隔一定距离就按预定计划回柱放顶。这样不仅可以及时减少工作面的控顶面积,而且由于顶板垮落后破碎岩石体积膨胀而充填采空区,可以减轻工作面压力和防止对工作面产生不良影响。其主要工序是配合工作面推进定期进行回柱放顶工作。

一、放顶步距及控顶距的确定

最大控顶距的大小根据顶板岩石的力学性质、采煤工作面每次推进度和回采工作所需的空间而定。采煤工作空间一般包括三个部分,即机道、人行道和材料道。

放顶步距应根据顶板岩层的性质来确定。放顶步距过大,工作空间的压力将会增加;放顶步距过小,顶板垮落不完全,不但不能减轻工作面压力,反而增加放顶工作量。放顶步距应等于工作面一次推进度或成倍数关系。通常工作面每推进一至两次进行一次放顶。一般来讲,顶板松软,放顶步距宜小;顶板坚硬,放顶步距适当大些。

常用的控顶距一般为:最大控顶距有四排支柱,最小控顶距有三排支柱,放顶步距为一排支柱,称为“三、四排控顶,见四回一”。或者最大控顶距有五排支柱,最小控顶距有三排支柱,放顶步距为两排支柱,称为“三、五排控顶”。支柱排距一般为0.8~1.2m。

二、回柱

采用单体支架支护的采煤工作面,随着工作面的推进,需要不断撤除放顶区的支柱。回柱方法有人工回柱和机械回柱两大类。

(一)人工回柱

人工回柱一般需分段进行,分段长度根据顶板情况而定。一般长15~25m。每段由一个回柱组进行回柱。每组一般两人协作进行回柱。选择收口位置。分段收口位置,即分段内结束回柱的位置。为了避免回撤本段最后一两根支柱出现困难,选择收口位置时应注意:收口处周围采空区顶板充分垮落,矸石充填较高;保持收口处顶板完整,附近支柱排列整齐;保证安全出口宽敞,不被矸石或其他设备堵塞。

收口位置选择好,应立即做收口准备工作。回柱前在分段处用支柱或档木等围圈一定范围,其中充填该处顶板垮落下来的矸石,形成一人工构筑物。这个构筑物,一方面可以作为两分段间的屏障,使上分段垮落的矸石,不致滚落到下一分段。另外由于顶板在该处预先垮落,截断了两分段交界处的顶板,使相邻分段放顶时,不致波及到下一分段。

开口。开口就是开始顺序回柱。开口前首先要按工作支架说明书规定的密集支柱形式,支好2~3m密集支柱。

要等邻段收口准备工作完成之后才开始撤柱，否则可能由于塌顶或滚矸给邻段造成困难。

回柱顺序。回柱时要按照由里向外及由下向上的顺序进行。由里向外是指沿工作面推进方向,每一段都先撤靠采空区的密集支柱,而后依此回撤外边的点柱。由下向上指沿工作面倾斜方向,每一段都从下往上进行回柱。

人工回柱适用于工作面顶板比较稳定,支柱受力不大的情况。当顶板破碎,支柱常被垮落的矸石理压时,应尽量采用机械回柱。

(二)机械回柱

1.回柱绞车的选用及安设

目前使用的回柱绞车主要有JH-5型、JH-8型和JH-14型三种。JH-5型和JH-8型回柱绞车具有体积小、重量轻、挪移和安设方便的特点,当工作面内安设多台绞车时多采用这种绞车。

回柱绞车有三种安设位置:

(1)安设在回风巷。绞车距工作面20~30m处。这种安设方法,须增加一套变向装置,包括变向轮柱和变向滑轮。这种方法任何采煤工作面都适用。特别适用于顶板破碎,压力较大的工作面和厚煤层的中、下层。

(2)安设在工作面端部,靠采空区密集支柱一侧。如安设在工作面端部,当回风巷采空区上隅角瓦斯超限时,需停止回柱绞车工作。这种安设位置适用于顶板压力小,煤层倾角小,采空区瓦斯涌出量最小的工作面。

(3)安设在工作面内。当工作面较长,用一台回柱绞车不能在一定时间内撤除全部支架,如工作面条件允许在工作面内安设绞车时,可以将绞车安在工作面内。

2.回柱方法

回柱方法很多,目前主要采用小绳头法。小绳头回柱法是指回柱时用与主绳连接的一根或几根小绳拴住应回的支柱,开动绞车后,将一组或几组支柱回出。小绳一般是较细软的钢丝绳。小绳可做成绳套、小钩绳、带环绳套等。

小绳头回柱法适用于木支柱和金属支柱工作面，当顶板破碎,更宜使用这种方法。单绳套回柱可用于各种复杂的条件,双绳头回柱法效率较高,多绳头回柱法宜在回收棚子时使用。

3.回柱工作的组织

绞车回柱整个过程是由拴绳、发信号、开动绞车牵引回柱、解绳取支柱及主绳下放等工序构成。为了加快回柱速度,又能达到安全作业的目的,必须合理组织回柱工作,搞好工种之间、工序之间的协调与配合。一般回柱小组由8~10人组成,其中组长1人,由拴绳工兼任,组织协调全组人员作业;拴绳2人、信号工1人、回柱绞车司机1人及运料工若干人。科学地组织回柱工作,明确职责,既能减少窝工,又能发挥每个成员的积极性,使回柱工紧密配合,保证在安全条件下,提高回柱工作效率。

回柱绞车回柱是多工序需要紧密协调配合的作业，所以各工序的操作工人必须注意：

(1)拴绳工。在拴绳前应先检查顶板，有不安全处须处理好后再工作；拴绳顺序一般应先下后上，先里后外，先切顶住后基本柱，切顶柱超前回收距离不准超过2m；拴绳不准拴在柱中间，在人工顶板下回柱时小绳一律拴在柱的上边距顶网20cm处；小绳拴好后，撤出人员吹笛通知信号工发信号开车；支柱拉倒后，应拉出采空区才准解绳取柱，取柱时必须面向采空区；回收倒在采空区的支柱，要用长柄工具拿取，不准进入采空区作业。

(2)信号工。保护好信号线，工作时站在超前放顶10m以外的地方，听拴绳工指挥及时通知开车或停车；回柱结束后，应把信号线拉出工作面，盘在回柱绞车前的安全地点。

(3)看变向轮工。必须站在主绳受力的外侧，严禁站在采空区旁边；发现大绳跳出滑轮或挂滑轮顶柱不牢时，立即打信号停车处理；绞车松绳拉主绳时必须站在距变向轮2m处，主绳伸向工作面一侧；要保持变向轮平稳，顶柱牢靠。

(4)绞车工。工作前必须检查回柱绞车座上的顶柱是否齐全可靠；检查变向轮中线是否对正卷筒中线；工作中集中精力注意听信号，开停及时，绳不多松；回柱中发现绞车负荷过大开不动时，不准硬开，应通知拴绳工减少拴住数量或改变操作方式，预防断绳或咬绳；绞车防护装置不齐，不能开车。

4.单体液压支柱的回撤

单体液压支柱回撤方式根据顶板情况有近距离卸载、远距离卸载两种回柱方式。顶板条件较好时采用近距离卸载回柱；顶板较差、破碎易冒落可采用远距离卸载回柱的方式。

(1)内注式单体液压支柱近距离卸载，用手把插入卸载孔中，旋转两用手把，活柱下降后撤出支柱；远距离卸载其原理一样，只是在两用手把上拴一根绳子，将手把插入卸载孔中。操作者站在距支柱2～4m远在安全地点，拉动绳子打开卸载阀活柱下降，再拉绳子带出支柱。也可用金属长柄钩，一端钩在支柱的卸载阀环上，也同样达到安全卸载与回撤支柱的目的。

(2)外注式单体液压支柱的卸载回柱方法是，将卸载手把插入三用阀筒的卸载孔中，转动手把支柱卸载，活柱下降，撤出支柱。也可用绳子在卸载手把上，牵动绳子达到远距离卸载的目的，再拽绳子拉出支柱。

(3)死柱回撤方法。活柱全部压入油缸，支柱失去可缩性的叫死性。产生死柱的原因：一是支柱工作阻力不够，活柱下缩量大；二是支柱选柱不合理，采高小、活柱伸缩量不大；三是出现局部地质构造采高变化等。回撤死柱必须先支设一根临时支柱，然后采取局部挑顶或拉底的方法撤出死柱。严禁炮崩，不允许用机械设备强行回撤。

三、放顶

(一)密集支柱放顶

放顶前，首先在放顶线上的支柱内补打密集支柱。当放顶区内的支柱回撤后，顶板就被这排密集支柱切断而垮落，同时密集支柱还可阻拦垮落的矸石，不致窜入工作面内。这种放顶方式适用于直接顶比较稳定而基本顶来压又比较明显的工作面。

(二)无密集支柱放顶

当工作面顶板较松软易垮落,放顶线上不补打支柱,在放顶区回柱后,顶板仍能沿着放顶线垮落,这种方式称为无密集支柱放顶。这种放顶方法大大减少支、回柱的工作量,加快了放顶速度,缩短了循环周期,从而加快了工作面的推进速度。

采用无密集支柱放顶时,应注意下列问题:尽量减少工作面控顶距,适当增加基本支柱的密度,以提高支架的支撑力;为防止矸石窜入工作面,可在放顶线支柱外侧加挂挡矸帘子,当采高较大或顶板垮落的块度大,有推倒放顶线支柱的危险时,要在放顶线支柱的内侧打上斜撑柱,增加其稳定性;在工作面初次来压时,可及时加强支护或改用密集支柱放顶。

(三)坚硬顶板人工强制放顶

当顶板岩层坚硬时,回柱后顶板不能自行垮落,在采空区形成大面积悬顶,严重威胁着采煤工作面安全。对于这种坚硬难冒落的顶板,目前一般采用人工强制放顶,具体方法是:用爆破法崩落顶板;对顶板进行预爆破,破坏顶板的完整性;对顶板预注高压水,软化顶板岩层等。

(1)对坚硬顶板预注高压水。此法是在工作面前方,预先打深钻孔,注高压水。注水分两次进程,第一次钻孔打完后,以18~20个大气压的高压水初注;第二次是当钻眼注入工作面前支承压力范围内,再以120~250个大气压的高压水大流量进行二次注水。顶板岩层注水后,可以降低岩石强度及层间粘结力,增加岩体裂隙,使回柱或移架后顶板能够自行垮落。

(2)超前深孔爆破顶板裂法。此法是在工作面前方坚硬顶板中,从区段平巷里预先打好平行工作面的长钻孔(孔深40~50m,孔距15m,孔径60~85mm)进行超前爆破,使离煤层上方一定距离处的顶板形成裂隙区,但不破坏裂隙以下的顶板岩层。这样在开采时顶板就能够自行垮落。

(3)对采空区顶板进行爆破。爆破后直接将顶板崩落下来,被崩落的矸石能够充满或基本充满采空区。同时,由于爆破破坏了顶板岩层的完整性,使上覆岩层较易垮落,也使垮落时的冲击强度减弱。按爆破炮孔深度,这种方法又分为浅眼爆破及深孔爆破两种方法。

浅眼爆破人工强制放顶,是在密集支柱内向顶板钻眼,眼深1.5~2m,然后装药爆破,以崩落的顶板岩石来充填采空区。这种方法简单易行,适用于不太坚硬的顶板岩层。如图8-9所示。

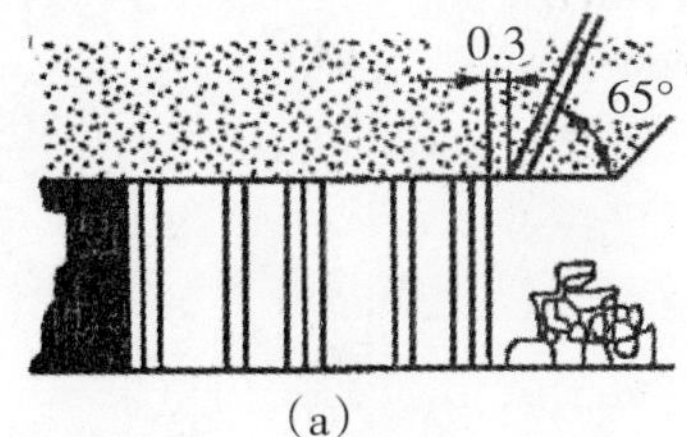

(a)

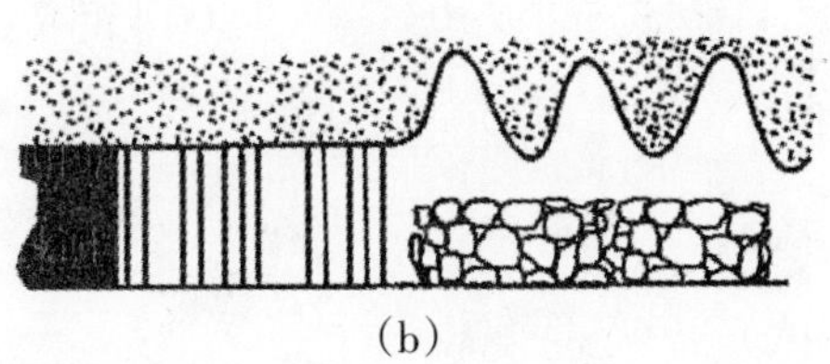
(b)

图8-9 浅眼爆破人工强制放顶

(a)眼位图;(b)放顶状况

根据顶板岩石性质及其活动规律，深孔爆破可分为步距式放顶和台阶式放顶两种。

步距式放顶如图8-10(a)所示。在工作面初次来压和周期来压之前，沿工作面向采空区顶板打两排深孔，孔径为60～64mm，孔距6～8m，仰角60°～65°，孔深一般3～4m，最大可达6～7m，装药量8～10kg，封泥长1.0m左右，连续进行两次深孔爆破。爆破后，顶板被切断，形成一道高度5～6m、宽度2m左右的深槽，以消除和减轻来压强度；日常循环期间配合浅眼爆破放顶，可以减轻顶板部分压力，保证回柱作业的安全。步距式放顶适用于周期来压规律性强，来压步距掌握得比较准确的坚硬顶板。

对周期来压规律不强，且常发生不规则来压的顶板可采用台阶式放顶，如图8-10(b)所示。沿工作面将放顶线分为上下两部分，放顶工作随工作面循环进行，第一循环先放一半工作面，第二循环再放另一半，这样每推进两个循环全工作面放顶一次，在工作面上下部分交替形成台阶，深孔爆破的各项参数和步距式基本相同。在一半工作面深孔放顶时，其余一半仍要配合浅孔小眼放顶，以保证回柱作业的安全。

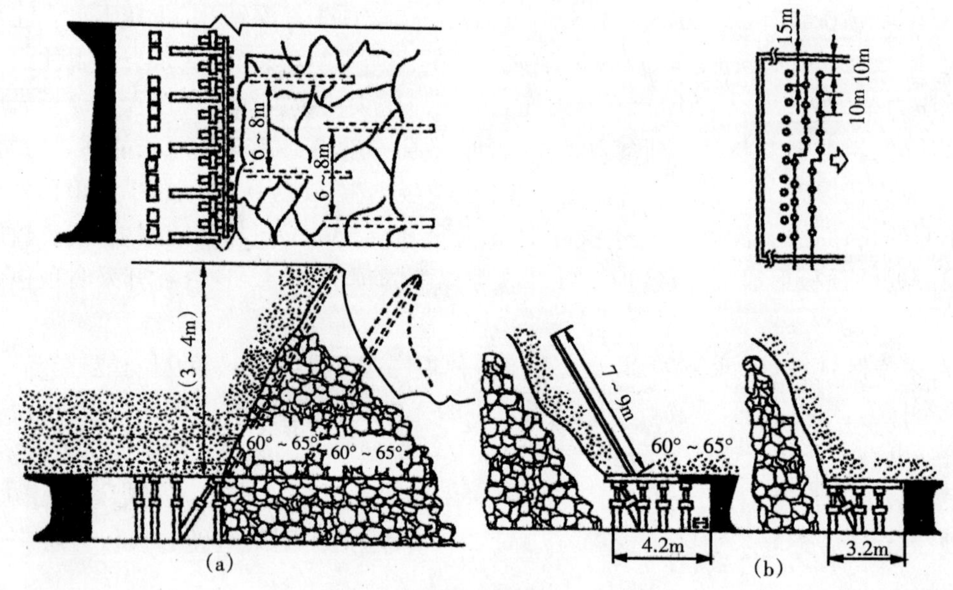

图8-10 深孔爆破人工强制放顶

(a)步距式；(b)台阶式

第二部分　专业核心知识点

1. 了解爆破采煤的工艺过程。
2. 掌握炮采工作面的炮眼布置方法。
3. 掌握爆破作业过程及注意事项。
4. 了解装煤、运煤的工艺特点及注意事项。
5. 熟悉工作面支护方式及适用条件。
6. 熟悉全部垮落法处理采空区的工艺过程。

第三部分　专业技能训练

技能一　采煤打眼工技能训练

一、操作准备

1. 齐备注液枪、锹、镐、钻杆、钻头等工具。检查煤电钻完好情况，煤电钻综合保护是否灵敏可靠，电钻转向是否正确，电缆是否有破皮漏电、“鸡爪子”、“羊尾巴”；防尘水管是否配齐。

2. 电缆悬挂好，不许随意扔放、散乱堆积；电缆横跨送机头、机尾、溜槽和溜煤道时，应在距其0.5m以上悬挂牢固。

3. 必须事先对工作地点的顶板、煤帮、支护等进行全面检查，敲帮问顶，补全空缺支柱，更换失效支柱，清除机道内的浮煤和杂物。

4. 打眼前要做到“三紧”、“两严禁”，即：袖口、领口、衣角紧，严禁戴布、线手套，严禁将所围毛巾露在外面。

二、操作训练

1. 打眼最少由两人操作，一人在电钻一侧领钎定眼位，一人在另一侧紧握电钻手柄，两手平端电钻，均匀用力，不准用身体的任何部位对电钻助力。领钎人必须及时观察煤壁、顶板及支护情况，防止片帮、掉顶、倒柱伤人。

2. 要严格按照作业规程中爆破说明书的炮眼布置方式进行炮眼定位、打眼。先用手镐刨点定位，定位后，使钻头顶紧定位点，间断地送电2~3次，使钻头钻进煤体。

3. 钻头钻进煤体后，根据爆破说明书的规定，调整钻进的方向和角度，打眼时要均匀用力，顺势推进，调节好水量，排出孔内煤粉。成型的炮眼内煤粉必须清理干净。

4. 底眼打完后，要用木楔或大块煤矸盖好眼口，以防煤粉堵塞。

三、收尾

打眼工作结束后，拔下钻杆，卸下钻头，切断电源。将电缆、电钻、水管等工具运至指定地点整理好。

技能二　攉煤工技能训练

一、操作准备

1. 备齐锹、镐、锤等工具。

2. 进入工作地点要检查顶板、煤壁及支护状况，先敲帮问顶，补齐缺柱，更换失效支柱，处理不安全隐患。

3. 清除作业区间控顶范围内的障碍物。

二、操作训练

1. 采取洒水等防尘措施,再清理材料道、人行道内的浮煤,后攉机道内的煤。

2. 要握紧锹把,自上而下攉煤。先从煤堆边沿把煤顺势推入溜槽内,再沿底由溜槽边向煤壁方向逐步将煤攉入溜槽内,攉煤过程要进行洒水灭尘。

3. 应先装碎煤,后装块煤,以防块煤滚动伤人。不许将矸石、芭片等杂物攉入刮板输送机。

三、收尾

收拾好工具,放到指定地点。

技能三　风镐工技能训练

一、操作准备

1. 领取风镐并检查机体有无裂纹和破损,套箍、头部及镐柄弹簧是否完整灵活,滤风网有无堵塞,螺丝、固定销是否齐全无损。

2. 领取钎子并检查钎子尾部是否平整无缺口、与钎子中心轴是否垂直、与风镐套连接是否正确牢固。

3. 领取风管并在工具房接上风镐和钎子进行试转,发现问题立即更换。

4. 领取足够的润滑油,备齐所需的其他工具。

5. 将风镐、钎子、风管分开携带,运送至工作地点。风管要盘成圆圈手提或肩背,避免碰撞。严禁用刮板输送机运送风镐、钎子和风管。

6. 检查工作面主风管是否符合规定,连接是否牢固,有无漏风。

二、操作训练

1. 检查工作面的中心划线或拉线,决定开帮的宽度。

2. 将分支风管与主干风管接好,慢慢开启阀门向无人处吹风,排除风管内杂物,然后再接上风镐,并拧紧接头。风镐在使用前及使用中要注油。

3. 在较松软的煤分层或层理、节理较发育处掏煤槽,先破顶层煤,再破底层煤。

4. 破煤时,站位在倾斜上方,一只手握镐柄,一只手托住镐体,用力向煤壁推压。推压时不要硬顶强冲,不要与煤壁成90°角,并注意不要滑钎。

5. 水平或向上作业时,握镐体的手臂应靠近身体以增加力量。

6. 操作时应站稳,随时注意输送机或溜槽,注意风镐顶部弹簧、滤风网、横销及接头的松紧,防止脱落。

7. 风管不得绕成锐角或折曲,使用时必须放直或形成慢弯;镐尖卡住时,可往复摇动风镐或处理镐尖周围煤岩,松动后拔出。

8. 剥落下的大煤块,应及时砸碎,以免碰倒支柱或伤人。

9. 按工作面中心线检查开帮进度,找直煤壁。

三、收尾

关闭干线风管上的阀门,卸下供风软管,拆下风镐和钎子,堵好进风口、卡套孔,盘好软风管,将工具运送到指定地点。

技能四　回柱放顶工技能训练

一、操作准备

1. 备齐注液枪、卸载手柄、锤、斧、镐、钩、钎等工具和必备材料。

2. 检查工作区域内的各种支护和顶板冒落情况、工作面有无异常现象、各安全出口是否畅通。对发现的问题必须及时妥善处理。

3. 选择好分段开口。

二、操作训练

1. 人工回柱放顶操作:

(1)按作业规程规定的距离和质量要求,架设特殊支架后,拆除原特殊支架。

(2)按作业规程规定在分段开口处架设好收尾支柱。收尾支架不得少于两根。

(3)在新切顶线的梁柱靠采空区侧挂好挡矸帘。

(4)在需回梁的煤壁的侧梁上从下往上插好水平销并打紧。

(5)回柱工站在回柱的斜上方进行回柱。回单体液压支柱时,用卸载手柄慢慢使支柱卸载,取出支柱支设在作业规程规定位置。

(6)回梁时站在支架完整的斜上方,用锤打脱水平销后再将梁的圆销打脱,使该梁脱离连接后取出。

(7)回收出各种背顶材料,码放到指定地点后,方可继续回柱放顶。

2. 绞车回柱放顶操作:

(1)按作业规程规定的距离和质量要求,架设特殊支架后,拆除原特殊支架,运到指定地点码放整齐。

(2)在新切顶线的梁柱靠采空区侧挂好挡矸帘。

(3)信号工发出松绳信号,回柱工从上往下拖拽主绳,下放到位后,发出停止信号。

(4)用绳套拴好要回的支柱,并与主绳钩连接。

(5)回柱工站在回柱的斜上方进行回柱。回单体液压支柱时,用卸载手柄慢慢使支柱卸载。

(6)回梁时用锤敲打梁的圆销,使该梁脱离连接。往外拖梁时与回柱操作相同。

(7)用长柄工具回收出背顶材料,并放到指定位置后,方可继续回收。

3. 回柱放顶工要做到“三勤、两高”, 即勤柱、勤拉、勤练,回收率高、复用率高。

4. 当采高大于顶梁长度时，应先回柱后回梁，即回收完支柱后，再打掉水平销和梁的圆销，使顶梁落下并拖出。

5. 当采高小于顶梁长度时，应先退出顶梁圆销，后回柱，落柱时同时落下顶梁并一起拖出。

6. 遇难回、难取的支柱和梁时，处理前，首先要打好临时护身柱或替柱，最后将替柱回出。

7. 难回支柱的处理操作；

(1)顶板压力大，支柱一松顶板随即压下时，要打上临时支柱以控制顶板，然后采用挑顶、卧底的方法进行回撤，严禁采用爆破或用绞车生拉硬拽的方法进行回撤。

(2)当支柱顶着岩块不能下缩，岩块又不好处理时，待顶板稳定后，将柱脚用镐刨开，用撬棍来回转动直到将柱回出。

8. 栓柱或栓梁前要详细检查顶板周围情况，判断安全后，方可近前栓柱梁，并迅速将绳套挂在大钩上，严禁将绳套拴在活柱体上。

9. 不得用手镐或其他工具代替卸载手柄卸载，严禁用锤砸油缸。

10. 如支柱三用阀损坏或活柱被压不能卸载时，不得生拉硬拽，必须采用挑顶、卧底或打临时木柱支撑顶板的方式，将单体液压支柱回出。

三、收尾操作

1. 回收的柱、梁和背顶材料要按作业规程规定支设或码放整齐。柱梁如有丢失、损坏，应如实汇报具体编号，以便及时补充。

2. 将回收出的折梁断柱、废料或失效柱、梁及时运出工作面并码放整齐。

3. 对放顶区域进行全面检查，发现有窜矸处，必须用材料挡矸。

技能五　回采巷道维修工技能训练

一、操作准备

1. 开工前将所需要的支架构件及其他材料准备齐全并放在使用方便的地点，备齐当班所用工具：锹、镐、钎、卡缆、螺丝扳手等。

2. 详细检查维修地点周围安全情况，清理好安全退路。发现折梁、断柱、片帮、冒顶等威胁人身安全的情况时，必须妥善处理。

3. 在围岩压力大或底鼓的地点，进行巷修工作前先清理卧底，确保维修工操作时有操作空间。

4. 维修工作与其他工种工作交叉互相影响时，必须与班(组)长及有关人员取得联系，妥善处理。

二、操作训练

1. 在预回撤棚子的前后棚空之间架设好临时支架，支护好顶板。

2. 在原棚梁下打上临时支柱，松动原棚子的顶和帮，撤两帮棚腿，扩帮至规定宽度，回撤原棚梁。

3. 按作业规程的布置方式及时架设新棚子，并备好顶帮。

4. 将回撤棚子及时运到指定地点码放整齐，清理工作地点，确认安全后方可继续施工下一架棚子。

5. 卧底或挑顶需要爆破时，必须有安全爆破措施，并按有关爆破的规定执行。

6. 使用各种支柱超前支护时，应一梁三柱并留有0.7m以上的人行道。

7. 使用铰接顶梁或十字铰接顶梁超前支护时，铰接顶梁或十字顶梁要挂平，方向要与巷道的方向保持一致，相互间要铰接好，梁轴的方向要便于回撤，悬空处要用材料填实背牢。

8. 上棚梁时人员必须口号一致，手要扶在侧面，不得扶在梁的上面，头部要在安全一侧。

9. 煤壁处以里巷道的维护按作业规程规定执行。不采用沿空留巷时，其回撤不得滞后切顶线，并应及时架设一排关门支柱。

三、收尾操作

工作完毕后，把施工地点的煤、矸清理干净，各种物料存放或外运到指定地点，各种管线吊挂整齐，设备按完好标准要求移设好。

技能六 刮板输送机司机技能训练

一、操作准备

1. 备齐钳子、小铁锤、铁锹、扳手等工具和保险销、圆环链、刮板、铁丝、螺栓、螺母等配件及机械润滑油、液力耦合器油(液)等油脂。

2. 检查机头、机尾处的支护是否完整，压、戗柱时否齐全牢固，附近5m以内应无杂物、浮煤或浮渣，洒水设施是否齐全无损、有效，该处电气设备处有无淋水，有淋水是否已妥善遮盖。

3. 检查机头、机尾的锚固装置是否牢固可靠，本台刮板输送机与相接的刮板输送机、转载机、带式输送机的搭接是否符合规定要求。

4. 检查各部是否螺栓紧固、联轴器间隙合格、防护装置齐全无损；各部轴承及减速器和液力耦合器的油(液)量是否符合规定、无漏油(液)。

5. 检查传动链有无磨损或断裂，调整传动链使其松紧适宜。

6. 检查防爆电气设备是否完好无损，电缆是否悬挂整齐，信号是否灵敏可靠。

二、操作训练

1. 发出开机信号，并喊话，确定人员离开机械运转部位后，先点动试车3次，再启动试运转。检查传动链松紧程度，是否有跳动、刮底、跑偏、漂链等情况。

2. 对试运转中发现的问题要及时处理，处理时要先发出停机信号，将控制开关的手柄扳到断电位置锁定，然后挂上停电牌。

3. 发出开机信号，待接到允许开机信号后，点动3次，再正式启动运转，然后打开喷雾装置喷雾降尘。

4. 多台运输设备连续运行时，在未装有集中控制时应按逆煤流方向逐台开动，按顺煤流方向逐台停止。装有集中控制时应按顺煤流方向依次逐台开动，依次逐台停止。

5. 刮板输送机运转中要随时注意电动机、减速器等各部运转声音是否正常，是否剧烈震动，电动机、轴承是否发热（电动机温度不应超过80℃，轴承温度不应超过70℃），刮板链运行是否平稳无裂损；并应经常清扫机头、机尾附近及底溜槽露出的浮煤。

6. 运转中发现下列情况之一，要立即发出停机信号停机，进行妥善处理：

（1）超负荷运转，发生闷车时。

（2）刮板链出槽、漂链、掉链、跳齿、断链时。

（3）溜槽被拉开或者被提起时。

（4）电气、机械部件温度超限或运动声音不正常时。

（5）液力耦合器的易熔塞熔化或其油（液）质喷出时。

（6）发现大木料、金属支柱、竹笆、顶网、大块煤矸等异物时。

（7）运输巷运转机或下台刮板运输机停止时。

（8）信号不明或发现有人在刮板输送机上时。

（9）水冷电机无水时。

7. 刮板输送机运行时，严禁清理转动部位的煤粉或用手调整刮板链，严禁人员从机头上部跨越。

8. 工作结束后，将机头、机尾附近的浮煤清扫干净，待刮板输送机内的煤全部运出后，按顺序停机，然后关闭喷雾阀门，并向下台刮板输送机发出停机信号，将控制开关手柄扳到断电位置，并拧紧闭锁螺栓。

三、收尾

1. 清扫机头、机尾各机械、电气设备上的粉尘。

2. 按规定填写刮板输送机工作日志。

复习题

1.爆破采煤工艺由哪些主要采煤工序组成？

2.简述爆破落煤的主要操作过程、炮眼布置形式及其适用条件。

讨论题

1.如果你矿是坚硬顶板，你将怎样回柱放顶？

2.刮板输送机操作时，有哪些安全注意事项？

第九章　普通机械化采煤技术

第一部分　系统理论知识

第一节　普通机械化采煤工作面设备及布置

一、普通机械化采煤工艺实例

图9-1为某矿单滚筒采煤机普采工作面布置图，工作面长度为140m，煤层厚度2.1m，煤层倾角6°~8°，煤层普氏系数f=1.5，顶板中等稳定，采用全部垮落法处理采空区。工作面采用设备如表9-1所示。

表9-1　　某矿普采面主要设备

序号	设备名称	型号	数量
1	采煤机	MDY-150	1
2	输送机	SGB-630/150	1
3	乳化液泵	XRB-2B	1
4	输送机移置器	YQ-1000C/1000	25
5	煤电钻	MZ-1.2	2
6	水泵	PB-120/45	1
7	绞车	JD-11.4	2
8	支柱	DZ-22	1 000
9	铰接顶梁	HDJA-1000	1 000

每班开始生产时，MDY-150型采煤机自工作面下切口开始割煤，滚筒截深为1m，滚筒直径为1.25m。采煤机向上运行时升起摇臂，滚筒沿顶板割煤，并利用滚筒螺旋及弧形挡煤板装煤。工人随机挂梁，托住刚暴露的顶板，梁距0.6m，如图9-1所示。

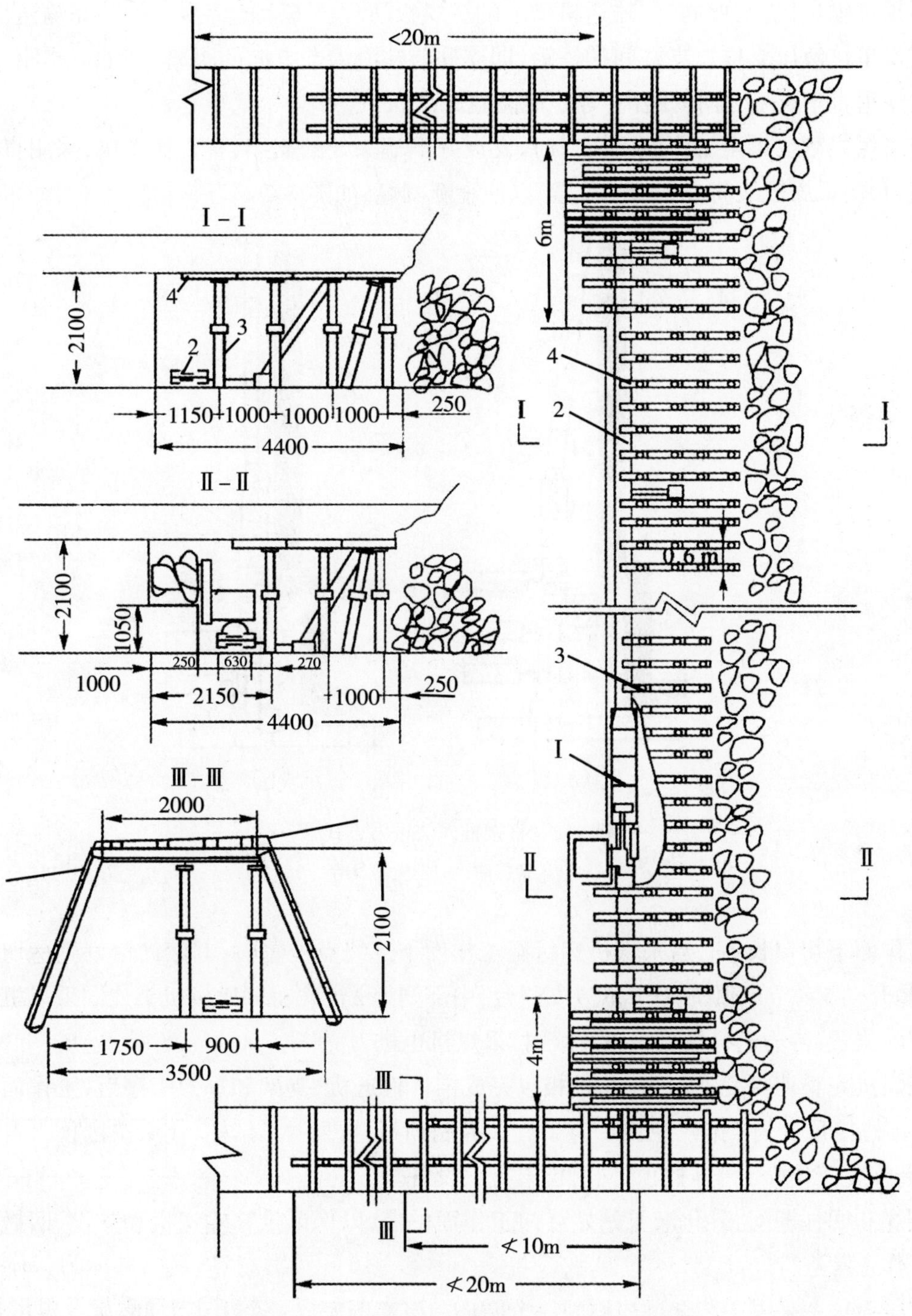

图9-1　某矿单滚筒采煤机普采面布置图

1——MDY-150型采煤机；2——SGB-630/150型刮板输送机；3——DZ-22型单体液压支柱；4——HDJA-1000铰接顶梁

采煤机运行至工作面上切口后，翻转弧形挡煤板，将摇臂降下，开始自上而下运行，滚筒割底煤并装余煤。采煤机下行时负荷较小，牵引速度较快。滞后采煤机10～15m，依次开动千斤顶推移输送机，与此同时，输送机槽上的铲煤板清理机道上的浮煤。推移完输送机后，开始支设单体液压支柱。支柱间的柱距，即支柱与柱沿煤壁方向的距离为0.6m；排距，即支柱与支柱垂直于煤壁方向的距离，等于滚筒截深（1.0m）。

当采煤机割底煤至工作面下切口时，支设好下端头处的支架，移直输送机，采用直接推入法进刀，使采煤机滚筒进入新的位置，以便重新割煤，如图9–2。

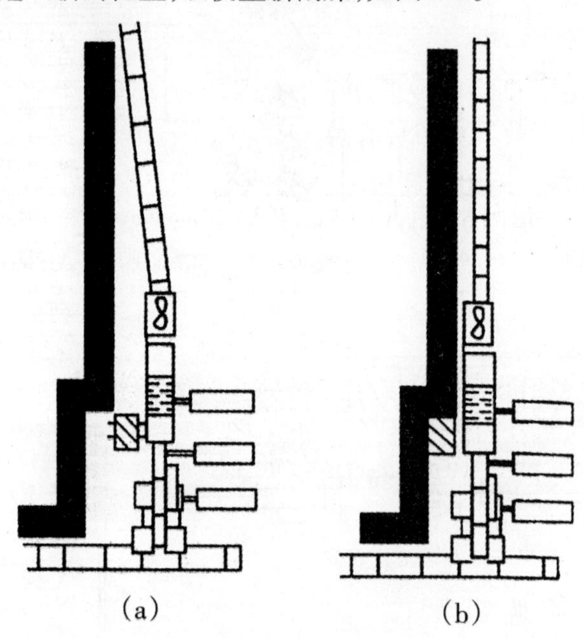

图9–2　直接推入法进刀方式

(a)推入切口前；(b)推入切口后

工作面下切口长4m，当采煤机运行至工作面下部终点位置时，其滚筒恰好到达切口位置，于是开动5台千斤顶（输送机机头处3台，中部槽处2台），将输送机机头连同采煤机一起推入新的位置，待输送机移成一条直线时，采煤机也进刀完毕。

采煤机完整地割完一刀煤，并且相应完成推移输送机、支架和进刀工序后，工作面由原来的3排柱控顶变为4排柱控顶。为了有效控制顶板，要回掉1排柱，让采空区顶板自行垮落，重新恢复工作面3排柱控顶，同时检修有关设备。

割煤和回柱期间，乳化液泵站始终向工作面供液，以保证推移输送机和支设、回撤液压支柱工作正常进行。

普采面这一采煤工艺全过程称为一个循环。该实例完成一个循环为8h。

二、机械化采煤的主要设备

（一）采煤机械

采煤机械是机械化采煤工作面的主要设备之一，它在采煤工艺中承担落煤和装煤工序。采煤机械一般采用滚筒式采煤机和刨煤机。

1.滚筒式采煤机

滚筒式采煤机有单滚筒采煤机和双滚筒式采煤机两种，图9-3为单滚筒采煤机的结构示意图。

单滚筒采煤机由截割部、牵引部、电动机和辅助装置组成。电动机是采煤机的动力源，通过传动机构将动力传递给截割部的工作机构和牵引部的牵引机构。截割部由固定减速器4、摇臂减速器3、螺旋滚筒2和挡煤板1组成。固定减速器和摇臂减速器是截割部的传动机构，用于将电动机的转速降低到螺旋滚筒要求的转速。摇臂箱体也是使螺旋滚筒能根据采高要求实现升降的部件。螺旋滚筒和挡煤板将落下的煤装入输送机中，牵引部由牵引部减速器5和牵引机构组成。减速器将电动机转速降到牵引机构要求的速度并实现调速。牵引机构（链牵引）由主链轮6、辅助链轮7和锚链10组成。锚链绕过主链轮和辅助链轮后，在工作面的输送机的机头、机尾架上固定。因此，当主链轮转动后，因锚链不能被带动，主链轮便带动采煤机在输送机槽上移动而实现牵引。采煤机在牵引过程中螺旋滚筒不断将煤破落下来并装入输送机中。采煤机的辅助装置包括底托架11、电缆架9、喷雾冷却装置和防滑装置等。

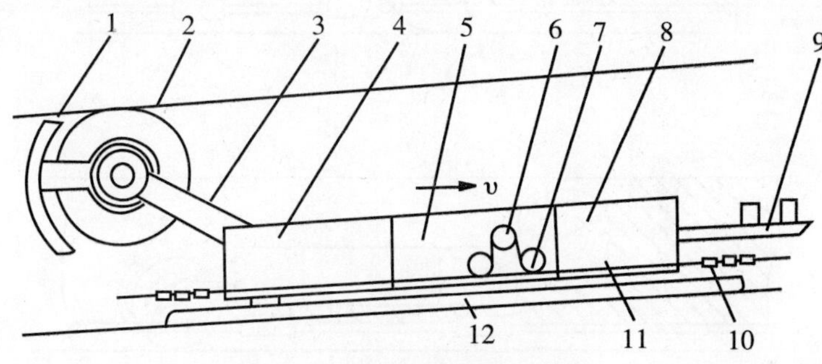

图9-3　单滚筒采煤机的组成

1——挡煤板；2——螺旋滚筒；3——摇臂减速器；4——固定减速器；5——牵引部减速器；6——主链轮；7——辅助链轮；8——电动机；9——电缆架；10——锚链；11——底托架；12——输送机槽

双滚筒采煤机与单滚筒采煤机的主要区别是多了一个截割部，同时电动机可根据功率要求配置1台或2台，以及采用托移电缆装置等，基本组成部分如图9-4所示。

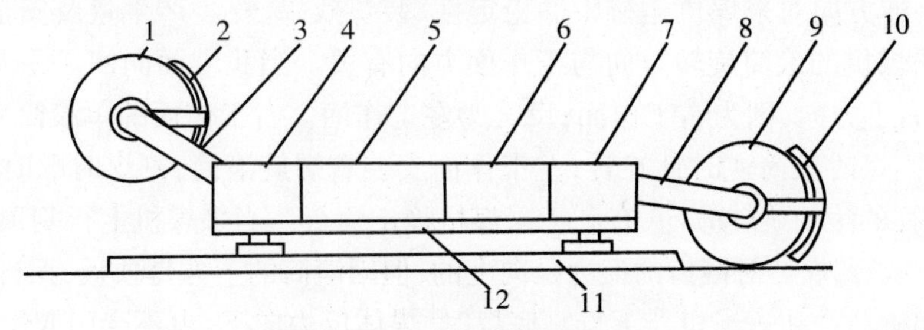

图9-4　双滚筒采煤机的组成

1、9——螺旋滚筒；2、10——挡煤板；3、8——摇臂减速器；4、7——固定减速器；5——牵引部；6——电动机；11——输送机槽；12——底托架

单滚筒采煤机多用于较薄的煤层中，双滚筒采煤机在中厚煤层和厚煤层中使用较多。

在中厚煤层中，煤层厚度比滚筒直径大很多，这时使用可调高的单滚筒采煤机，需要沿工作面往返割两次才能截割煤层的全高，如图9-5(a)所示，采煤机先升起摇臂，沿工作面先割顶部煤，然后降下摇臂，返回割底部煤。如果采用双滚筒采煤机，前滚筒割顶部煤，后滚筒割底部煤，如图9-5(b)所示，则可以一次开采煤层全高，因而提高了工作面产量和效率，还可以较好地适应煤层厚度的变化。

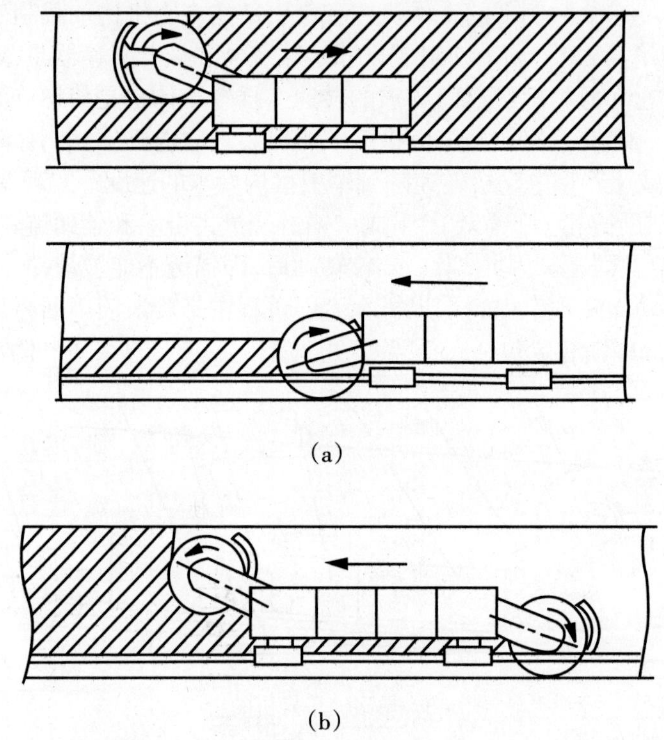

图9-5　单滚筒和双滚筒采煤机的工作过程

普采工作面单滚筒采煤机的滚筒一般位于机体靠近输送机平巷一端，这样可缩短工作面下切口的长度，使煤流尽量不通过机体下方，有利于工作面技术管理。

滚筒的旋转方向对采煤机运行中的稳定性、装煤效果、煤尘产生量及安全生产影响很大。单滚筒采煤机的滚筒旋转方向与工作面方向有关。当我们面向回风平巷站在工作面时，若煤壁在右手方向，则为右工作面；反之为左工作面。右工作面的单滚筒采煤机应安装左螺旋滚筒，割煤时滚筒逆时针旋转；左工作面安装右螺旋滚筒，割煤时顺时针旋转，如图9-6所示。这样的滚筒旋转方向，有利于采煤机稳定运行。当采煤机上行割顶煤时，其滚筒截齿自上而下运行，煤体对截齿的反力是向上的，但因滚筒的上方是顶板，无自由面，故煤体反力不会引起机器震动。当机器下行割底煤时，煤体反力向下，也不会引起震动，并且下行时负荷小，也不容易产生"啃底"现象。这样的转向还有利于装煤，使产生的煤尘少，煤块不抛向司机位置。

当我们面向煤壁站在双滚筒采煤机工作面时，通常采煤机的右滚筒应在右螺旋，割煤时顺时针旋转；左滚筒应为左螺旋，割煤时逆时针旋转。采煤机正常工作时，一般其前端的滚筒沿顶板割煤，后端滚筒沿底板割煤。这种布置方式司机操作安全，煤尘少，装煤效果好，如图9-7(a)所示。在某些特殊条件下，例如煤层中部含硬夹矸时，可使用左螺旋的右滚筒，逆时针旋转；左滚筒则为右螺旋，顺时针旋转，如图9-7(b)所示。运行中，前滚筒割底煤，后滚筒割顶煤，在下部采空的情况下，中部硬夹矸易被后滚筒破落下来。

有一些型号的薄煤层采煤机滚筒与机体在一条轴线上，前滚筒割出底煤以便机体通过。因此也采用"前底后顶"式布置，如图9-7(c)所示。有时，过地质构造也需要采用"前底后顶"式，后滚筒割顶煤后，立即移支架，以防顶煤或碎矸垮落，如图9-7(d)所示。

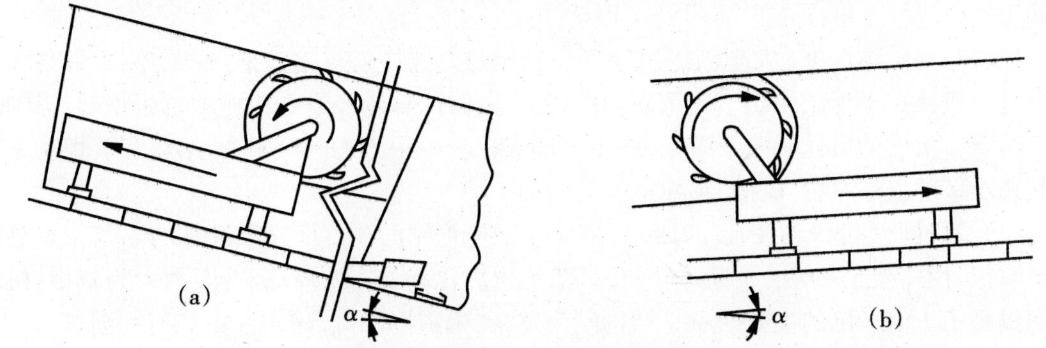

图9-6　单滚筒采煤机的滚筒旋转方向

(a)右工作面，使用左螺旋滚筒，逆时针旋转；(b)左工作面，使用右螺旋滚筒，顺时针旋转

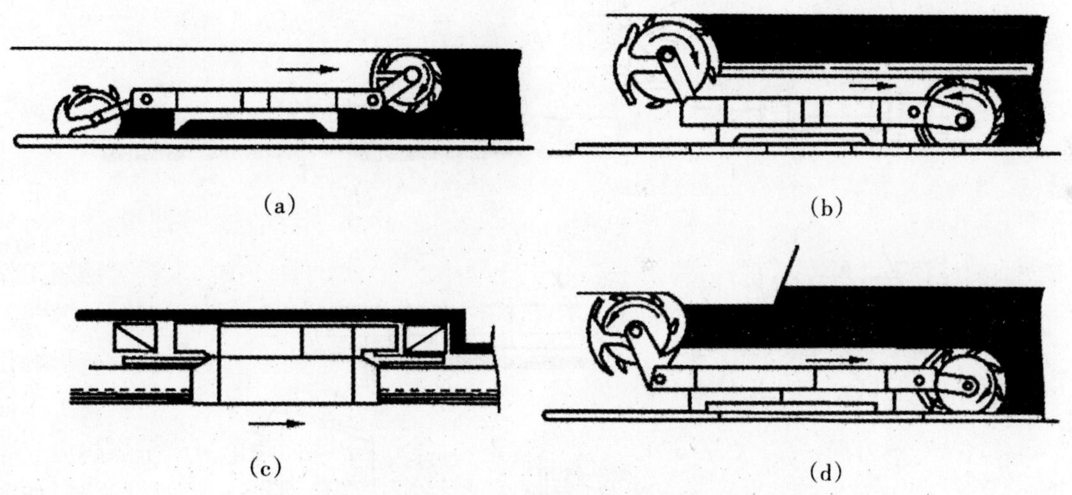

图9-7　双滚筒采煤机滚筒的转向和位置

(a)"前顶后底"、"右顺左逆"；(b)"前底后顶"、"右逆左顺"；

(c)薄煤层"前底后顶"(俯视图)；(d)"前底后顶"、"右顺左逆"

2.刨煤机

刨煤机是一种浅截深而牵引速度快的采煤机械，与工作面输送机配合，可实现工作面落煤、装煤和运煤的机械化。

刨煤机结构简单可靠；便于维修；截深小(一般为50～100mm)，只刨落煤壁压酥区表层，故刨落单位煤量能耗少；刨落煤的块度大，煤粉及煤尘量少，劳动条件好；司机不必跟机作业，可在平巷内操作，移架和移输送机工人的工作位置相对固定，劳动强度小。因此，刨煤机对于开采薄煤层是一种有效的落煤和装煤机械。

刨煤机类型很多，目前国内外使用的主要是静力刨，即刨力靠锚链拉力对煤体施以静压力破煤。静力刨按其结构特点主要分为三类：

(1)拖钩刨，如图9-8(a)、(b)所示，煤刨1与掌板3连在一起，以保持刨煤时的稳定性。掌板压在输送机机槽下方，由牵引链2带动往复运行落煤和装煤。煤刨通过后，靠千斤顶4将输送机推进一个刨深h。

拖钩刨的刨体深度c大于刨深h，因而煤刨经过外输送机机槽被推向采空侧一个宽度c，煤刨过后机槽在千斤顶作用下又重新移向煤壁。另外，煤刨经过处机槽被掌板抬起，煤刨过后又落下。机槽的后让和上下游动，使整个刨煤机产生很大的摩擦阻力，落煤和装煤功率仅占其总功率的30%左右，机槽、掌板也极易磨损。

(2)滑行刨，如图9-8(c)、(d)所示，是为克服拖钩刨的缺点而发展起来的。其特点是取消了掌板，用滑架5来支承煤刨并导向，机槽不再后让和上下游动，运行阻力大为减小，机械效率提高了。滑行刨的主要缺点是结构较为复杂，机道需加宽，稳定性不如拖钩刨。

(3)拖钩—滑行刨，如图9-8(c)所示，其结构特点与拖钩刨相似，煤刨由掌板支承，稳定性好。为了减小摩擦阻力，在输送机机槽下面装有与每节机槽长度相同的滑板，使掌板在滑板上滑动，可降低能耗，扩大使用范围。

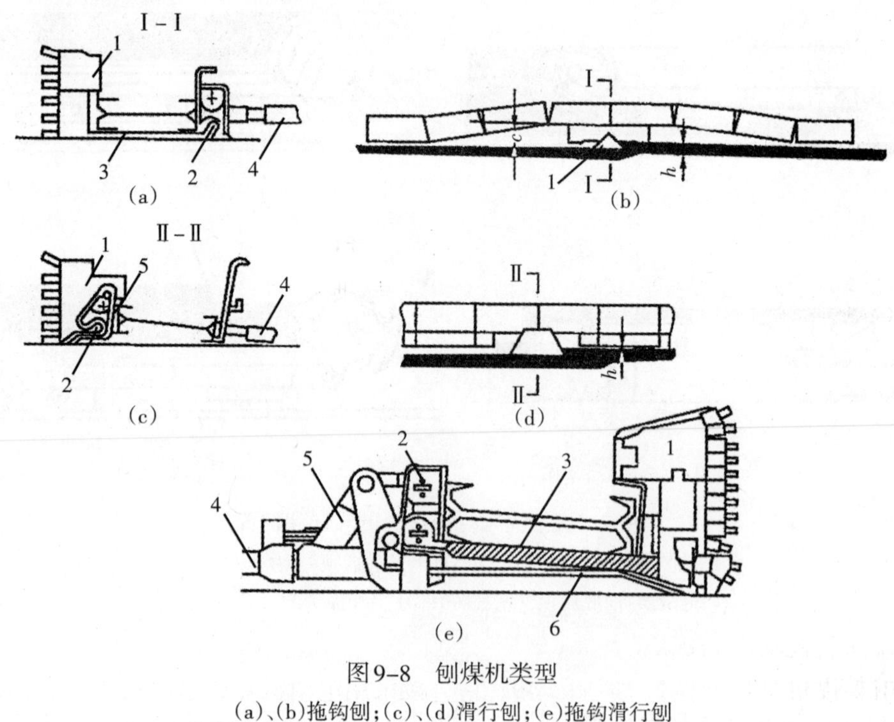

图9-8　刨煤机类型

(a)、(b)拖钩刨；(c)、(d)滑行刨；(e)拖钩滑行刨

1——煤刨；2——牵引链；3——掌板；4——千斤顶；5——滑架；6——滑板

刨煤机与滚筒式采煤机相比，具有结构简单，设备造价低，检修和管理比较容易，易于实

现自我控制和工作面无人操作等优点。特别是在薄煤层机械化开采方面，刨煤机占有重要地位。但刨煤机的工时利用率较低，主要由于作业时循环次数多，故障比较多，对复杂地质条件的适应性差，采高较大时设备的稳定性差，因此限制在煤层赋存较稳定、煤厚2m以下的较软煤层使用。

3.采煤机械的选择及发展

表9-2　　采煤机械类别及适应性

项目	刨煤机	滚筒采煤机
特点	截深浅（不大于200mm） 牵引速度高（20～120m/min） 功率较小（一般为200kW左右） 煤的块度大，煤粉小 结构简单，操作方便	采高范围大 牵引速度调节范围大 功率大，机械强度高 可自开切口 保护功能完善，工作可靠，操作方便，附属装置配套
适用条件	煤层厚度2m以下，倾角小于15°～25°，煤不粘顶 煤质软及中硬且节理发育的脆性煤；顶板中等稳定、底板平整 煤层中硫化铁块度小、含量少，夹石厚度不大于200mm，煤层赋存较稳定	采高在0.65～4.5m之间 煤坚固性系统f<4～5 煤层倾角0°～45°，其中无链牵引采煤机可达25°～45° 适应有一定地质构造的煤层、落差小于1/2煤层厚度的断层，陷落柱长轴在20～30m之内

采煤机械选择时应遵循以下原则：

（1）适合特定的煤层地质条件，采煤机的采高、截深、功率、牵引方式等选取合理，有较大的适用范围；

（2）满足工作面生产能力要求，采煤机实际生产能力大于工作面设计生产能力；

（3）采煤机性能良好，可靠性高，各种保护功能完善；

（4）满足工作面设备配套要求，采煤机使用、检修、维护方便；

（5）采煤机的选型应与矿井生产能力相适应；

（6）设备类型的选择应与企业的技术经济条件相适应，特别是新型大功率自动化程度高的设备应与矿井工作面地质条件、储量以及技术管理水平、职工的素质相适应。

生产实践表明，设备的可靠性、生产系统配套的合理性以及设备管理水平是决定工作面高产高效的关键。高产高效矿井采煤机选择的原则是：用电牵引、多电机横向布置采煤机代替现有的液压牵引采煤机；交流电牵引和直流电牵引两种形式并存，整体主框架、链轮销轨式无链牵引方式；薄煤层装机功率500kW左右，中厚煤层装机功率达900～1000kW，厚煤层大采高工作面装机功率1500kW。

电牵引采煤机是目前最先进的采煤机，它直接采用电动机完成采煤机的牵引，具有很高的传动效率，同时又省去了复杂的液压传运系统，并具有良好的调速性能，是国内外都在致力发展的新一代采煤机。它正向多电机、大功率、机电一体化方向发展。

(二)输送机

1.刮板输送机

图9-9为可弯曲刮板输送机的结构图,由机头部Ⅰ(包括机头架、电动机、液力联轴器、减速器、链轮组件等)、机尾部Ⅲ(包括机尾架和尾轮架等)、中间部Ⅱ(包括中部溜槽、连接溜槽、输送链和刮板等)、附属装置(紧链器、铲煤板、挡煤板等)和供移动输送机用的推移装置等组成。

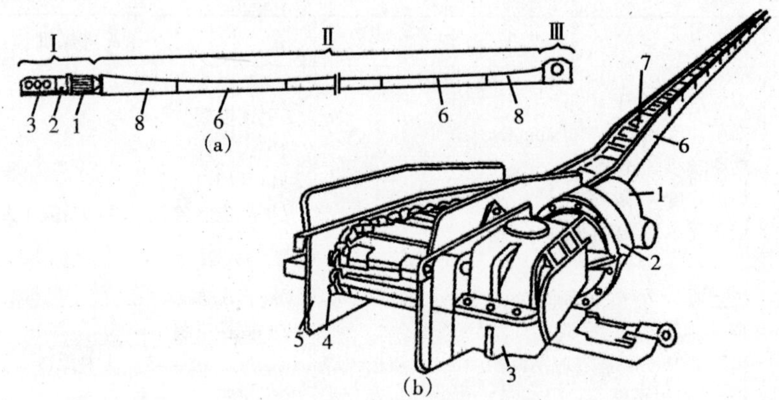

图9-9 可弯曲刮板输送机的结构

1——电动机;2——液力联轴器;3——减速器;4——链轮;5——机头架;6——溜槽;7——刮板;8——过渡槽

刮板输送机由机头链轮4和机尾滚筒(或机尾链轮)的无极循环刮板链作为牵引机构,溜槽承载煤炭。开动电动机1,经液力联轴器2和减速器3驱动链轮4,从而带动刮板将装在溜槽内的煤炭运到机头卸载。

按溜槽的布置方式及结构,刮板输送机可分为并列式和重叠式两种类型,如图9-10所示。其中,并列式溜槽只用于薄煤层工作面,如SGB-11型。重叠式溜槽有封底式和敞底式两种。封底式溜槽主要用于底板较松软而破碎的工作面和高产高效重型大功率输送机,如SGS-30型和SGZ-764/500型等;敞底式溜槽主要用于底板较好的工作面和中型输送机,如SGW-44型和SGZ-730/320型等。

图9-10 溜槽的布置方式

刮板输送机的选型应遵循以下原则:

(1)刮板输送机的输送能力必须等于或大于采煤机或刨煤机的生产能力。但工作面输送机和采煤机的生产能力要与采区巷道、运输大巷以及整个矿井的运输提升能力相配套,防止工作面能力过大,采区或大巷运输能力不够而出现“卡脖子”现象。

(2)刮板输送机的结构形式及附件必须与采煤机的牵引机构、行走及导向机构、底托架及滑靴结构相配套。

(3)刮板输送机的溜槽长度要与液压支架的宽度相匹配。

(4)刮板输送机的溜槽与推移千斤顶的连接装置和配合要匹配。

(5)输送机的溜槽结构要坚固耐磨,具有可弯曲性。

(6)为了减少断链事故,圆链环朝着大直径、高强度的方向发展。

(7)由于生产能力不断提高,输送机向大运量和大功率方向发展。

(8)优先选用双电机双机头驱动方式,以减少传动装置尺寸,降低链子最大张力,减小机头和机尾的控顶面积。

(9)优先选用短机头和短机尾,但机头架和机尾架中板的升角不宜过大,以减少压链块的摩擦损失。

目前国内外刮板输送机都在向大运量、长运距、大功率、高强度与高可靠性方向发展。其表现为:输送能力达到2000~3500t/h;输送长度(运距)达到380~400m;驱动功率超过1000kW;牵引链直径达φ34~46mm,有的已达到φ52mm,还出现了扁圆链、紧凑链等新型链条;链速达1.3~1.4m/s,有的达到1.54m/s,并在继续提高;溜槽采用重型轧焊式铸焊结构封底溜槽,槽宽超过1000mm;铸造或锻造刮板造型减少摩擦阻力;链条、刮板、溜槽均采用高强、高耐磨性的合金钢材料,生产效率高,工作寿命长。

工作面刮板输送机机头与运输平巷桥式转载机机尾交叉连接,侧面卸载,保证煤流连续,卸载顺畅,提高效率,减少能耗。

我国少数矿井采用新型重型刮板输送机,如从美国引进的LX(2A)2000/1000型刮板输送机在神华大柳塔矿、LX(3B)1500型刮板输送机在大同马脊梁矿使用效果明显。新型刮板输送机主要性能指标:强力重型结构,坚固可靠,溜槽和机头、机尾保证煤量600万t以上;转载机溜槽和机头、机尾保证过煤量500万t以上;链条运煤量200万t以上;减速器保证运煤量400万t;采煤机无链牵引轨保证使用3年以上。在井下使用中,工作时间可用率达97%~99%。

2.桥式转载机

桥式转载机实质是一台特殊结构的重型刮板输送机,在工作面刮板输送机和区段平巷可伸缩带式输送机之间起转载作用。图9-11所示为桥式转载机示意图,由机头部1、机身部2、机尾部3、拖移装置4及行走装置5等组成。

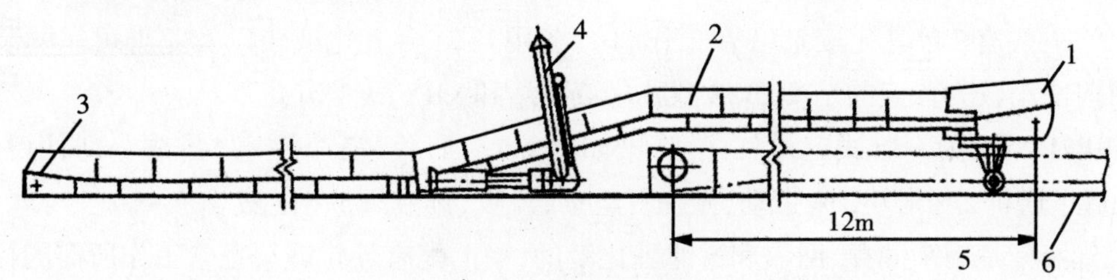

图9-11　桥式转载机

1——机头部;2——机身部;3——机尾部;4——拖移装置;5——行走部;6——带式输送机机尾

桥式转载机长度不大,能随着采煤工作面的向前推进,用机械动力将它整体向前移,其机头部在可伸缩带式输送机的机尾轨道上移动，由于它与带式输送机有一定的搭接长度，不必经常缩短可伸缩带式输送机。当采煤工作面向前推进，使二者搭接到极限位置时才缩短一次带式输送机。采用桥式转载机不仅能加快采煤工作面的推进速度，提高生产效率，还能使难维护的带式输送机远离工作条件差的采煤工作面，提高带式输送机运转的可靠性。

3.可伸缩带式输送机

由工作面刮板输送机运来的煤炭，经桥式转载机卸载到可伸缩带式输送机上，然后把煤从区段运到上（下）山或装车站。随着工作面推进，要求区段平巷运输设备能够比较灵活地伸长或缩短。图9-12为可伸缩带式输送机与桥式转载机的布置系统图。

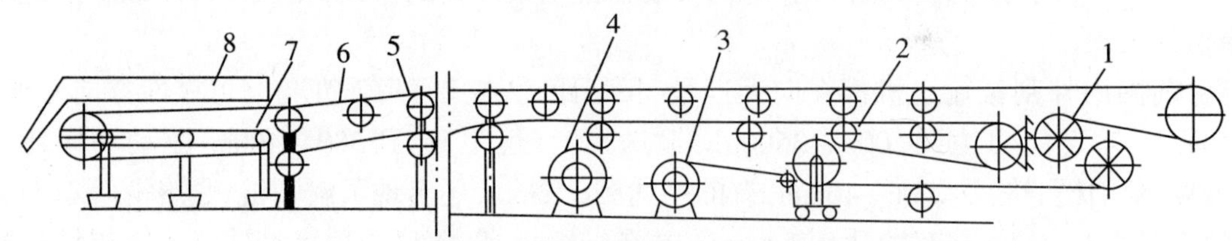

图9-12　可伸缩性带式输送机与桥式转载机布置系统图

1——传动装置；2——储带装置；3——拉紧装置；4——收放胶带装置；5——中间机架；6——胶带；7——机尾部；8——桥式转载机

可伸缩带式输送机最突出的特点是它有一套储带装置，这套装置起暂时储存胶带的作用，当移近机尾进行伸缩时，储带装置可相应地放出或储存一定长度的胶带。

常用的可伸缩带式输送机有多种，如SSJ1200/4×200M可伸缩带式输送机。因高产高效矿井综采工作面的发展要求，采煤机生产能力和工作面产量大幅度提高，工作面快速推进，采区走向长度现已达2000～4000m，因此必然要求加大工作面运输巷道内的带式输送机能力（已达到2000～3000t/h）、运距加长（已达到1500～3000m）、带速加快（已达到4～5m/s）。这种大运量、长运距、高自动化控制的可伸缩带式输送机已在国内外采用，并将得到进一步发展。

（三）乳化液泵站

机械化采煤工作面的液压支护设备需要大量的高压液体，而这些液体压力的建立和输送全靠乳化液泵站（以下简称泵站）来完成。因此，泵站是液压支护设备的动力源。

泵站一般有2台乳化液泵（1台工作，1台备用）和1台乳化液箱以及完善可靠的装置组成。目前使用较为普遍的是XRB2B型乳化液泵站和XRXTA型乳化液箱。

XRB2B型泵为一卧式定量三柱塞泵，如图9-13所示。三个柱塞4排成一列，由三拐的曲轴1通过连杆2和滑块3来带动，做往复运动，经吸、排液阀5、6配液。

乳化液箱是用来储存、回收和过滤乳化液的，箱上配有乳化液泵正常工作所需的控制装置。与XRB2B型乳化液配套，XRXTA型乳化液箱用得较为广泛。

XRXTA型乳化液箱的结构如图9-14所示。它由箱体和控制装置两部分构成，其中控制装置有两套，均安装在箱体的外侧板上，且每套与一台泵相接。

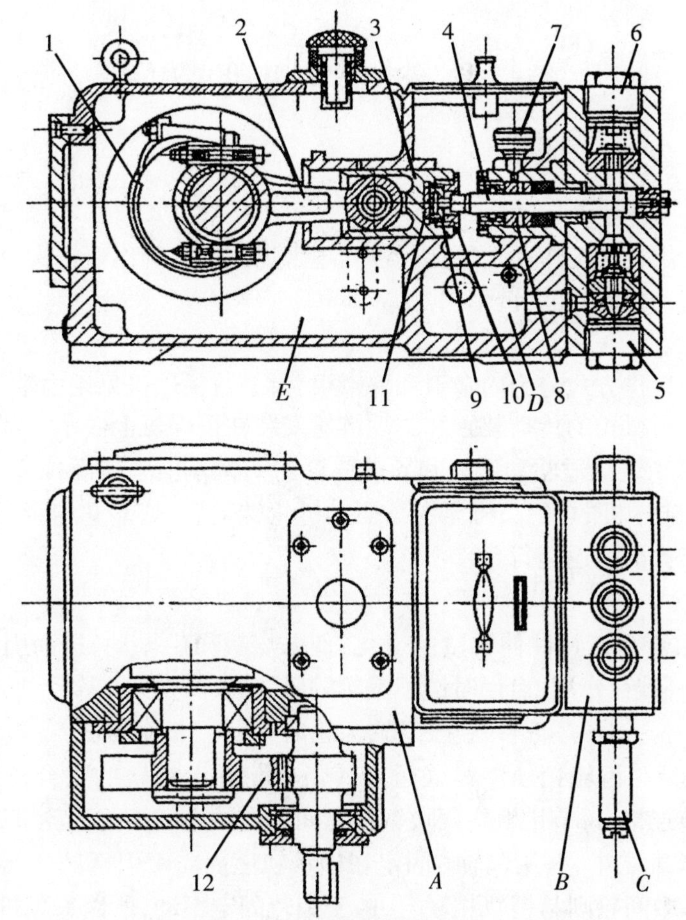

图9-13　XRB2B型乳化液泵

1——曲轴；2——连杆；3——滑块；4——柱塞；5——吸液阀；6——排液阀；7——注油杯；8——导向圆套；9——半圆环；10——螺套；11——承压环；12——齿轮

A——传动装置；B——泵头；C——安全阀；D——进液阀；E——传动腔

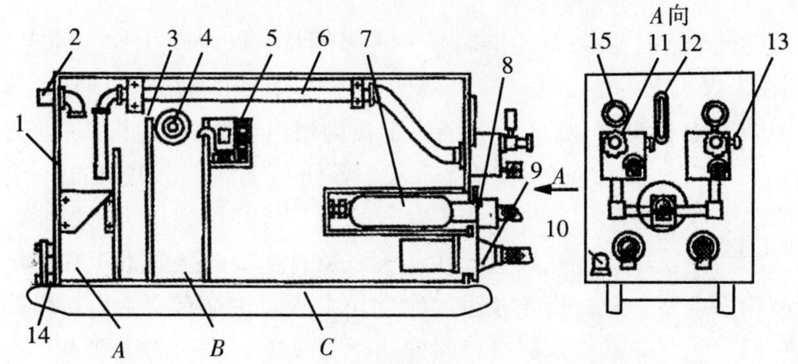

图9-14　XRXTA型乳化液箱

1——箱体；2——回液接头；3——隔板；4——磁性过滤器；5——过滤网槽；6——卸载管；7——蓄能器；8——交替双进液阀；9——吸液断路器；10——溢流管；11——压力表开关；12——液位观察窗；13——卸载阀；14——清渣盖；15——压力表

A——沉淀室；B——磁性过滤器；C——工作室

第二节　滚筒采煤机采煤

一、采煤机的牵引方式

牵引部是使采煤机沿工作面上下运行以实现采煤或调动的作业机构。采煤机的牵引方式目前有两种类型:链牵引和无链牵引。

1.链牵引

链牵引机构的工作方式分为内牵引和外牵引,大多数采煤机采用内牵引方式。

内牵引是指牵引机构的传动装置和驱动链轮安装在采煤机上。牵引部减速后输出轴上安装驱动链轮1,牵引链绕过驱动链轮和导向链轮2后,两端沿工作面拉直,并通过张紧装置4分别固定在刮板输送机的机头、机尾上。驱动链轮转动后,依靠它与牵引3链间的联合作用迫使采煤机沿工作面往返运行。

2.无链牵引

链牵引机构由于存在弹性伸长量的变化,使采煤机产生振动,进而引起采煤机载荷波动,导致零部件受到载荷作用,启动时链子突然绷紧张起,易伤人。牵引进度不均匀,链子松紧也不一致,太紧时会损坏零部件甚至断链,太松时易发生卡链事故。

(1)齿轮销轨型。齿轮销轨型是通过旋转齿轮与固定销轨的联合作用实现无链牵引的。销轨一节一节连接,每节销轨在两块钢板之间焊有数个间距与齿轮节距相适应的柱销,长度是输送机槽长度之半,并用销轴6固定在槽帮轨座内。牵引部减速器输出轴上的驱动轮2传动中间轮3,中间轮则与销轨相联合,由于销轨固定不动,所以采煤机便以销轨为导轨移动,并由导向滑靴5保证运动方向。

(2)销轮齿条形。销轮齿条形的驱动轮采用由两块圆盘间沿圆周均匀焊接的5根圆柱销构成的销轮,而齿轮条则用螺栓固定在输送机轨座上。销轮被驱动后,采煤机便以齿条为导轨运行。

(3)强力链轮链轨型。强力链轮链轨是一种采用特殊圆环牵引作为固定链轨的无链牵引系统。安装在采煤机上的驱动是一个特殊的长齿驱动链轮。输送机槽采空区侧帮上焊接链轨架组件,链轨架上有沟槽,圆环牵引链固定在沟槽内,并在运输机机头、机尾处锚固,形成固定的链轨。工作时,驱动轮的长度齿插入平环而与立环端部联合,由于圆环链固定不动,驱动链便带动采煤机移动而实现牵引。这种牵引系统利用圆环挠曲性能好的特点,允许输送机槽起伏较大,使采煤机能在底板起伏不大以及有断层的条件下正常工作。

(4)复合齿轮齿条型。复合齿轮条型的驱动轮和中间轮都有交错齿双齿轮,而齿条是交错齿双齿条,它们之间对应形成双联合使采煤机运行。无链牵引的优缺点是:从根本上消除了链子弹起伤人和断链事故,工作安全可靠,人员在工作面行走方便,有利于工人及时靠近煤壁进行工作,工作面两端取消紧链装置,少占空间,简化端头工作;牵引速度均匀,减轻了采煤机的振动;用于大倾角煤层中可解决防滑问题。主要缺点是牵引机构价格较高,在刮板输送机上加无链牵引设备,会使其可弯曲性能有所下降。

3.电牵引采煤机的特点

(1)具有良好的牵引特性。可在采煤机前进时提供牵引力,使机器克服阻力移动,也可在采煤机下滑时运行发电制动,向电网反馈电能,机器能在各种条件下按要求的速度运行。

(2)可用于大倾角煤层。牵引电动机轴端装有停机时防止采煤机下滑的制动器。它的设计制动距为电动机额定运转距的1.6~2.0倍。因此电牵引采煤机可用在40°倾角的煤层,而无须其他防滑装置。

(3)运行可靠,使用寿命长。电牵引和液压牵引不同,前者除电动机的电刷和整流子有磨损外,其他部件均无磨损。因此使用可靠、故障少、寿命长、维修工作量小。

(4)反应灵敏,动态特性好。电子控制系统能将多种信号快速传递到调节器中,以便及时调整各种参数,防止机器超载运行。例如,当截割电动机超载时,电子控制系统能立即发出信号,降低牵引速度;当截割电动机过载3倍时,采煤机能自动后退,从而防止滚筒堵转。

(5)效率高。电牵引采煤机将电能转换成机械能只作一次转换,效率可达0.9;而液压牵引由于能量的几次转换,再加上存在的泄露损失,机械摩擦损失和液压损失,效率只有0.65~0.7。

(6)结构简单。电牵引部的机械传动系统结构简单,尺寸小,重量轻。

(7)有完善的监测和显示系统。采煤机在运行中,各种参数如电压、电流、温度、速度、水压等均可监测和显示。当某些参数超过允许值时,便会发出报警信号,严重时可以自行切断电源。

二、采煤机的割煤方式

普采面的生产是以采煤机为中心的。采煤机割煤以及与其他工序的合理配合,称为采煤机割煤方式。采煤机割煤方式选择是否合理,直接关系到工作面产量和效率的高低。

1.双向割煤、往返一刀

即采煤机沿工作面倾斜由下而上割顶煤,随机挂梁,到工作面一端后,采煤机翻转弧形挡煤板,下放滚筒由上而下割底煤,清理浮煤,机后10~15m推移输送机,支单体支柱,直至下部切口,采煤机往返一次,煤壁推进一个截深,挂一排顶梁,打一排支柱。

由下向上的割顶煤方式的工艺过程如图9-15(a)所示,一般中厚煤层单滚筒采煤机普采面采用这种割煤方式。当煤层倾角较大时,为了补偿输送机下滑量,推移输送机必须从工作面下端开始,为此可采用下行割顶煤、随机挂梁,上行割底煤、清浮煤、推移输送机和支柱的工艺顺序,如图9-15(b)所示。

双向割煤、往返一刀割煤方式适应性强,在煤层粘顶、厚度变化较大的工作面均可采用,无须人工清浮煤。但割顶煤时无立柱控顶(即只挂上顶梁而无立柱支撑)时间长,不利于控顶;实行分段作业时,工人的工作量不均衡,工时不能充分利用。

2."∞"字形割煤、往返一刀

即将工作面分为两段,中部斜切进刀,采煤机在上半段割煤时,下半段推移输送机;采煤机在下半段割煤时,上半段推移输送机(也称半工作面采煤方式)。此方式如图9-16所示,其特点是在工作面中部输送机设弯曲段,其过程为:在图9-16(a)状态采煤机从工作面中部向上牵引,滚筒逐步升高,其割煤轨迹为$A-B-C$;在图(b)状态采煤机割至上平巷后,滚筒割煤轨迹改为$C-D-E-A$,同时全工作面输送机移直;在图(c)状态滚筒割煤轨迹为$AE-B-F$,工作面上端开始移输送机;在图(d)状态滚筒割煤轨迹为$F-G-A$,全工作面煤壁割直,而输送机机槽在工作面中部出现弯曲段,回复到图(a)状态。

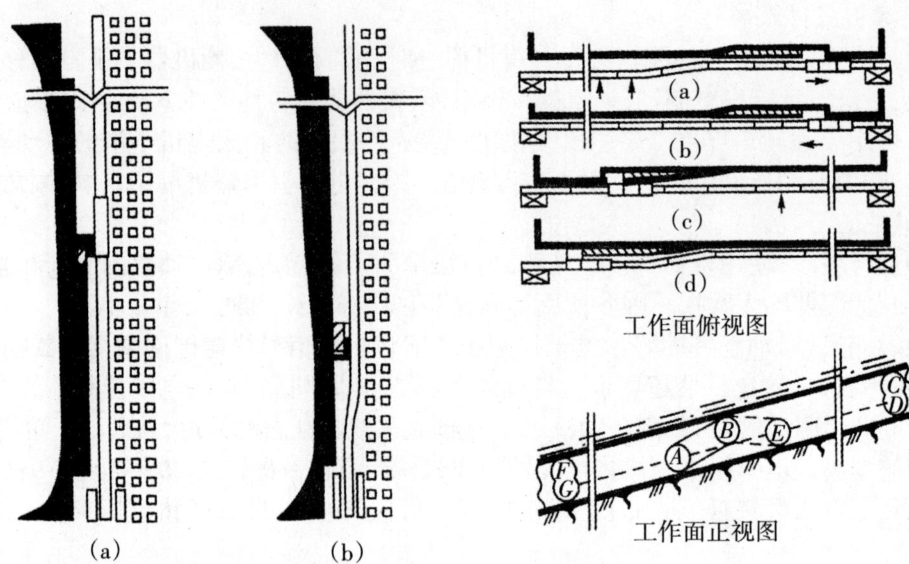

图9-15 下行割顶煤、下行割底煤

(a)采煤机下行割顶煤、随机挂梁；

(b)采煤机上行割顶煤、清浮煤、推移输送机、支柱

图9-16 单滚筒采煤机"∞"字形割煤方式

这种割煤方式可以克服工作面一端无立柱控顶时间过长、工人的工作量不均衡等缺点，并且割煤过程中采煤机自行进刀，无须另外安排进刀时间，在中厚煤层单滚筒采煤机普采工作面中常采用。

3.单向割煤、往返一刀

单向割煤、往返一刀割煤方式，如图9-17所示。其工艺过程为：采煤机自工作面下（或上）切口向上（或下）沿底割煤，随机清理顶煤、挂梁，必要时可打临时支柱。采煤机割至上（或下）切口后，翻转弧形挡煤板，快速下（或上）行装煤及清理机道丢失的底煤，并随机推移输送机、支设单体支柱，直至工作面下（或上）切口。

这种割煤方式适用于采高1.5m以下的较薄煤层，符合滚筒直径接近采高、顶板较稳定、煤层粘顶性强、割煤后顶煤不能及时垮落等条件。

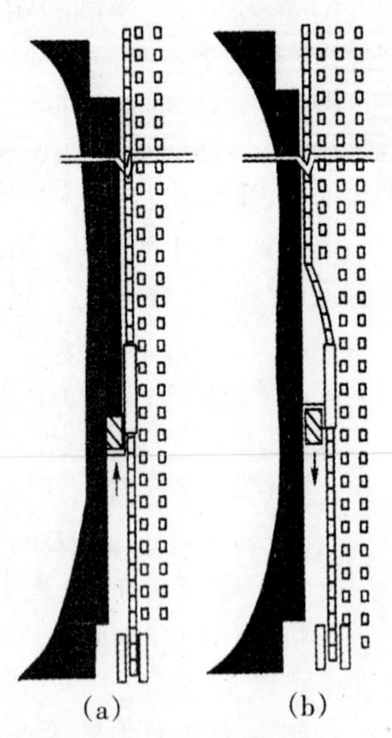

图9-17 单向割煤、往返一刀割煤方式

(a)上行割煤、挂梁；

(b)下行装煤、推移输送机和支柱

4.双向割煤、往返两刀

双向割煤、往返两刀割煤方式又称穿梭割煤，如图9-18所示。首先采煤机自下切口沿底上行割煤，随机挂梁和推移输送机，并同时铲装浮煤、支柱，待采煤机割至上切口后，翻转弧形挡煤板，下行重复同样工艺过程。当煤层厚度大于滚筒直径时，挂梁前要处理顶煤。该方式主要用于煤层较薄并且煤层厚度和滚筒直径相近的普采面。

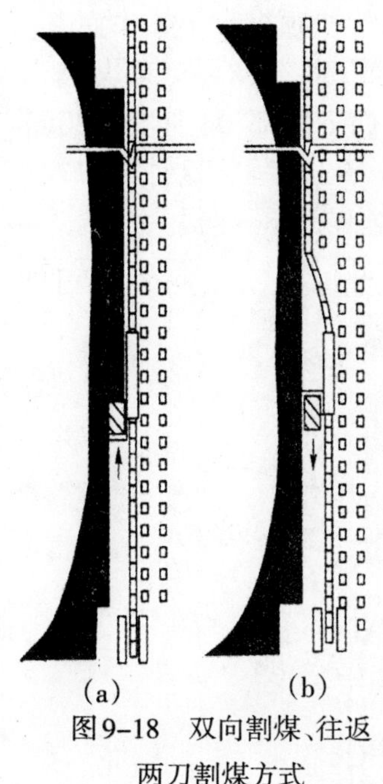

图9-18　双向割煤、往返两刀割煤方式

(a)上行割煤、挂梁、推移输送机和支柱;(b)下行重复上行时工序

三、滚筒采煤机的进刀方式

滚筒采煤机每割一刀煤之前,必须使其滚筒进入煤体,这一过程称之为进刀。滚筒采煤机以输送机机槽为轨道,沿工作面运行割煤,其自身无进刀能力,只有与推移输送机工序相结合才能进刀。因此,进刀方式的实质是采煤机运行与推移输送机的配合关系。单滚筒采煤机的进刀方式主要有三种:①直接推入(如图9-2),其过程如本节实例所述;②“∞”字形割煤时(如图9-16)采煤机沿工作面中部输送机弯曲段运行自行进刀,没有单独进刀过程,有利于端头作业和顶板支护;③斜切进刀。

斜切进刀可分为割三角煤和留三角煤两种方式。

现以采煤机上行割顶煤、下行割底煤的割煤方式为例说明斜切进刀割三角煤进刀的具体过程为:在图9-19(a)状态采煤机割底煤至工作面下端部;由图9-19(b)状态采煤机返向沿输送机弯曲段运行,直至完全进入输送机直线段,当其滚筒沿顶板斜切进入煤壁达到规定截深时便停止运行;从图9-19(c)状态推移输送机机头及弯曲段,使其成一直线;至图9-19(d)状态采煤机返向沿顶板割三角煤直至工作面下端部;到图9-19(e)状态采煤机进刀完毕,上行正式割煤,开始时滚筒沿底板割煤,割至斜切终点位置时,改为滚筒沿顶板割煤。这种进刀方式有利于工作面端头管理,输送机保持成一条直线,但比较费时,采煤机要在工作面端部20~25m行程内往返一次,并要等待移机头和重新支护端头支架。

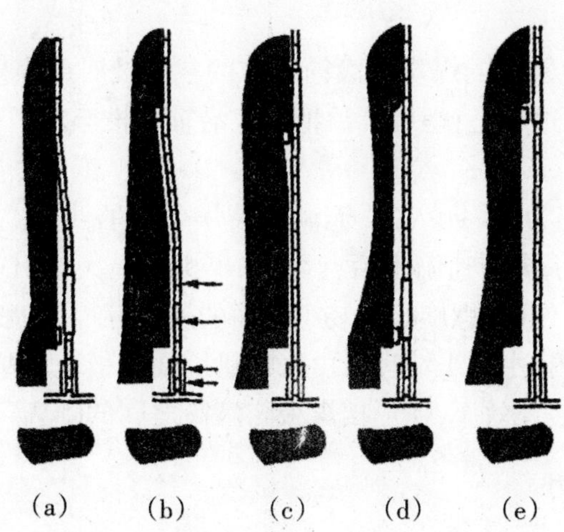

图9-19　割三角煤进刀

(a)割至下端部;(b)上行斜切;(c)移直输送机;(d)下行沿顶割三角煤;(e)上行正式割煤

留三角煤进刀的过程为:在图9-20(a)状态采煤机割煤至工作面下端头后,返向上行沿

输送机弯曲段割三角底煤(上刀留下的),割至输送机直线段时改为割顶煤直至工作面上切口;到图9-20(b)状态推移机头和弯曲段,将输送机移直,在工作面下端部留下三角煤;至图9-20(c)状态采煤机下行割底煤至三角煤处改为割顶煤直至工作面下端部;再到图9-20(d)状态随机自上而下推移输送机至工作面下端部三角煤处,完成进刀全过程。这种进刀方式与割三角煤方式相比,采煤机无须在工作面端部往返斜切,进刀过程简单,移机头和端头支护与进刀互不干扰。但由于工作面端部煤壁不直,不易保障工程规格质量。普采面双滚筒采煤机的工作方式与综采面双滚筒采煤机工作方式相同。

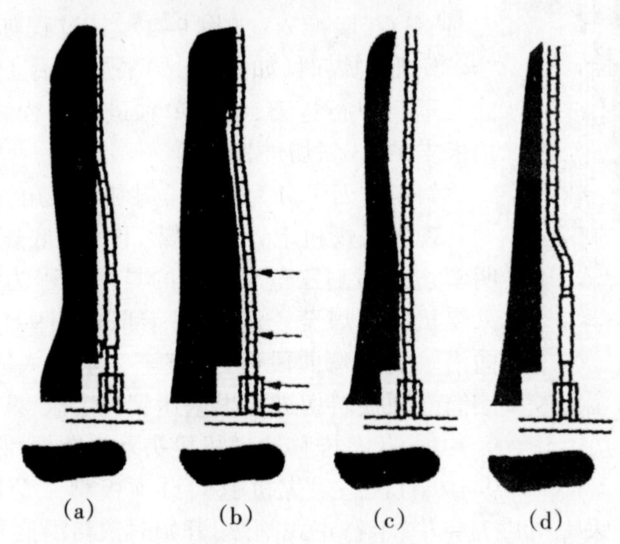

图9-20　留三角煤进刀

(a)进刀初始状态;(b)上行割煤;(c)移直输送机;(d)下行割煤,随机移输送机

四、滚筒装煤方式

螺旋滚筒装煤是指把采下的煤炭从滚筒工作的空间及时由煤壁向外送出,并装入工作面输送机中。装煤的基本过程是:螺旋叶片把碎煤沿轴向推至输送机旁,然后利用螺旋叶片端部将煤抛到输送机内。

一般滚筒的实际转速为50~90r/min,能满足装煤效果的要求。采煤机牵引速度与装煤量和装煤功率成正比,当采煤转速确定后,调整采煤机的最大牵引速度,以达到最佳装煤效果。在螺旋滚筒采煤机工作面,螺旋叶片装不干净的遗留碎煤,一般由装在输送机上的铲煤板来清除;在普采工作面内,由人工清理或由采煤机后面拖带装煤犁进行二次装载。螺旋滚筒后增设挡煤板,可提高装煤效率,弧形挡煤板与滚筒之间的距离,应适当调整。

五、采煤机的生产能力

采煤机的最大生产能力Q_{max}可用下式表示

$$Q_{max}=60V_{max}\cdot S\cdot m\cdot \gamma\cdot \kappa$$

式中　V_{max}——采煤机的最大牵引速度,m/min;

S——滚筒有效截深,m;

M——采高，m；

γ——实体煤容重，t/m^3；

κ——工作面采出率。

可见，采煤机的生产能力与有效截深、滚筒直径和牵引速度成正比。当滚筒直径和截深为定值时，采煤机的生产能力主要取决于采煤机在某一特定地质条件下割煤时的牵引速度。

采煤机实际生产过程的牵引速度与采煤机技术特征表里的最大牵引速度V_{max}应取平均值，用采煤机实际平均牵引速度V_{cp}代替，即可计算出采煤机的实际生产能力。

第三节　工作面支护

普采工作面单体支架布置应与煤层赋存条件、顶底板性质相适应，并符合采煤机割煤特点，除确保回采空间作业安全外，还要力求减少支设工作量。

一、支架布置方式

除少数顶板完整的普采面可使用带帽点柱外，一般均采用单体液压支柱或摩擦式金属支柱与铰接顶梁组成的悬臂支架。按悬臂顶梁与支柱的关系，可分为正悬臂与倒悬臂两种，如图9-21所示。正悬臂支架悬臂的长段在立柱的煤壁侧，有利于支护机道上方顶板；短段在立柱的采空侧，故顶梁不易被折损；倒悬臂支架则相反，由于其长段伸向采空区，立柱不易被碎矸石埋住，但易损坏顶梁。

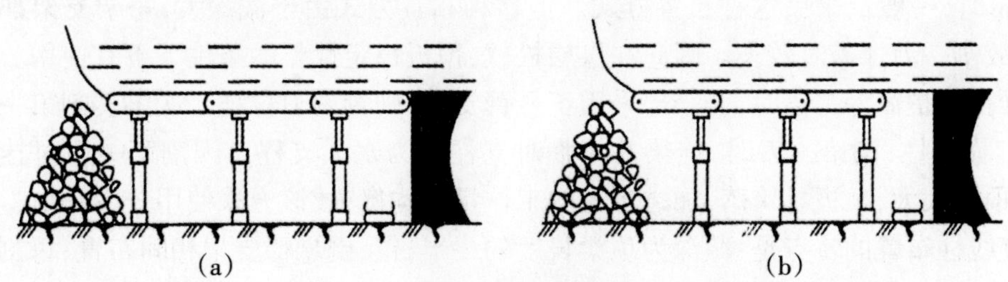

图9-21　单体支架正悬臂和倒悬臂布置

(a)正悬臂布置；(b)倒悬臂布置

普采工作面支架布置，按梁的排列特点分为齐梁式和错梁式两种，如图9-22所示。为了行人和工人作业方便，工作面支柱一般排成直线状，三角形排列已很少使用。因此，目前普采面支架布置方式主要有齐梁直线柱和错梁直线柱两种。

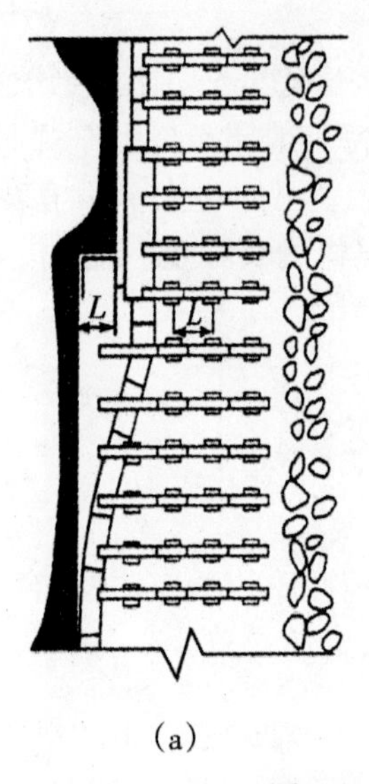

(a)

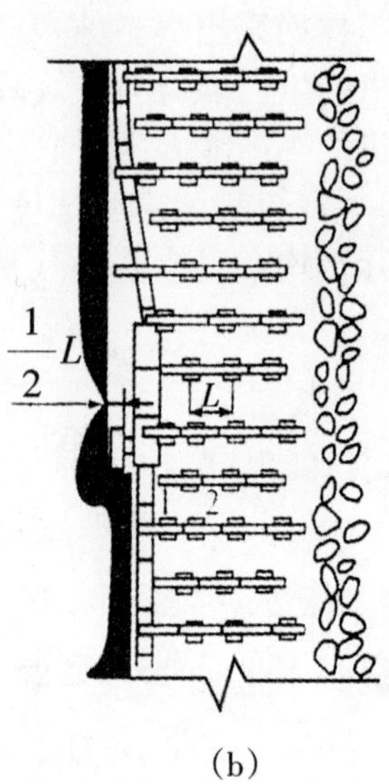

(b)

图9-22　支架齐梁式和错梁式布置

(a)齐梁直线柱式布置；(b)错梁直线柱式布置

1——临时柱；2——正式柱

齐梁直线柱的布置特点是：梁端沿煤壁方向相齐，支柱排成直线。根据截深与顶梁长度的关系，又可分为两种：梁长等于截深和梁长等于截深的二倍。

梁长等于截深时，每割一刀煤沿工作面全部挂梁、支柱，一般全部为正悬臂支架。这种支架形式简单，规格质量容易掌握，放顶线整齐；工序较简单，便于组织和管理。当截深为0.8m和1.0m时，一般都采用这种布置方式。但这种布置方式由于截深大，每架支架都要挂梁和支柱，故割一刀煤需时较长。因此在煤层松软、顶板稳定性差的条件下不宜使用。

当顶梁长度是截深二倍时，若全部采用正悬臂支架，则割两刀煤挂一次梁。割第一刀时每架支架打临时柱；割第二刀时，挂梁并将临时支柱改为永久支柱。因割第一刀时挂不上梁，机道控顶距太大，顶板易垮落，加之工人的工作量不均衡，故该方式使用较少。

错梁直线柱布置的特点是：截深为顶梁长度的一半；正、倒悬臂支架相间布置；每割一刀煤间隔挂梁，顶梁向前交错；割第一刀煤时，支临时支柱，割第二刀煤时，临时支柱改为永久支柱，每割两刀煤工作面增加一排控顶距，该布置方式机道上方顶板悬露窄，支护及时；每割一刀煤挂梁、支柱数量少，工作量均衡；支柱成直线，行人、运料方便；在切顶线处支柱不易被埋住，因此为现场多用。但是，这种方式对切顶不利，倒悬梁易损坏。

普采面采空区处理方法的选择和使用的特种支架与炮采面相同，这里不再重复。当顶板较稳定、有利于切顶时，也可采用墩柱，参见图9-5。

二、普采工作面端头支护

工作面上下端头是工作面和平巷的交会处，此处控顶面积大，设备人员集中，又是人员、设备和材料出入工作面的交通口。因此，搞好工作面端头支护极为重要。

端头支护应满足以下要求：要有足够支护强度，保证工作面端部出口的安全；支架跨度要大，不影响输送机机头、机尾的正常运转，并要为维护和操纵设备人员留出足够活动空间；要能够保证机头、机尾的快速移置，缩短端头作业时间，提高开机率。

端头支护主要有下述几种：①单体支柱加铰接顶梁支护，如图9-23(a)所示。为了在跨度大处固定顶梁铰接点，可采用双钩双楔梁，或将普通铰接顶梁反用，使楔钩朝上；②用4～5对长梁加单体支柱组成的迈步走向抬棚支护，如图9-23(b)所示；③用基本支架加走向迈步抬棚支护，如图9-23(c)。除机头、机尾处支护外，在工作面端部原平巷内可用顺向托梁加单体支柱或“十”字铰接顶梁加单体支柱支护。

三、普采面支护应掌握以下基本要点

1.加强机道支护

机道是工作面支护的薄弱点，这里往往由于片帮和不能及时支护发生局部冒顶。加强机道支护主要方法有：向煤壁开梁窝架超前梁，落煤后立即打临时支柱；提高支柱支撑力和支护刚度。近年来Π型钢顶梁加强破碎顶板和分层网下顶板的机道支护是十分有效的。所谓Π型钢顶梁就是用Π型钢对焊成的2.6m长钢梁，Π型钢顶梁在工作面是成对布置，随采煤机割煤，Π型钢顶梁交替前移，及时支护顶板。

2.加强放顶线支护的稳定性

无论是有排柱还是无排柱，由于直接顶垮落或基本顶(俗称老顶)来压，往往因水平推力而推倒末排支柱。为此必须使末排支护不仅支撑力强，而且支护状态稳定。一般采用斜撑把排柱连锁起来，形成一个防护整体，必要时再加打木垛，硬顶板时打双排柱或打对柱、丛柱等增加切顶力。

3.加强工作面端头维护

其支护形式一般采用四对八梁走向大抬棚。十字梁应用是工作面端头的一种有效支护，选用时根据顶板条件、输送机传动装置以及人行道的要求可灵活地调整。

4.加强工作面“三度”(支护强度、支柱密度和支护刚度)管理

支护强度是指工作面单位顶板面积上的支护阻力。支护强度应以工作面最困难状态下满足支架—围岩岩体体系的平衡，不发生重大顶板事故为准则。支护密度是指控顶范围内单位面积顶板所支设的支柱数量。设计支柱密度时必须掌握工作面所用支柱的实际阻力情况，加强金属支柱抽样试验和失效检查。支护刚度是指单位顶底板移近量所对应的支柱工作阻力增量(kN/m^2)。提高支护刚度的主要措施是：

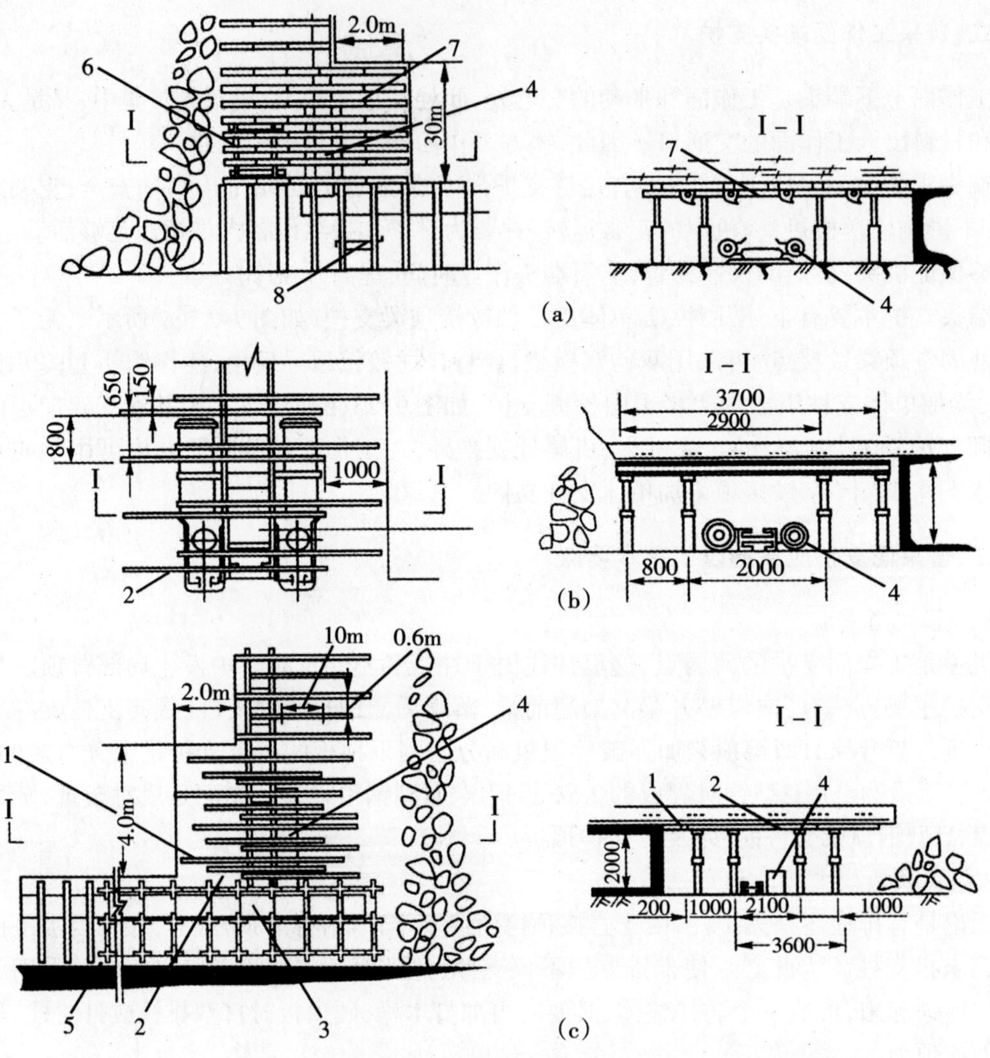

图9-23　普采面端头支护

(a)双钩、双楔铰接梁支护；(b) 迈步走向抬棚支护；(c)基本支架加走向迈步抬棚支护

1——基本架；2——抬棚长梁；3——转载机；4——输送机头；5——十字铰接顶梁；

6——木垛；7——双钩双楔梁；8——绞车

(1)清除浮煤浮矸，保证支柱支在实顶实底上；

(2)顶底板松软时支柱穿鞋戴帽。柱帽规格不应过大，更不允许带双帽、穿双鞋；

(3)严格支柱操作，坚持使用液压升柱器升柱，保持支柱有足够的初撑力。

第二部分　专业核心知识点

1. 熟悉普通机械化采煤工艺过程。
2. 掌握滚筒式采煤机内部构造及适用方法。
3. 了解刨煤机构造及使用方法。
4. 熟悉普通机械化采煤工作面设备配套计算方法。

第三部分　专业技能训练

技能一　滚筒采煤机司机技能训练

一、操作准备

1. 备齐扳手、钳子、螺丝刀、锤子、便携式瓦斯检测仪等工具仪器及截齿、销子、牵引链连接环等备用配件。

2. 全面检查煤壁、采高和顶底板变化以及支护、切口准备和机道宽度等情况，了解上一班工作、检修及相关设备运转情况，发现问题及时向班长汇报，妥善处理。

3. 对采煤机进行运行前检查：

（1）先检查采煤机隔离开关是否处在切断电源位置，再检查连接螺栓、截齿是否安全、紧固，各操作手柄是否灵活可靠，各部油量是否符合规定，各种密封是否完好、不滴漏，各防护装置是否齐全、有效。

（2）检查拖缆装置的夹板及电缆、水管是否完好不刮卡；弧形挡煤板是否灵活；冷却和喷雾装置是否齐全；水压、流量是否符合规定；滑靴、导向管等的磨损量是否超过规定。

（3）有链牵引采煤机，必须检查牵引链两端张紧装置情况，链的张紧程度，牵引链与刮板输送机是否发生摩擦，链环有无扭结、损伤。

（4）无链牵引采煤机，检查齿轮固定是否牢靠，齿轮上有坚硬物必须清理掉。齿轮与齿轨啮合是否良好，挡煤板、导向管有无错茬。

（5）对钢丝绳牵引的采煤机，还应检查钢丝绳张紧程度、断丝（一个捻距内断丝面积不能超过钢丝绳总断面面积的10%）、两端固定的牢固情况。

（6）采煤机截齿是否齐全锋利、安装牢固。

（7）内外喷雾装置是否完好，雾化效果是否达到要求。

上述各项检查完毕并对发现的问题处理符合规定后，方可进行下一步操作。

二、操作训练

1. 检查采煤机前后20m内瓦斯浓度。

2. 合上采煤机的隔离开关，按启动按钮启动电动机。电动机空转正常后，停止电动机，在电动机停转前的瞬间合上截割齿轮离合器。

3. 解除工作面刮板输送机的闭锁，发出开动刮板输送机的信号。等待刮板输送机空转2min达到正常运转，再进行下一步工作。

4. 打开进水阀门供水并喷雾，调节好供水流量。

5. 发出启动信号，启动采煤机，并检查滚筒旋转方向及摇臂调高动作情况，把截割滚筒旋调到适当位置。

6. 采煤机空转2~3min并正常后，打开牵引闭锁，然后缓慢加速牵引，开始破煤作业。选择适宜的牵引速度，操作采煤机正常运行。

7. 对液压油温有规定的采煤机，应在滚筒（或与破碎机）离合器脱开的状态下，不通冷却水，只开电动机，使油温升到规定值后，再正常启动采煤机。

8. 预裂（或松动）爆破时，采煤机必须离爆破地点5m以外，并严格落实有关保护措施。

9. 割煤时随时注意行走机构运行情况，采煤机前方有无人员或障碍物，有无大块煤、矸石或其他物件从采煤机下通过。若发现有不安全情况时，应立即停止牵引和切割，并闭锁工作面刮板输送机，进行处理。

10. 割煤时采煤机司机要精力集中，注意顶底板、煤层、煤质变化和刮板输送机载荷的情况，随煤层起伏及时调整采煤机前后滚筒高度，要减少采面起伏坡度，切莫任意丢失顶煤和底煤。要按直线割直煤壁，不得割碰顶梁或割破顶网。

11. 采煤机换向处的采高要保证挡煤板能顺利翻转。翻转挡煤板时，要调高滚筒使挡煤板转到滚筒下面，再下降摇臂，使挡煤板接触底板，然后缓慢牵引采煤机，使挡煤板顺势转到滚筒的另一侧。牵引速度要由小到大逐渐加大，严禁一次加大到最高速度。

12. 装有防滑装置的采煤机往上割煤时，要把采煤机下方的防滑机构放下；往下割煤时，要将防滑机构吊起。

使用防滑绞车时，采煤机司机和防滑绞车司机应有明确可靠的联系信号。牵引速度要和防滑绞车的绳速同步，使防滑绞车钢丝绳始终绷紧。

13. 有下列情况之一，要采用紧急停机方法及时停机进行处理：

（1）瓦斯浓度超限时。

（2）有冒顶、片帮或透水预兆时。

（3）割煤过程中发生堵转时。

（4）采煤机内部发现异常震动、声响和异味，或零部件损坏时。

（5）采煤机上方刮板输送机上发现大块煤、矸、杂物或支护用品时。

（6）工作面刮板输送机停止运转或刮板输送机挡煤板与溜槽错口较大，影响采煤机通过时。

（7）牵引手柄或“停止”操纵失灵时。

（8）采煤机脱轨或拖缆装置被卡住时。

（9）牵引链有断链、裂纹、缩径、变形等现象时。

（10）电缆护套破损或有其他异常情况时。

紧急停机时，应操作急停开关或停止按钮。

14. 正常停机的操作程序：

（1）把牵引调速手柄打回到“零”位，停止牵引采煤机。

（2）将滚筒放到底板上，待滚筒内的煤炭排净后，用停止按钮停止电动车。

（3）关闭进水截止阀。

（4）断开离合器、隔离开关，关闭进水总截水阀，断开磁力启动器的隔离开关；切断电源。

正常停机时，不得采用紧急停机方法停止采煤机。

15. 特殊操作：

(1) 单滚筒采煤机进刀方式:

1)工作面采用预裂(或松动)爆破割底煤时(1.4m以下煤层可不用放震动炮),采用斜切进刀方式。预裂爆破时,采煤机必须停在工作面或切口支架完好处。预裂爆破后,各段支护工要提前挂梁护顶。按下列步骤割煤进刀:

a.开始:采煤机由上往下割透煤后停机,当推移工作面刮板输送机距采煤机10m时停止推移;

b.进刀:采煤机在输送机机头处翻转挡煤板后向上割煤,割至刮板输送机弯曲处以上5m的距离达到规定截深后停止割煤;

c.移机头:将刮板输送机从弯曲处向下推移,使机头和弯曲段刮板输送机逐步移成直线;

d.采煤机下降:采煤机翻转挡煤板后下行割三角煤,割透后停止;

e.采煤机上割:采煤机翻转挡煤板后向上割煤,同时按规定距离追机推移刮板输送机。

在工作面上切口进刀同样使用该方式。

2)倒"8"字中部进刀方式:上半部上行割顶煤、下行割底煤,下半部下行割顶煤、上行割底煤。正常情况下采煤机停在工作面下部距输送机机头约20m处。

具体步骤如下:

a.开始:采煤机向下割顶煤直至下切口后停止,及时追机挂梁;

b.上行割底煤:采煤机翻转挡煤板后上行割底煤,按规定距离及时追机推移刮板输送机后支护;

c.上行割顶煤:采煤机割底煤至原停止位置时调节滚筒摇臂位置,上行割顶煤直透上切口后停止,及时追机挂梁;

d.下行割底煤:翻转挡煤板后下行割底煤,按规定距离及时追机推移刮板输送机后支护。当割到原停机位置时,再调节滚筒摇臂位置进行下循环的割煤。

(2)双滚筒采煤机进刀方式:

1)斜切进刀方式(下切口进刀):

a.开始:采煤机下行割透下切口后停机,推移刮板输送机距采煤机12m时停止。

b.进刀:采煤机翻转挡煤板,将2个滚筒的上下位置调换,上行割煤至刮板输送机弯曲段以上10m达到规定截深时停止。

c.推移输送机机头使刮板输送机成直线。

d.采煤机翻转挡煤板、调换前后滚筒上下位置,下行割三角煤,割透下切口。

e.再次翻转挡煤板,调换上下位置,上行割煤,同时按规定距离推移刮板输送机后支护。

2)在工作面上切口同样使用该方法。

16. 停机操作结束后,清扫机器各部煤尘,待工作面、运输巷中的刮板输送机的煤拉净及推移完刮板输送机后,发出停刮板输送机信号。

三、收尾

按规定填写采煤机工作日志。

技能二　刨煤机司机技能训练

一、操作准备

1. 备齐扳手、钳子、螺丝刀、锤子等工具及刨刀、锁子、牵引链、连接环等备品配件。

2. 将集控箱通电，观察指示状态是否正常，然后给各启动器送电，检查其漏电闭锁是否正常，通讯、信号装置是否灵敏可靠，机头至机尾各接线盒、信号、闭锁开关是否灵敏可靠。

3. 闭锁刨煤机，检查机器各驱动部是否清洁，各螺栓是否齐全、紧固。

4. 检查刨刀是否锋利、齐全，安装是否正确和牢固。刨煤机牵引链张紧程度、连接环有无裂纹、超限磨损和两端连接牢固情况，护链罩、导向轨、挡煤板是否紧固。工作面输送机是否平、直、稳，锚固装置是否牢固。

5. 检查各润滑部位油量和密封情况，电缆、管线等吊挂是否整齐并不受挤、压、刮、碰等。液压千斤顶及其撑杆安设是否正确牢固，管路是否完好无损、不漏液。

6. 检查冷却、喷雾供水装置是否齐全完好。

二、操作训练

1. 发出开机信号，让工作面所有人员退到安全地点，按顺序启动乳化液泵、运输巷刮板输送机和工作面的刮板输送机，打开供水喷雾装置，点动刨煤机2次，确定各部声音正常、仪表指示准确、牵引链松紧合适后，开机刨煤。

2. 刨煤时，要根据煤层硬度调整刨削深度；为避免上飘或啃底，要随时调整刨刀角度，使采高上限小于支架高度0.1m，不准割碰顶梁。

3. 刨头被卡住时，必须停机，查找原因，不准来回开动刨头进行冲击。停机后必须停水。

4. 非紧急情况下，不准用紧急停止开关停止刨煤机。

5. 不刨煤时，不得让刨煤机空运转，只许点动开机，防止过位损坏设备。

6. 发现刨刀不锋利，应立即更换。更换前，要将开关打在停电位置并闭锁刮板输送机，通知其他司机后，方可工作。

7. 发现下列情况之一，应立即停止刨煤，妥善处理后，方可继续刨煤：

(1)运转部件发生异常声音、强烈震动或温度超限时。

(2)各种指示灯、仪表指示异常时。

(3)直接操纵刨煤机和刮板输送机随时启动或停止的安全装置失灵时。

(4)刮板输送机停止运转时。

8. 刨煤结束后，要将刨煤机开到工作面切口处，停止刨煤机，切断刨煤机电源，断开控制开关的隔离开关，关闭供水喷雾装置。

三、收尾

1. 待运输巷、工作面刮板输送机的煤拉净后，发出停机信号，关闭刮板输送机，并清扫刨煤机各部煤尘。

2. 架设好支架，将千斤顶移位打好支撑杆后，发出停泵信号，关闭乳化液泵站。

3. 按规定填写刨煤机工作日志。

技能三　移刮板输送机工技能训练

一、操作准备

1. 备齐改锥、扳手、锹、镐、钳子、套管、撬棍、手拉葫芦等工具及刮板、链环、链条、密封圈、油管、溜槽等配件。

2. 检查支护是否齐全牢固,进行敲帮问顶,汇报处理不安全隐患。

3. 检查开帮宽度是否符合作业规程要求,炮(机)道内浮煤及杂物是否清理干净,入底板凹凸不平,要刨平或垫平。

4. 检查溜槽和溜槽弯曲部分是否有脱节或链子出槽现象。

5. 检查移溜器是否损坏,管路及接头是否漏液,手柄是否灵活可靠。

6. 检查电缆、管线是否在线架内或悬挂整齐。

7. 检查移溜器后座的顶柱或后支撑杆(戗柱)是否牢固可靠。

二、操作训练

1. 可采用自上而下、自下而上或从中间向两侧的顺序推移,不应由两端向中间推移。

2. 确定最小移动段,移动段在推移过程中要始终成一条斜线,不准出现曲折现象,要均匀平稳地向倾斜上方或下方连续推移。

3. 调整好移溜器位置,打好移溜槽后座的戗柱。撤出移刮板输送机段内煤帮所有人员,推移工作面刮板输送机。

4. 回撤机尾(头)前第一排支柱及机尾(头)压戗柱,将机尾(头)移溜器手柄打到推进位置,机尾(头)移到位置后立即将移溜手柄打到中间位置,并打好压戗柱,补打好后放支柱。

5. 按作业规程规定回撤机道临时支柱。

6. 开动2个以上移溜器按顺序推移刮板输送机,推移到位置后,要立即将移溜器手柄打到中间位置。

7. 移溜至距刮板输送机机头(尾)15~20m时停止推移刮板输送机并停止刮板输送机运转,回撤机头(尾)处输送机前第一排支柱和机尾(头)压戗柱。

8. 开动移溜器,将刮板输送机槽剩余部分和机头(尾)同时移到规定位置后,立即将移溜器手柄打到中间位置。

9. 将机尾(头)支稳,打上机尾(头)压戗柱。

10. 回撤移溜器后座的戗柱,将移溜器收回。

11. 采用液压移溜器移机头时,必须使用2个以上移溜器同时推移。采用回柱绞车移机头时,必须使用钢丝绳套拴好机头,严禁使用绳钩直接拉钩机头。

12. 综采工作面移刮板输送机时应遵守以下规定:

(1)先检查顶底板、煤帮,确认无危险后,再检查铲煤板与煤帮之间无矸石、杂物和浮煤堆积后,方可进行推移工作。

(2)推移工作面刮板输送机工序与采煤机之间距离,在作业规程中必须做出规定。

(3)移刮板输送机机头和机尾时必须距采煤机后滚筒15m距离，进刀后，刮板输送机机头、机尾必须一次移够步距。

(4)可自上而下、自下而上或从中间向两头推移刮板输送机，不应由两头向中间推移。

(5)除机头、机尾可停机推移外，工作面内的中部溜槽应在刮板输送机运行中推移。

(6)推移千斤顶必须与刮板输送机联结使用，以防止顶坏溜槽侧的管线。

(7)移动机头、机尾时，要有专人(班长)指挥，专人操作，动作协调，步距移够。

(8)移设后要保证刮板输送机整机安设平稳，开动时不摇摆，机头、机尾和机身要平直，保持刮板输送机、支架和煤壁成直线，电动机和减速器的轴的水平度要符合要求。

(9)调整刮板输送机需要起吊时，应该用液压千斤顶顶起吊刮板输送机链条，不得吊挡煤板或铲煤板。

(10)拉移放顶煤工作面后部输送机应从一端开始依次拉移，不得由两端相向拉移，要确保拉移弯曲段不小于15m。

(11)拉移后部刮板输送机机头、机尾时要多人联合操作，并停止后部刮板输送机。

(12)处理后部刮板输送机机卡(煤、矸)块及其他事故时，必须先将其断电闭锁，并通知开运输机司机。

(13)刮板输送机推(拉)移到位后，随即将各操作手柄扳到停止位置。

三、收尾

1. 推移工作结束时，将所有移溜器手柄打到收缸位置。使用液压千斤顶的工作面还应将千斤顶竖立并挂在点柱上。

2. 清点工具、备件等。

技能四　工作面胶带输送机司机技能训练

一、操作准备

1. 检查动力系统、各种保护装置、连接件的紧固情况，信号闭锁系统完好情况。
2. 检查动力系统油质、油位是否符合规定。
3. 检查清扫器磨损情况。
4. 检查胶带张紧程度是否适当、胶带接头是否良好。
5. 检查胶带是否跑偏，中间架是否歪斜。
6. 检查底胶带是否有摩擦异物现象。
7. 检查喷雾装置是否完好。

二、操作训练

1. 发出启动报警信号，接到允许开机信号后方可启动运转。

2. 胶带输送机启动后，注意观察运行情况，检查各部轴承、电机等温升是否符合规定，若有异常，停机处理。

3. 胶带输送机运行中，集中精力，防止出现误操作。

三、收尾

1. 正常情况下工作结束停车时，使胶带处在最小负荷状态下，避免胶带输送机重载启动。

2. 停车后重新检查各种保护及部位的状况，处理异常现象。

3. 按规定填写胶带输送机工作日志。

技能五　乳化液泵站司机技能训练

一、操作准备

1. 备齐扳手、钳子、温度计、折射仪等工具和铅丝、擦布、油壶、油桶、管接头、U形销、高低压胶管等必要的备品备件及润滑油、机械油、乳化油等。

2. 接班后，把控制开关手柄扳到切断位置并锁好，按规定要求对如下内容进行检查：

(1)泵站附近巷道安全状况及有无淋水情况。

(2)泵站的各种设备清洁卫生情况。

(3)各部件的连接螺栓是否齐全、牢固，特别要仔细检查泵柱塞盖的螺钉。

(4)减速器的油位和密封是否符合规定。

(5)泵站至工作面的管路接头是否牢靠。

(6)各截止阀的手柄是否灵活可靠，吸液阀、手动卸载阀及工作面回液阀是否在开启位置，向工作面供液的截止阀是否在关闭位置，各种压力表、控制按钮是否齐全、完整、灵敏可靠。

(7)乳化液有无析油、析皂、沉淀、变色、变味等现象。用折射仪检查乳化液配比浓度是否符合规定。液面是否在液箱的2/3高度位置以上。

(8)配液用水进水口压力是否在0.5MPa以上。

(9)乳化液箱和减速器上的透气孔是否畅通。

(10)检查电动机、联轴节和泵头是否转动灵活。

3. 拧松乳化液泵吸液腔内的空气放净并出液后拧紧。合上控制开关，点动电动机，检查泵的旋转方向是否与其外壳上箭头标记方向一致。

二、操作训练

1. 启动电动机，慢慢关闭手动卸载阀，使泵压逐渐升到额定值。

2. 开泵后要检查以下内容，确定无问题或问题处理后，保持泵的正常运转：

(1)泵运转是否平稳，声音是否正常。

(2)卸载阀、安全阀的开启和关闭压力是否符合规定。

(3)过滤站的脏物指示器是否正常，进、出口压力指示的压力差是否在1.5～3.0MPa之间。

(4)电流表、压力表的指示是否正常、准确。

(5)柱塞润滑是否良好，齿轮箱润滑油压力是否在0.2MPa上下。

(6)各接头和密封是否漏液。

(7)乳化液箱中自动配液的液位开关及低液位保护开关是否灵敏可靠。

3. 接到工作面用液信号后，慢慢打开供液管路上的截止阀，开始向工作面供液。

4. 运转过程中应注意观察各种仪表的指示情况，机器声音、温度是否正常，乳化液箱是否平稳、液位是否保持在规定范围内、液面有无污染物，柱塞是否润滑，密封是否良好。发现问题，应及时与工作面联系，停泵处理。

发现下列情况之一时，应立即停泵：

(1)异声异味。

(2)温度超过规定。

(3)压力表指示压力不正常。

(4)自动配液装置启动不正常。

(5)控制阀失效、失控。

(6)过滤器损坏或被堵不能过滤。

(7)供液管路破裂、脱开，大量泄液。

5. 当乳化液箱中液位低于规定下限时，泵站自动配液装置应启动配液。无自动配液装置的泵站，应在专用的容器内进行人工配液。配液时应把乳化油掺倒在水中，禁止把水掺在乳化油中 。每次配液后，都要用折射仪检验乳化液的浓度，不符合规定时要重新进行调配，直到合格为止。

6. 因事故停泵和收工停泵时都应首先打开手动卸载阀，使泵空载运行，然后关闭高压供液阀和泵的吸液阀，再按泵的停止按钮，将控制开关手柄扳到断电位置，并切断电源。除接触器触头粘住时可用隔离开关停泵外，其他情况下只许用按钮停泵。

三、收尾

1. 停泵后要把各控制阀打到非工作位置，清擦开关、电动机、泵体和乳化液箱上的粉尘。

2. 按规定填写乳化液泵站工作日志。

技能六　单体液压支柱支护工(采支工)技能训练

一、操作准备

1. 备齐注液枪、卸载手柄、液压升柱器、支柱定位卡具、锹、镐、锤、斧子、锯等工具，并检查工具是否完好、牢固可靠。

2. 检查液压管路是否完好。

3. 检查工作地点的顶板、煤壁和支护是否符合质量管理要求，发现问题及时处理。

二、操作训练

1. 架设带帽点柱程序：量好排、柱间距，清理柱窝，竖立支柱，用注液枪清洗注液阀煤粉，使注液枪卡套卡紧注液阀，给支柱带帽，供液升柱。

2. 架设Π型钢梁支柱程序：Π型钢梁一般分主副成对使用。工作面落煤后，先将主梁支柱卸载，向前串主梁，按排距要求，打齐一梁三柱，在全面打齐贴帮柱、所有主梁形成一梁三柱后开始串副梁。

3. 支护操作时应符合下列规定：

(1)挂网时将网展开拉直，按作业规程规定要求进行联网。

(2)挂梁支柱时，每组不少于2人，1人站在支架完整处两手抓住铰接顶梁将其插入已安设好的顶梁两耳中，另1人站在人行道，插入顶梁圆销并用锤将圆销打到位。

(3)插水平销时，先将顶梁托起，然后从下向上将水平销插入，使梁与顶板间留有一定间隙(0.1~0.15m或按作业规程规定)。

(4)Ⅱ型钢梁支护时，每组不少于2人，爆破后要求及时移主梁、插背，防止发生抽冒。底眼爆破完后及时打贴帮柱，只有全采面打齐贴帮柱、所有主梁形成一梁三柱后方可开始移副梁。

移副梁(放顶)：主梁移完后，及时打底眼装药爆破，人员进入先找掉柱，然后及时攉煤加补主梁帮柱，支柱按要求打好后，逐个摘副梁采空区侧支柱，并将副梁与主梁并齐，升紧支柱。

向前移梁，必须使Ⅱ型钢梁保持平顺。外扭、受力不均处及时整改。移梁必须按照规定顺序进行，并保证移梁宽度一致，严禁乱移。人员严禁站在主梁采空区侧柱与副梁采空区侧柱间操作。为防止Ⅱ型钢梁旋扭，支柱与钢梁必须面接触，四爪卡牢。

(5)竖立支柱前，要按作业规程规定确立柱位，清扫柱位浮煤，刨柱窝、麻面，放置柱鞋。

(6)支柱时，人员要站在该支柱地点的上方操作。架设单体支柱时，1人扶柱，将手柄体和注液阀调整到规定位置。1人用注液枪清洗注液阀嘴，然后将注液枪卡套卡紧注液阀，开动手柄均匀供液升柱，使柱爪卡住梁牙和柱帽，并供液使支柱达到规定初撑力为止。

(7)升柱后要及时拴好防倒绳。

(8)单体液压支柱架设工作结束后，必须对初撑力达不到要求的支柱进行二次注液。

4. 应按作业规程规定及时铺网、挂梁、支设临时支柱和贴帮柱。

5. 顶板破碎、煤壁片帮严重时，应掏梁窝挂梁，提前支护顶板。

三、收尾

将剩余的顶梁、背顶材料，失效和损坏的柱、梁等各种工具分别运送到指定地点，并做好记录。

复习题

1.简述普通机械化采煤的工艺过程及其适用条件。

2.使用单滚筒采煤机割煤时怎样确定滚筒的转向？怎样选择割煤的方式？

3.普采面单滚筒采煤机割煤、移输送机、进刀三个工序之间有什么联系？怎样确定三者的最优配合形式？

4.普采面单体支架有哪几种布置方式？怎样选择？

5.普采面端头支架的特点是什么？有哪几种形式？

6.怎样确定普采面支柱密度、排距、柱距、采煤机滚筒截深、工作面两端切口长度和深度？

7.试分析普采面采用单、双滚筒采煤机对产量、效率和顶板管理的影响。

讨论题

1.采煤工作面单体液压支柱配铰接顶梁支护、悬移液压支架支护以及轻型液压支架支护,试从技术、经济及安全角度比较一下这三种支护方式。

2.你矿的采煤机进刀方式是怎样的？可否换一种进刀方式？

3.你矿的工作面端头支护是怎样的？安全吗？

第十章 综合机械化采煤技术

第一部分 系统理论知识

第一节 综合机械化采煤工作面的配套设备

一、综采工作面设备布置

综合机械化采煤工作面的配套设备及布置如图10-1所示，它由双滚筒采煤机、可弯曲刮板输送机、自移式液压支架、转载机、可伸缩带式输送机、乳化液泵站和移动变电站等组成。

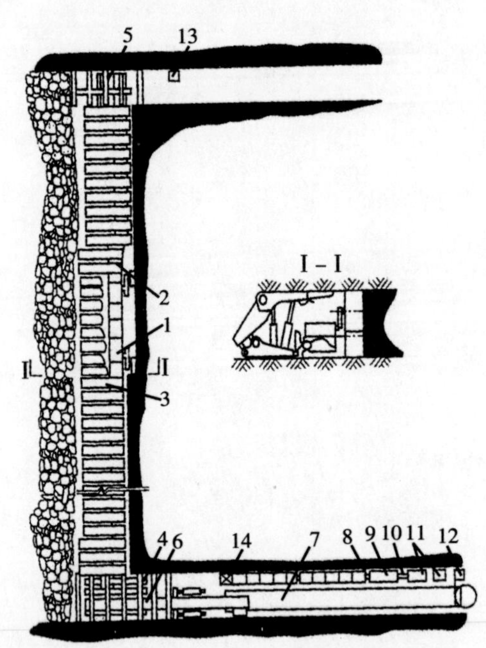

图10-1 综采工作面设备布置示意图

1——采煤机；2——刮板输送机；3——液压支架；4——下端头支架；5——上端头支架；6——转载机；7——可伸缩带式输送机；8——配电箱；9——乳化液泵站；10——设备列车；11——移动变电站；12——喷雾泵站；13——液压安全绞车；14——集中控制台

综合机械化采煤与普通机械化采煤工艺的区别，在于工作面支护实现了机械化。总体来看，这种方式使工作面破煤、装煤、运煤、推移输送机、支移液压支架等主要工序全部实现了机械化，大幅度降低了工人劳动强度，提高了单产及安全性。

二、综合机械化采煤的管理要点

(一)搞好综采设备的总体配套是保证高产高效的前提

总体配套中除设备的尺寸和能力配套外,工作面两端头的布置也是十分重要的,端头支架距煤帮一般为1~1.5m,空顶处用单体液压支柱支护,输送机的机头机尾布置要保证采煤机滚筒割出工作面煤壁,避免人工清理煤帮;为稳固输送机的机头机尾,在端头支架与中间支架之间一般应布置2~3架过渡支架,确保输送机的上下窜动量不超过300mm。

(二)提高操作技术是高产高效的基础

液压支架的操作要求:细、匀、净;快、够、正;严、紧、平。“细”指移架前要细心检查管路、阀组和连接件,细心观察顶板、煤壁状况。“匀”是指支架间距要调均匀,移架时保证良好的导向。“净”指及时清理支架间的浮煤浮矸,保证移架快速通畅。“快”指的是少降快拉,带压移架,及时伸出护壁板、挑梁、伸缩梁等。“够”指的是移架步间够,与采煤机截深相等。“正”是指移架方向正,一般与煤壁垂直,防止移架过程中歪斜。“严”指的是架间支护严密,不留空隙,严防漏矸。“紧”是指支撑后要保证达到足够的初撑力。“平”指的是顶梁、底座要支平,接顶良好,严防支架低头,遇有局部漏顶要及时处理。

采煤机的操作要求:根据煤质软硬、顶板状况控制牵引速度,保证匀速牵引,避免忽走忽停;根据煤层变化掌握采高,防止飘刀、啃底;常检查、勤观察,确保机身稳定。

(三)抓好“三直一平”

“三直”指煤壁直、输送机直、液压支架排列直,“一平”指输送机铺设平。“三直一平”是综采工作面质量管理的重要标准,必须常抓不懈。

第二节 自移式液压支架

一、液压支架的构成

综采工作面使用的自移式液压支架是用于控制工作面的顶板,维护采场工作空间的。它是以高压液体为动力,通过工作性质不同的几个液压缸,自行完成支撑、降架、移架和推移输送机等动作的机械化设备。它是由液压支柱、顶梁、底座等构件组成。

二、液压支架的基本类型和结构特点

根据支架与围岩相互作用的特点,液压支架分为支撑式、掩护式和支撑掩护式三种类型。支撑式在结构上没有掩护梁,对顶板的作用是支撑方式;掩护式在结构上有掩护梁,支柱是通过掩护梁对顶板起支撑作用的。

目前,这两种支架均已被淘汰,综采工作面使用的是支撑掩护式支架,它具有支撑梁作用,支柱大部分是通过顶梁对顶板起支撑作用的,有部分支柱是通过掩护梁对顶板起作用的。

支撑掩护式支架是在吸收了支撑式和掩护式两种支架优点的基础上发展起来的一种支架。因此,它兼有支撑式和掩护式支架的结构特点和性能,可适应各种顶底板条件。支撑掩护式支架的基本结构如图10-2所示。顶梁1由前梁与顶梁构成,四根支柱支撑在顶梁和立柱之间,掩护梁2的上端与顶梁铰接,下端用连杆与底座相连。这种支架的优点是:支撑力大,切顶性能强,防护性能好,通风断面大,稳定性好,应用范围广。它的主要缺点是:结构复杂,成本较高。

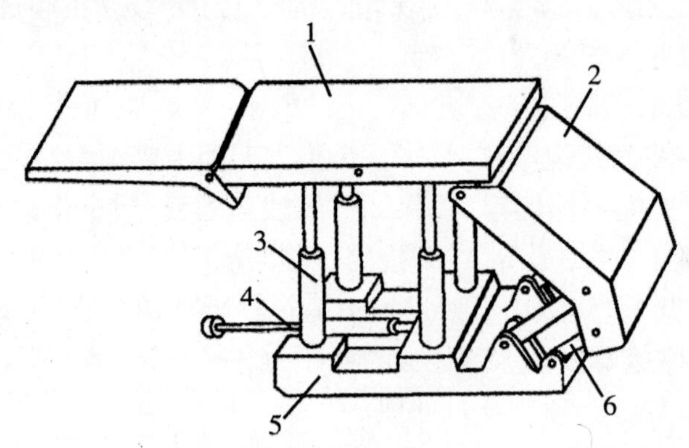

图10-2　支撑掩护支架

1——顶梁;2——掩护梁;3——立柱;4——推移千斤顶;5——底座;6——连杆

支撑掩护式支架的立柱均为两排,立柱可前倾或后倾,也可倒“8”字形布置和交叉布置。通常,两排支柱都直接支撑在顶梁上;个别情况下,也有后排支柱支撑在掩护梁上面,前排立柱支撑在顶梁上。

三、特种液压支架

特种液压支架是为了满足某些特殊要求而发展起来的液压支架,在结构形式上仍属于上述某种基本架型。

(一)端头支架

端头支架是工作面与上、下平巷连接处用的支护设备。该处顶板悬露面积大,矿山压力大,机械设备较多,又是人员安全进出和向工作面运送材料的通道。因此要求端头支架不仅能有效地支撑顶板,而且要能与端部的各种设备配套。

图10-3是我国研制的一种端头支架。它由主架和副架组成,主架在下,副架在上。4个推移千斤顶,一端与推移横梁4铰接,另一端分别与主、副架前底座6、7铰接。转载机设在主架底座上宽度为940mm的凹槽中,并用销轴与推移横梁4、连接板3连为一体。工作面输送机的机头又与转载机相连。4个推移千斤顶同时伸出时,通过推移横梁将转载机、输送机一起向前推移。移架时,副架支撑顶板,先移主架,随后主架升起支撑顶板再移副架。

ZT4410/18/34.5型端头支架的主要特点是能与各种国产的输送机、转载机和工作面支架配套使用。

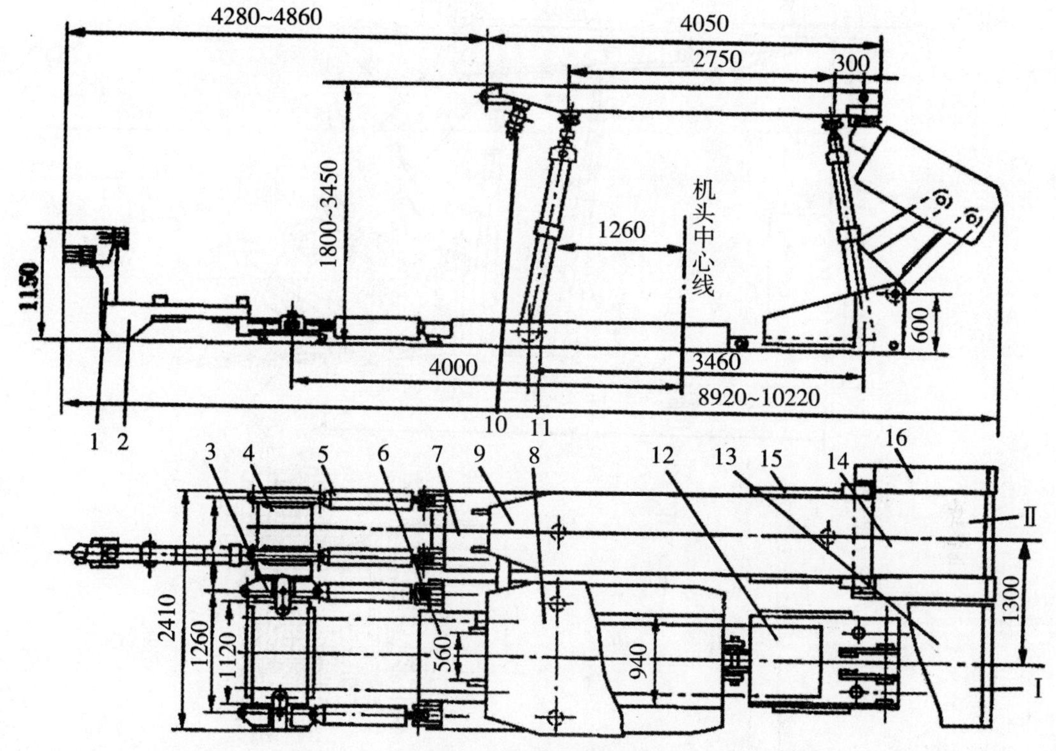

图10-3　ZT4410/18/34.5型端头支架

1——操作台；2——加长腿；3——连接板；4——推移横梁；5——推移千斤顶；6、7——主、副架前底座；8、9——主、副架顶梁；10——调架千斤顶；11——立柱；12、15——主、副架底座；13、14——主、副架掩护梁；16——侧护板

（二）铺网支架

铺网支架是特厚煤层采用分层开采时既能支护顶板又能自动铺网的液压支架。它是在一般掩护式支架或支撑支架的基础上增设铺网机而成的。

图10-4是铺网装置在支架的尾部（也是在前部的）铺网支架。架中网由活动网托15悬挂在后连杆上，并由底座后部可旋转的两组网滚17导向，移架时即从联网机下部自动展向采空区，铺设于底板上。架间网由固定在底座两侧上的挂网链16悬挂在两支架之间，经联网机下部的左、右托架与架中间搭接，移架时可自动展向采空区，铺于底板上，并由联网机在网的搭接区自动联网。架间网由于采用了柔性链条悬挂，故能随移架而做正常的扭斜，以补偿移架时产生的相邻两支架间的步距差，从而保证了铺网的顺利进行。

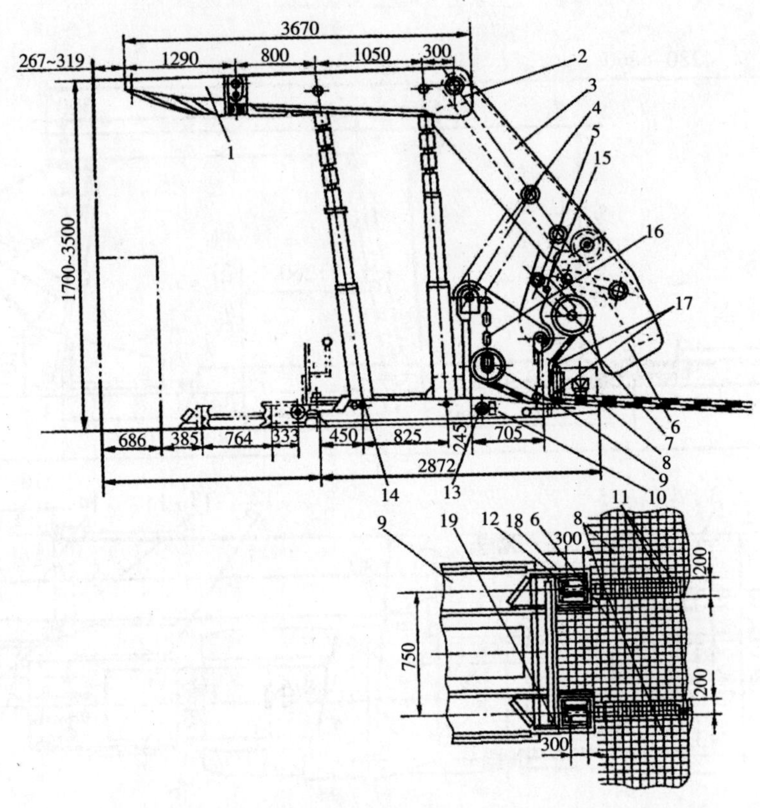

图10-4　ZZP400/17/35型铺联网支架

1——前梁及挑梁；2——顶梁；3——掩护梁；4、5——前、后连杆；6——尾梁；7——架中网；8——联网机；9——架间网；10——底座；11——联网卡；12——成型座；13——调架千斤顶；14——立柱；15——网托；16——挂网链；17——网滚；18——右托架；19——左托架

(三)三软支架

三软支架是指适用于三软煤层的支架。三软煤层是煤质软(易帮片)、顶板软(破碎不稳定)、底板软(易陷底)的煤层。

三软支架的主要特点和性能要求是：①一般选用掩护式架型，尽量减小梁端距、控顶距，减少重复支撑次数；②有可靠的护帮和护顶装置，一般采用伸缩梁、挑梁和护帮板，实现对顶板的超前及时支护；③采用带压移架或擦顶移架；④合理提高初撑力，防止顶板过早离层，增加顶板的稳定性；⑤采取措施，防止底座前端陷底；⑥增大底座接触面积，减小对底板的接触比压等。

图10-6所示为ZY1800/10/26型三软支架。该支架有行程为800mm的伸缩前梁1，可以立即支护暴露的顶板，同时伸缩梁上的护帮可以维护煤壁，还设有斜置提升底座的千斤顶(图中未画出)，以减小对底板的比压，防止陷底。

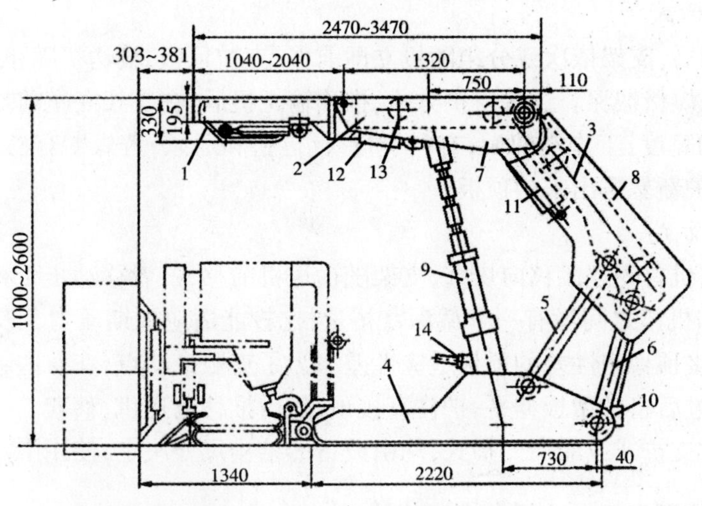

图10-5　ZY1800/10/26型支架

1——伸缩前梁；2——顶梁；3——掩护梁；4——底座；5、6——前、后连杆；7、8——顶梁、掩护梁千斤顶；9——立柱；10——推移千斤顶；11、12——平衡千斤顶；13——侧推千斤顶；14——操纵阀

第三节　综采液压支架的工作方式

一、自移式液压支架的支护方式

综采面割煤、移架、推移输送机三个主要工序，按照不同顺序有以下两种配合方式，即及时支护方式(图10-6)和滞后支护方式。

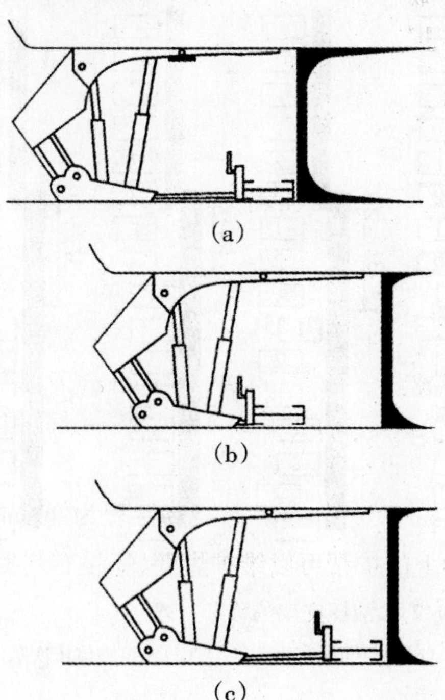

图10-6　及时支护方式

(a)割煤；(b)移架；(c)推移输送机

1.及时支护方式

采煤机割煤后，支架依次或分组随机立即前移、支护顶板，输送机随移架逐段移向煤壁，推移步距等于采煤机截深。这种支护方式，推移输送机后，在支架底座前端与输送机之间要富裕一个截深的宽度，工作空间大，有利于行人、运料和通风；若煤壁容易片帮时，可先于割煤进行移架，支护新暴露出来的顶板。

2.滞后支护方式

割煤后输送机首先逐段移向煤壁，支架随输送机前移，二者移动步距相同。这种配合方式在底座前端和机槽之间没有一个截深富裕量，比较能适应周期压力大及直接顶稳定性好的顶板，但对直接顶稳定性差的顶板适应性差。为了克服该缺点，在某些综采面支架装有护帮板，前滚筒割过后将护帮板伸平，护住直接顶，随后推移输送机，移架。

无论是及时支护式或滞后支护式，均由设备的结构尺寸决定，使用中不能随意改动。

二、自移式液压支架的移架方式

(一)移架方式

我国采用较多的移架方式有三种：①单架依次顺序式，又称单架连续式，见图10-7(a)，支架沿采煤机牵引方向依次前移，移动步距等于截深，支架移成一条直线，该方式操作简单，容易保证规格质量，能适应不稳定顶板，应用比较多；②分组间隔交错式，见图10-7(b)和(c)，该方式移架速度快，适用于顶板较稳定的高产综采面；③成组整体依次顺序式，见图10-7(d)和(e)，该方式按顺序每次移一组，每组二三架，一般由大流量电液阀成组控制，适用煤层地质条件好、采煤机快速牵引割煤的日产万吨综采面。我国采用较多的分段式移架属于依次顺序式。

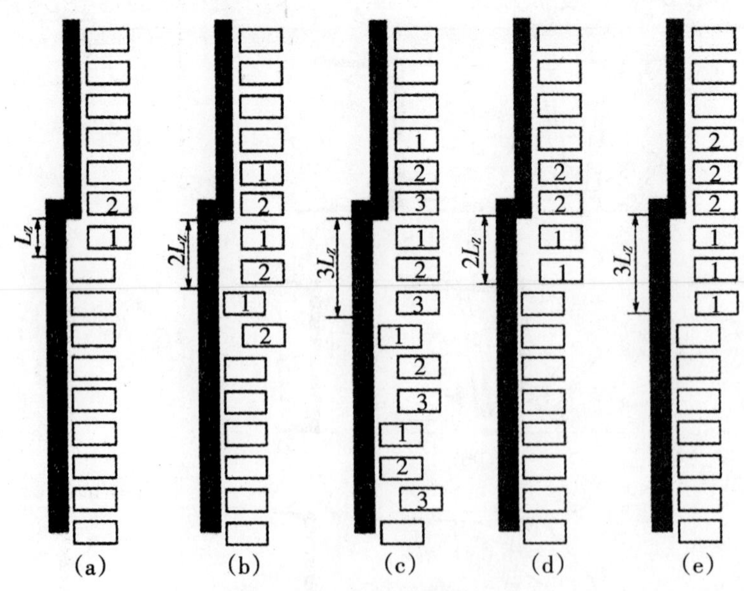

图10-7 液压支架的移架方式

(a)单架依次顺序式；(b)、(c)分组间隔交错式；(d)、(e)成组整体依次顺序式

三、液压支架的移架工作

1.移架前的准备工作

首先应清理底板上的浮煤或浮矸，以免它们影响支架前移和降低支架的实际工作阻力，避免发生顶板离层或顶板沿煤壁切断。其次应保持煤壁平整，不得有伞檐和底煤。否则，将阻碍支架和输送机前移。再次，若顶板局部发生冒落，应在处理好顶板后，再开始移架。

2.移架顺序

当煤层倾角不大时，可按自上而下或自下而上的顺序移架；在倾斜煤层中应自下而上移架，不然下方支架会因冒落矸石阻碍，造成移架困难。

3.移架时的操作要求

(1)移架时，一般前、后柱的升降应同时进行；顶梁上矸石较多时，降柱应先降后柱，升柱应先升前柱，以免顶梁上的矸石滚入工作面。

(2)一般当支架顶梁降至距顶板15～25cm时，即可开始移架。当顶板破碎时，还应使支架略带压力擦顶前移，以防止因移架而发生局部冒顶。

(3)移架时，必须保持支架间的中心距相等。否则，若未及时调整，则可能发生漏顶、支架顶梁相挤、卡架、液压软管拉断等事故。

(4)移架时，必须按照既定的移架方式移动。不可过多地同时移动支架，以免因液压不足而影响移架速度和支架的初撑力。

(5)移架步距应与截深相等，且要一次移够，以保证工程质量。

(6)移架时，支架的前探梁应保持与煤壁相距20cm，以防采煤机截割前探梁。

4.液压支架防倒防滑

防止支架失稳应采取以下措施：①始终自工作面下部向上移架，以防采空区滚动矸石冲击支架尾部。②为防止新移设支架处于出撑力阶段时，与顶底板的摩擦力小可能产生下滑，应采取间隔移架，并使支架保持适当迎山角，以抵抗顶板下沉时的水平位移量。③要严防输送机下滑牵动支架下滑。工作面下端头支架的稳定是稳定中间支架的关键因素之一，要采取特殊支护措施；确保端头支架的稳定是稳定中间支架的关键因素之一，要采取特殊支护措施，确保端头支架的稳定。

煤层倾角较大时，支架一般要增设防滑装置。防滑装置的形式较多，图3-18所示为其中的一种；在靠近上下平巷处分别设标准支架作为防滑锚固用，各支架用导轨—滑槽连在一起，互为导向和防滑，同时用防倒千斤顶将支架互相拉在一起，用于防倒和一旦倒架时扶架。一般支架为三架一组，互为导向。移架时不使用拉架—推移输送机千斤顶，而是先由左右两架将中间支架推出，待中间支架撑紧之后再移上架，最后移下架。支架组与组之间的移设顺序由上向下。其端头支架一般水平装设于上下平巷内，并有可靠锚固装置。

第四节 综采工作面采煤工艺特点

一、综采工作面设备的安装与拆修

综采面收尾时的拆迁和开始时的安装，是一项工作量很大的工作。综采面的拆迁和安装，应尽量做到时间短、省工时、省材料、费用低、不损坏设备、作业安全。

(一)综采面设备拆除

1.拆除期间的顶板控制

国内外综采设备拆除期间的顶板控制主要有三种方法：金属网加木板梁、金属网加钢丝绳、金属网加钢丝绳加锚杆，分别见图10-8中(a)、(b)、(c)所示。三种方法操作过程大致相同；在综采面距停采线10～15m时，随工作面的推进铺设双层金属顶网，直到停采线为止，并将金属网连成互相搭接0.3m的鱼鳞状。当顶板稳定性差时，要用锚杆将金属网锚固在顶板上，如图10-8(c)所示。在距停采线6～8m时，若用木板控顶，则沿工作面煤壁方向在金属网和支架顶梁之间铺设木板梁，其间距与截深相同，其长度为2倍支架宽度，并相互交错放

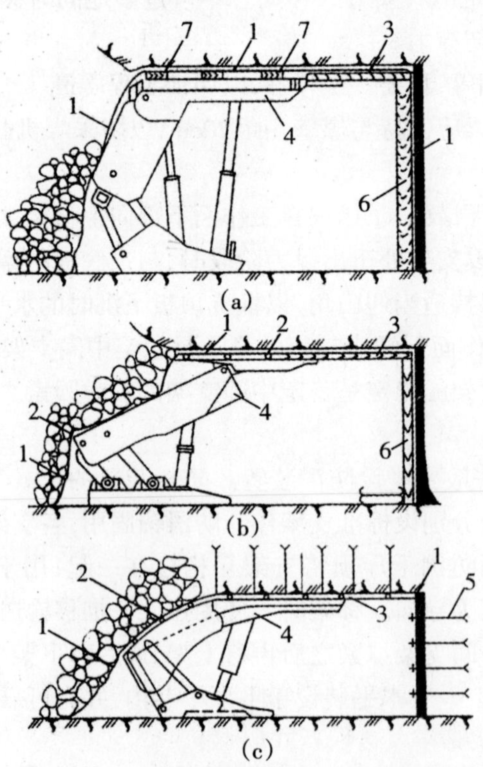

图10-8 综采面设备拆除期间的顶板控制

(a)金属网加木板；(b)金属网加钢丝绳；(c)金属网加钢丝绳加锚杆

1——金属网；2——钢丝绳；3——棚梁；4——自移支架；5——锚杆；6——贴帮柱；7——木板梁

置，如图10-8(a)所示；若用钢丝绳，则在支架前梁端双层网下沿煤壁方向铺设钢丝绳，沿工作面推进方向每割一刀煤铺一条，钢丝绳的两端固定在工作面两端的木板梁或锚杆上，若固定在木板梁上则应打好锚固柱，如图10-8(b)、(c)所示。在距煤壁停采位置3m时(以支架能转90°方向为原则)，不再移架，架设与工作面煤壁垂直的木棚子，并用单层网或用小板、竹笆之类材料背好煤壁，必要时用锚杆加固煤壁。在支架停止前移后，为了能继续割2～3刀煤，可将推移千斤顶加上一节加长段，以便继续前移输送机，至煤壁到达停采位置为止。

用木板控顶，放置木板梁时需降架，操作不方便，安全性差，并且采煤机要停止割煤，木材消耗量大，因此一般只用于顶板较稳定、支架尺寸小、重量轻的综采面；用钢丝绳管理顶板省材料，可利用废旧钢丝绳，劳动强度小，操作安全，煤产量降低较少，适用于顶板稳定性较差、吨位较大的重型综采设备工作面。当顶板稳定性差、拆迁时矿压显现强烈时，可辅以锚杆加固顶板和煤壁。

2.综采设备的拆除方法

综采设备的拆除顺序，一般是先拆输送机的机头和机尾，继之拆采煤机和输送机机槽。这些工作在支架掩护下进行，设备的尺寸和重量相对较小，拆除容易。

拆除支架时，首先应在回风巷与工作面交接出口处进行刷大和挑高，并牢固支护好，架设好提吊架，以便提吊拆除的设备装平板车外运，也可以在回风巷与工作面交接处挖掘装卸槽，这样设备无须提吊就可直接拖入平板车外运。若用提吊法装车，可用绞车—滑轮、电葫芦、悬挂液压千斤顶或液压支架自身提吊等多种方法。拆除支架时，一般是先将前探梁降下或拆除，然后用绞车拉支架向前移、调转90°方向，由回风巷绞车沿底板拖至出口处吊装上平板车外运。当底板较软时，亦可将输送机拆掉机头、机尾和挡煤板等侧边附件，在机槽上设置滑板、支架，在绞车拉力下前移上滑板、调向90°，然后连同滑板一起被绞车拉至出口处，装平板车外运。

支架的拆除顺序依据顶板和运输条件而定，多为后退式，即从工作面的运输巷端退向回风巷端(装平板车端)拆除，这样的拆除顺序有利于控顶；若机巷设有轨道，顶板条件好，可由回风巷端向运输巷端拆除，以加快拆除速度。在拆除过程中，可以依次顺序拆除，也可以间隔抽架，这取决于哪种方式对顶板管理有利并能加快速度。

拆除中要加强对零部件的管理，防止损坏和丢失零部件，严格按操作规程作业，对各种设备的零部件、油管、阀组等要仔细清点、记录、包装，防止粘上煤粉污染零部件，并将各种设备的零部件缚在其主机上一起外运，以便在新工作面重新安装使用。工作面拆除完毕，应尽量回收支护材料，降低工作面搬迁费用。

(二)综采工作面的安装

1.开切眼断面的扩大及支护形式

通常，为了减小开切眼的变形量和保证顶板的完整性，在设备安装之前开切眼是以小断面掘通的，因此设备安装时一般要重新扩大开切眼断面。如果顶板稳定、压力较小时，可一次先扩完，然后安装设备；反之，如果顶板破碎、压力较大时，可分段扩面，边扩面边安装，即将工作面分成30～50m的几段，扩完一段安装一段。但是这样做会降低安装速度和出现窝工现象。一般只用于顶板压力大、安装时间较长的重型综采设备工作面。开切眼支护视顶板情况可采用与工作面推进方向一致的棚子加铺顶网支护或采用锚杆加顶网支护。

2.综采设备的组装

依据井巷条件及设备尺寸的大小，综采设备可以采用在地面工业场地、井下巷道、工作面组装三种方式。地面组装效率高、质量好，组装后还可以进行整套设备的联合试运转，以确保井下安装完成后设备能正常运转，并可按照井下安装顺序在地面将设备排列好，能提高井下安装的速度和效率。老矿井巷道系统复杂、断面小，运输系统不能满足整体运输综采设备的要求，只好将设备解体后下井，在工作面与回风平巷交接处设临时组装硐室，将设备组装好后再运入工作面安装。

3.综采设备运进工作面的方法

可用绞车将设备拖入工作面，即在工作面的两端头出口处各设置一台小绞车，首先用绞车将支架沿底板拖至安装地点，再用两台绞车转向、对位和调正。该方法简单易行，国内多用。若底板松软时，则应铺设轨道，在轨道上设置导向滑板，支架稳放在滑板上用绞车拖运，进入工作面后再入位，其布置如图10-9所示。也可以用工作面输送机将支架运入工作面，

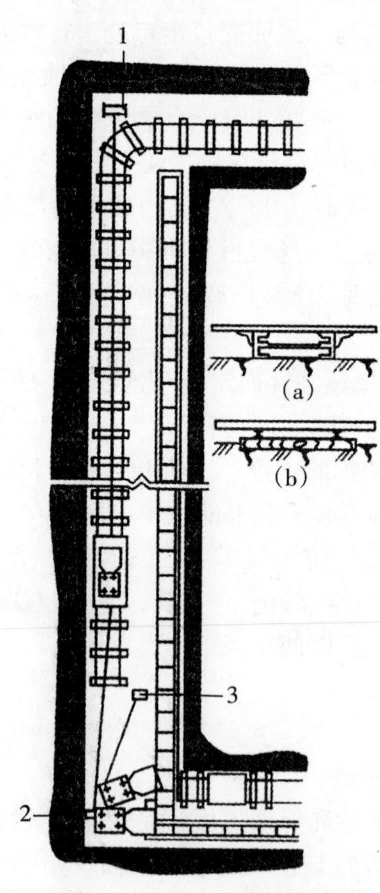

图10-9　用绞车拖运支架

(a)输送机滑板；(b)轨道滑板

1,2,3——小绞车

做法是先安装输送机，但不安装采空侧的附件和机尾传动装置，在机槽上设滑板，把支架放置于滑板上，由刮板链带动滑板至工作面安装处对位调正。这种方法所需设备少，导向可靠，转向容易，安装速度快。我国某些矿区采用单轨吊车将综采设备运入工作面。开切眼扩大断面后，将轨道用锚杆固定在顶板上，也可把轨道架在棚梁上，安装单轨吊车。该方法速度快、效率高，但装设顶板轨道比较麻烦，国外使用较多。

4.综采面的安装顺序

综采工作面设备安装顺序可分为前进式和后退式两种。前进式安装，是指支架的安装顺序与运送方向一致，支架的运输路线始终在已安装好支架的掩护下，支架运进时要架尾朝前，便于调向入位。前进式安装可采用分段扩面铺轨道、分段安装的方式，也可采用边扩面、边铺轨、边安装的方式，如图10–10(a)所示。后退式安装，是指开切眼一次扩好，并铺好轨道，或直接在底板拖运，然后由里往外倒退式安装支架，支架安装完毕再铺设工作面输送机，最后安装采煤机，如图10–10(b)所示。该方式适用于顶板条件好、安装时间短的轻型支架。无论是前进式还是后退式安装都应当注意：首先根据转载机与胶带输送机的中心线位置确定出工作面输送机机头位置；根据机头位置确定排头支架的中心位置，进而预先测量出每架支架的精确中心点，保证支架定位准确，便于支架与输送机机槽准确连接；支架入位后要立即装好前探梁和各阀组、管路与乳化液泵站接通，升柱支护顶板。

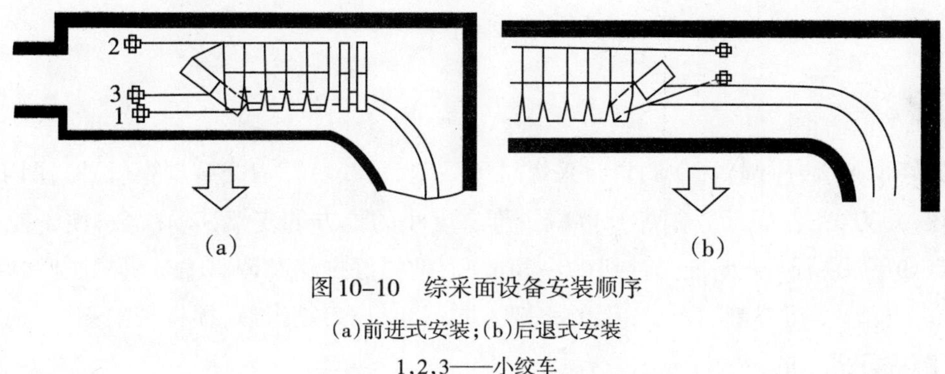

图10–10　综采面设备安装顺序

(a)前进式安装；(b)后退式安装

1,2,3——小绞车

二、综采工作面的调斜和旋转工艺

综采工作面的调斜和旋转是为了适应地质条件的变化，或为了采出边角煤，有时是由于工作面的推进方向相反，为了减少搬家次数等需要调转工作面的推进方向。综采工作面的调斜实质是其小角度的旋转。若能熟练地掌握调斜，就为工作面大角度的旋转奠定了技术基础。其工艺过程如下：

1.确定调斜方案

首先，确定调斜的作业地点。一般应选在煤层赋存稳定、地质构造少而小、无采动影响的区域,以确定调斜作业期间的顶板管理工作。其次,选择旋转中心,一般以输送机头部为旋转中心,这样便于运输。若必须以输送机尾端部为旋转中心的话,则须采取措施,以保证运输畅通。

2.调斜作业期间的顶板管理

在调斜作业期间,若以机头或机尾为旋转中心,则该中心处的支架仅发生旋转,却不出现推进位移。这势必使该中心处的支架反复支撑顶板,这样容易破坏顶板的完整性,致使顶板管理困难;同时还会出现输送机和支架下滑、上窜、挤架、散架等问题。为了避免上述问题,在实际工作中大多采取将旋转中心外移的方法来调斜,如图10–11所示,以保证工作面各处都有推进度。这样调斜作业期间的顶板管理工作与正常推进时基本相同。

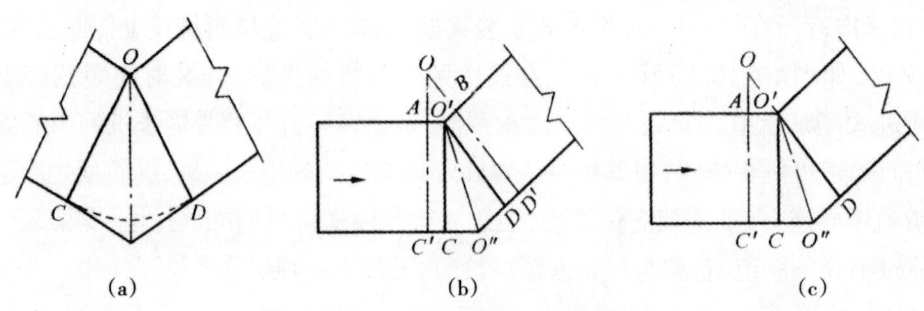

图10–11 综采工作面调斜时旋转中心

(a)实际将旋转中心;(b)、(c)虚旋转中心

3.调斜工艺

为了管好顶板、快速调斜,在调斜时采煤机须采用“长”、“短”刀交替割煤(长刀,即工作面全长割煤;短刀,工作面部分割煤),以减少推进度小的地方的支架移动次数,便于控顶。其工艺要点如下:①割煤方向应与移机顺序相适应,把握好推移和调直输送机的顺序,以防输送机上窜、下滑;②短刀割煤后,支架的移架方向不变;长刀割煤后,须将支架和输送机移成直线;③解决好机巷的运输问题。

通常把调斜角度大于45°的调斜称为旋转,因此综采工作面旋转的技术工艺与调斜的技术工艺相同。综采工作面旋转的目的是为了增加推进度,减少工作面的搬家次数,但综采工作面在旋转期间占用时间长、产量低、效益差,因此要和其他方案进行比较后才可选用,并且对旋转区域的地质条件、综采工作面的设备性能以及人员操作的熟练程度和组织管理水平等均有较高的要求。

三、大采高综采的工艺特点

大采高一次采全厚综合机械化采煤法,是近几年伴随着大采高液压支架,大功率采煤机和强力刮板输送机的出现而产生的一种新工艺。适应了我国很多矿区厚度在3.5～6m之间的主采煤层。这类煤层若采用分层综采，则采高较小，影响经济效益。若采用综采放顶煤，而煤层又较薄时，不太适宜。我国从20世纪80年代开始，在引进国外设备的基础上研制出适应我国煤矿地质条件的一系列产品，并进行了工业性试验和实际生产，取得了一定的经验。到目前为止，大采高一次采全厚采煤法已在我国许多矿区得到了应用，取得了可喜的成绩。

综合各矿区大采高综采的实际情况，它有如下特点：必须增大工作面的设计长度、采煤机的截深、提高原煤回采率、采煤机的割煤速度，工作面设计长度一般在200以上，采煤机截深0.8米以上。相应的应与高强度的液压支架、大功率的刮板输送机、转载机、破碎机、胶带输送机相匹配。大采高工作面采煤机、液压支架、输送机之间在性能参数、结构参数、空间尺寸及相互联接等方面，有着严格的配套要求，以保证大采高工作面的最大生产能力和安全生产的要求。

大采高综采工作面采煤工艺过程与一般综采基本相同，但由于设备高度大，煤壁易片帮，管理难度大，采煤方法多用走向或俯斜长壁，其采煤工艺与一般综采相比有以下特点：

（一）由于支架的支撑高度大，支架各部件的连接销轴与孔之间存在轴向和径向间隙，即使在水平煤层的工作条件下，支架也会产生歪斜、扭转甚至倒架。经计算和实际测量，当支架高度为4.5m、水平放置时，立柱横向偏斜角可达3.4°，顶梁横向偏移距离为300～400mm；当支架向前或后倾斜±1°时，梁端距变化±70mm；若采煤机向煤壁侧倾斜6°，端面距将增加到800mm，容易发生冒顶事故；若采煤机向采空侧倾斜6°，滚筒就要割支架顶梁。而如果煤层有倾角以及底板不平，支架更容易歪斜、倾倒，从而导致顶梁互相挤压，支架难前移，或顶梁间距过大而发生漏矸现象。为防止以上现象发生，除设备结构上进一步完善外，在采煤工艺上也应采取以下相应措施：

①支架工作状态是否正常，主要是由采煤机司机操作割煤质量决定的，因此应加强采煤机司机的训练和检查指导，将底板割平。

②把煤壁采直，并防止输送机下滑，使支架垂直煤壁前移，架间保持平衡，防止邻架间前梁和尾端相互推挤，并严格控制支架高度和采高，使之不超高。

③移架时，顶梁不脱离顶板，但又要防止过分带压移架，以防碎矸冒落和支架后倾；发现小的歪斜时，立即调整，以防进一步恶化。

④工作面出现断层等地质构造时，也要制定相应技术措施，保证工作面的工程质量。

（二）大采高综采面容易出现煤壁大面积片帮，片帮后端面距加大，顶板失去煤壁支撑，常常造成冒顶事故。大面积、大深度片帮也是周期来压的显现。大采高综采面片帮程度是不同的，有的基本不片帮；有的虽片帮，但靠支架的护帮板和伸缩梁就可以解决问题；也有的片帮严重，特别是周期来压时，靠支架自身机构护不住煤帮，须采取下列特殊措施：

①改变工作面推进方向。由于煤层节理面方向的原因,有的综采面在同一煤层中采煤,推进方向不同时,片帮程度不同,月产量可相差30%以上。

②用木锚杆或薄壁钢管锚杆加固煤帮,煤帮上锚杆布置的密度、深度依据煤层特点和片帮严重程度而定。

③用聚氨酯或其他化学树脂固结煤壁,增加煤体强度。目前,主要使用的方法有药包法和注入法两种:

药包法,是用两种体积成一定比例的液体树脂成分,分别装在互相套在一起的塑料袋中,药卷外径43mm、长300mm、重500g。施工时,将药卷装入直径为50mm的钻孔中,每米钻孔长度装1.5~2个药卷,然后用锚杆将药卷弄破,使两种液体树脂混合,用木塞将孔口封住。两种树脂混合后,迅速产生化学反应并发泡,充满钻孔,不仅将锚杆与煤体固结在一起,而且可将周围煤岩的层理、裂隙粘固。该法也可以用于巷道掘进中加固围岩。

注入法,所用设备主要是两台齿轮泵,分别吸入两种树脂浆液(一般是多异氰酸酯及多元醇聚醚),通过三通接头注入注浆管混合器中混合,然后经封孔器进入孔中。可将泵站放在工作面,也可放在平巷内利用长距离高压软管输入。

(三)大采高综采工作面端头管理困难,因此运输及回风巷最好沿底留顶掘进,这样有利于端头管理。但有些厚煤层顶煤留不住,因此常常采用沿顶留底的方法掘进平巷,在工作面端部留下较厚的底煤,给端头管理造成困难。为了有利于端头管理,应按下述原则留设底煤;自工作面中底板过渡到端部底煤高度应有一段缓和的曲面,如图10–24所示,使支架和输送机槽都能适应,否则会发生倒架、挤架、损坏输送机等事故;在工作面端部输送机机头位置,沿煤壁方向应有一段3~4m长的水平底面,以便于输送机头的锚固和排头支架的稳定,同时,加强工作面端头支护和超前支护,具体方法是:①上、下端头的巷道末端采用丛柱切顶、挡矸;②排头、排尾各三架支架,可用伸缩梁或护帮板作临时支护,其移架落后于中间支架一个步距,待移机头、机尾后再移架,使工作面梁端保持一致;③上、下顺槽采用单体液压支柱配铰接顶梁超前支护20m,平行巷道架设,一般回风巷两排,运输平巷三排,均为一梁三柱。

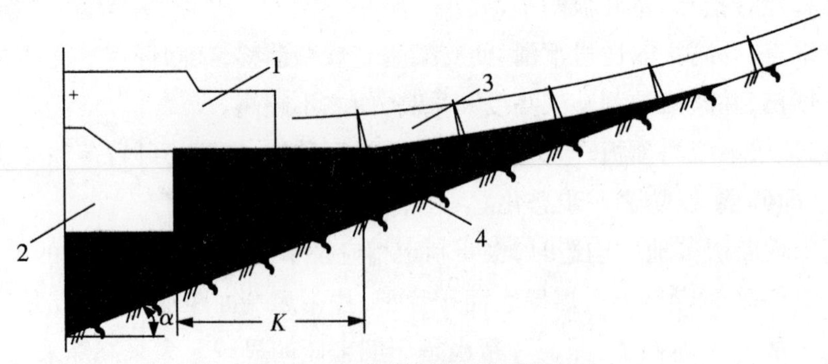

图10–24 采面端部底煤留设方法

1——输送机头;2——运输平巷;3——机槽;4——底煤

(四)初采高度较小,一般为3.5m。在工作面推进到初次直接顶垮落后,逐渐沿走向将采高调整到全高。沿倾斜方向则在直接顶初次垮落之前,先将工作面两端7.5m范围内的采高由巷道高度渐增至3.5m。在直接顶初次垮落后,在工作面15~20m范围内,将采高渐增至正常采高。严格控制采高,尽量做到不留顶煤,使支架直接支撑于顶板。实践证明,当大采高工作面留有顶煤时,往往会由于顶煤的松动和冒落,使支架空顶,从而因支架顶部约束力减少而引起支架失稳倾倒。因此,当顶板出现冒顶时,应及时在支架顶部用木料接顶,背严刹紧,以有效地控制顶板。

四、大倾角机采面的工艺特点

在干燥条件下,金属对金属的摩擦系数为0.23～0.30,其相应的摩擦角为13°～17°;在潮湿条件下,摩擦因素要降低,因此,以输送机为导向和支承的采煤机,在煤层倾角大于12°时必须设防滑装置。

煤层底板对金属的摩擦因素一般为0.35～0.40,相对应的摩擦角为18°～20°。由于工作面常有淋水以及降尘洒水,可使摩擦因数进一步降低,致使煤层倾角在12°时就有可能由于输送机和支架的自重引起下滑。

综上所述,12°以下煤层是机采的最有利条件,设备不会因自重而下滑。生产中出现的倒架、歪架以及输送机上下窜动等问题,可以通过工艺措施加以解决;当煤层倾角大于12°时,工作面设备一般应加防滑装置,并采取相应的工艺措施。

(一)防止输送机下滑

输送机下滑,是机采面最常见的、影响生产的严重问题。输送机下滑往往牵动支架下滑,损坏拉架移输送机千斤顶,输送机机头与转载机机尾不能正常搭接,煤滞留于工作面端头,导致工作面条件恶化。输送机下滑主要有下列原因:①重力原因引起下滑,当煤层倾角达到12°～18°时,就有可能因自重而下滑;②推移不当、次数过多地从工作面某端开始推移;③输送机机头与转载机机尾搭接不当,导致输送机底链返向带煤,或者底板没割平或移输送机时过多浮煤及硬矸进入底槽,导致底链与底板摩擦阻力过大,均能引起输送机下窜。多数情况则是这几种因素综合作用的结果。根据现场观测,煤层倾角5°～8°时也有下滑现象。

防止输送机下滑应采取以下措施:①防止煤、矸等进入底槽,以减小底链运行阻力。②工作面适当伪斜,伪斜角随煤层倾角的增加而增加。当煤层倾角为8°～10°时,工作面与平巷成92°～93°角,即当工作面长150m时,下平巷比上平巷超前5～8m左右为宜。调整合适时,输送机推移的上移量和下滑量相抵消。一般伪斜角不宜过大,否则会造成输送机上窜和煤壁片帮加剧。③严格把握移输送机顺序。下滑严重时可采取双向割煤、单向移输送机,或单向割煤、从工作面下端开始移输送机。④用单体液压支柱顶住机头(尾),推移时,将先移完的机头(尾)锚固后,用单体支柱斜支在底座下侧,然后再继续推移。⑤在移输送机时,不能同时松开机头和机尾的锚固装置,移完后应立即锚固,必要时在机头(尾)架底梁上用单体液压支柱加强锚固。⑥煤层倾角大于18°时,安装防滑千斤顶。防滑千斤顶的安装形式多样,图10-25所示便是其中一种。每隔6m装设于支架底座一个拉拽锚固千斤顶锚固机槽。推移输送机时,千斤顶处于拉紧状态,但推移千斤顶推力大,仍能使输送机前移但不下滑,移架时防滑千斤顶松开,移架后仍处于拉紧状态。安装专门防滑千斤顶,会增加操作工序、降低移架速度,应尽量不用。

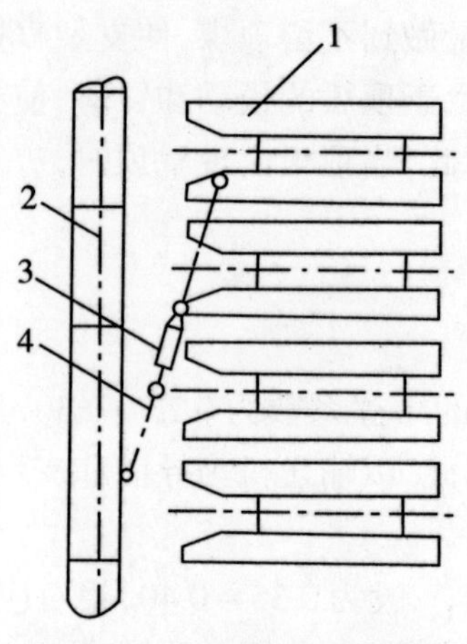

图 10-25　输送机防滑装置

1——底座；2——输送机；
3——防滑千斤顶；4——链条

(二)液压支架防倒防滑

煤层倾角较大时，液压支架的稳定性问题通常表现为以下几种情况：①由于煤层倾角较大，支架重力沿煤层倾向的分力大于支架底座和底板间的摩擦力，便可产生侧向移动，如图 10-26 所示。②随煤层倾角增大，支架重力的作用线超出支架底座宽度边缘时便会倾倒。此外，煤层倾角较大时，顶板移动方向偏离煤层顶底板的法线方向，也会使支架倾倒。③支架前后端下滑特性不同以及垮落矸石沿底板的下冲作用，也会使支架在煤层平面内移动。④支架顶底所受力的合力偏心，产生力矩而使支架倾倒。

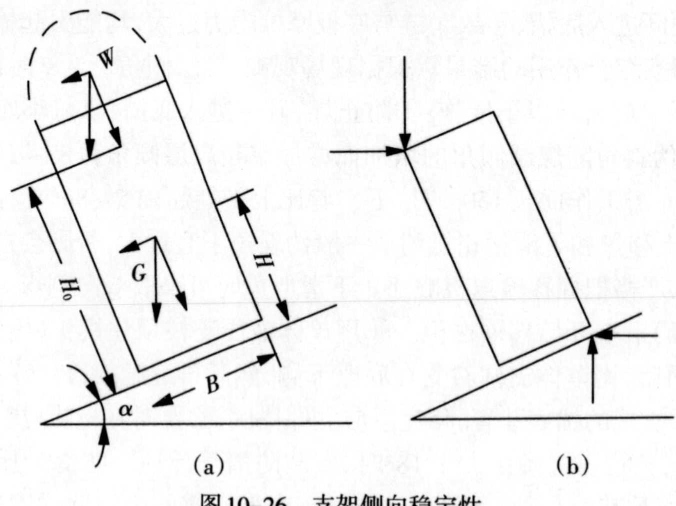

图 10-26　支架侧向稳定性

(a)支架侧向倾倒；(b)支架偏心受载

防止支架失稳应采取以下措施：①始终自工作面下部向上移架，以防采空区滚动矸石冲击支架尾部。②为防止新移设支架处于初撑力阶段与顶底板的摩擦力小可能产生下滑，应采取间隔移架，并使支架保持适当迎山角，以抵消顶板下沉时的水平位移量。③要严防输送机下滑牵动支架下滑。工作面下端头排头支架的稳定是稳定中间支架的关键因素之一，要采取特殊支护措施，确保排头支架的稳定。

煤层倾角较大时（>15°），支架一般要增设防滑装置。防滑装置的形式较多，图10–27所示为其中的一种。在靠近上下平巷处分别设标准支架作为防滑和锚固用，各支架用导轨—滑槽连在一起，互为导向和防滑，同时用防倒千斤顶将支架互相拉在一起，用于防倒和一旦倒架时扶架。一般支架为三架一组，互相导向。移架时不使用拉架—推移输送机千斤顶，而是先由左右两架将中间支架推出，待中间支架撑紧之后再移上架，最后移下架。支架组与组之间的移设顺序由下向上。其端头支架一般水平装设于上下平巷内，并有可靠锚固装置。

（三）采煤机防滑

《煤矿安全规程》规定，煤层倾角大于15°时，链牵引采煤机必须设置安全绞车，除防止断链和下滑外，还可为采煤机上行割煤时提供缠绕力，增加割煤的牵引力。无链牵引采煤机装备有可靠的制动器，可用于40°～54°以上煤层而无须其他防滑装置。当煤层倾角较小时，虽不会出现由自重而引起的下滑现象，但可能出现大块煤矸或物料在输送机刮板链带动下推动采煤机下滑的情况，因此新型采煤机牵引部都具有下滑闭锁性能。

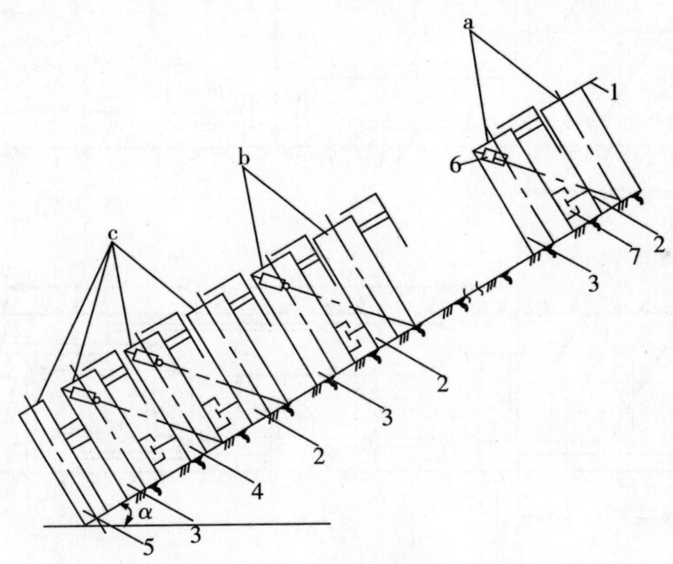

图10–27　大倾角支架防倒防滑装置

(a)上平巷处一组防倒防滑千斤顶；(b)、(c)下平巷处两组锚固支架

1——侧顶梁；2——高基准架；3——低基准架；4——中间支架；5——二柱支架；6——防倒千斤顶；7——导向装置

五、薄煤层机采工艺的特点

我国国有重点煤矿薄煤层可采储量所占比重为18.88%，其产量比重只占6.73%（1996年），而薄煤层的机采产量比重更低，因此要特别重视薄煤层机采。

（一）薄煤层滚筒采煤机采煤的特点

薄煤层工作面采高低，要求采煤机的机身应当矮一些，要有足够的功率，通常功率不应低于100～200kW；机身应尽可能短，以适应煤层的波状起伏；要有足够的过煤和过机空间高度；尽可能实现工作面不用人工切口进刀；有较强破岩过地质构造能力；结构简单、可靠，便于维护和安装。根据这些要求，薄煤层采煤机分为骑输送机式和爬底板式两类，如图10–28所示。骑输送机式采煤机由输送机机槽支承和导向，如图10–28(a)所示，只能用于开采厚度大于0.8～0.9m煤层，因为当电动机功率为100kW时，其高度h=350mm，过煤空间高度$E \geqslant 160 \sim 200$mm，过机空间富裕高度为$Y \geqslant 90 \sim 200$mm，输送机中部槽高度为180～200mm，因此最小高度为0.8m。爬底板式采煤机机身位于滚筒开出的机道内[图10–28(b)]，机面高度低，当采高相同时与骑输送机式相比过煤空间高，电机功率可以增大，具有较大生产能力，并且工作面过风断面大、工作安全，可用于开采0.6～0.8m的薄煤层。但是，爬底板式采煤机装煤效果差，结构较复杂，在输送机导向管及铲煤板上均有支承点和导向点，采煤机在煤壁侧也要设支承点。

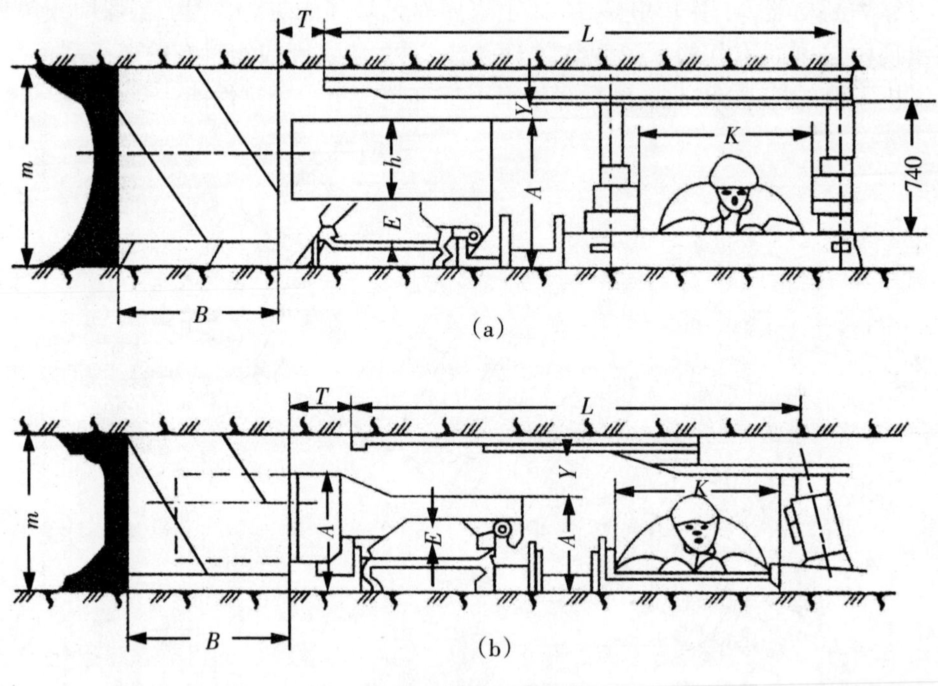

图10–28　薄煤层采煤机

(a)骑输送机式；(b)爬底板式

薄煤层采煤机的滚筒转向是正向对滚的，即左滚筒用右螺旋叶片，并顺时针旋转；右滚筒则相反(图10–29)，防止摇臂挡煤，以提高装煤效果。爬底板式采煤机前滚筒割底煤，以便于机身通过；后滚筒割顶煤，因煤量少，可用输送机铲煤板装煤。

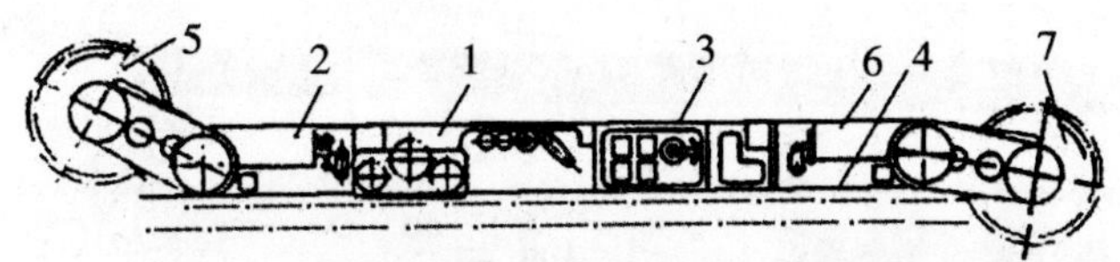

图10-29　BM-100型薄煤层采煤机

1——牵引部；2，6——左、右截割部；3——电动机；4——底托架；5，7——左、右滚筒

薄煤层工作面矿压显现相对缓和，故支架工作阻力和初撑力相对较低；支架在最低状态时，必须保证顶梁下面有高400mm、宽600mm的人行道，如图10-29所示；支架调高范围大，伸缩比要达到2.5～3.0；顶梁和底座的厚度小，但应有足够强度，且底座一般为分体式结构，便于排矸；为减小控顶距，一般为滞后支护式；通常为单向或双向邻架控制，以保证安全和减小劳动强度。

薄煤层机采面一般使用轻型、边双链、矮机身可弯曲刮板输送机。

无论是骑输送机式还是爬底板式采煤机，均要保持机采面“三股道”控顶距，即人行道、输送机道和割煤道，以最大限度地缩小控顶距。

（二）刨煤机采煤工艺的特点

刨煤机采煤是利用带刨刀的煤刨沿工作面往复落煤和装煤，煤刨靠工作面输送机导向。如图10-30所示，刨煤机结构简单可靠，便于维修；截深小（一般为5～10cm），只刨落煤壁压酥区表层，故刨落单位煤量能耗少；刨落煤的块度大，煤粉及煤尘量少，劳动条件好；司机不必跟机作业，可在平巷内操作，移架和移输送机工人的工作位置相对固定，劳动强度小。因此，刨煤机对于开采薄煤层是一种有效的落煤和装煤机械。

刨煤机类型很多，目前国内外使用的主要是静力刨，即刨刀靠锚链拉力对煤体施以静压力破煤。静力刨按其结构特点主要分为三类：

（1）拖钩刨［图10-31（a）、（b）］，煤刨1与掌板3连在一起，以保持刨煤时的稳定性。掌板压在输送机机槽下方，由牵引链2带动往复运行落煤和装煤。煤刨通过后，靠千斤顶4将输送机推进一个刨深h。

拖钩刨的刨体宽度c大于刨深h，因而煤刨经过处输送机机槽被推向采空侧一个宽度c，煤刨过后机槽在千斤顶作用下又重新移向煤壁。另外，煤刨经过处机槽被掌板抬起，煤刨过后又落下。机槽的后让和上下游动，使整个刨煤机产生很大的摩擦阻力，落煤和装煤功率仅占其总功率的30%左右，机槽、掌板也极易磨损。

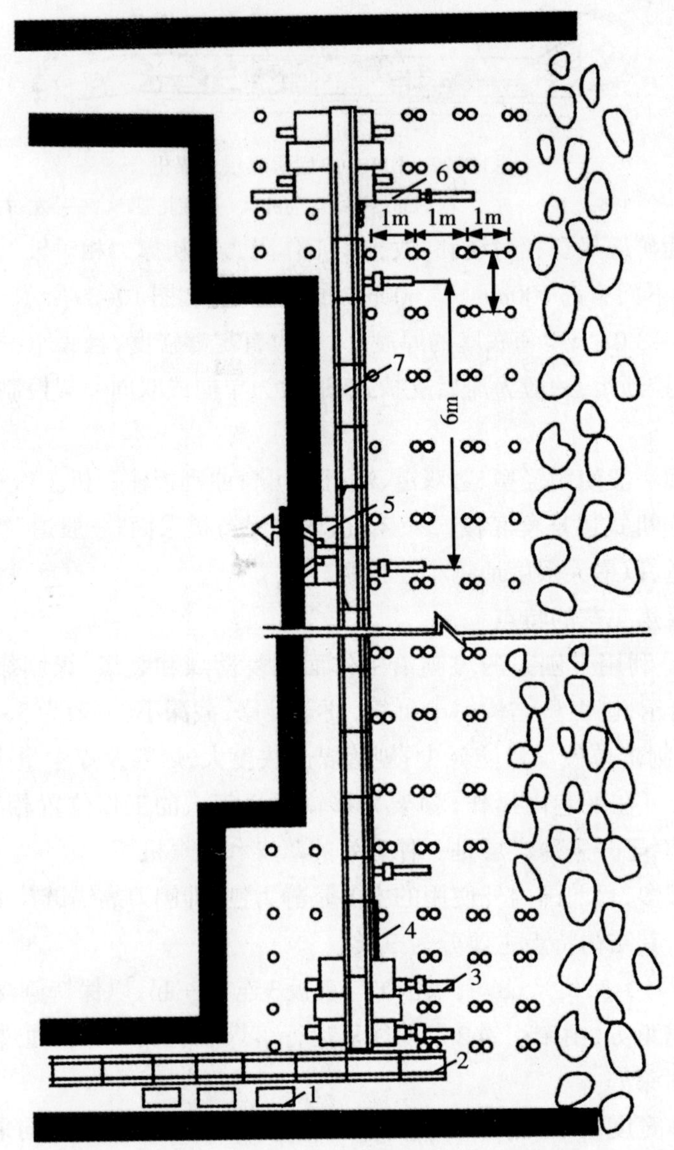

图10-30　刨煤机普采工作面布置

1——电控设备；2——平巷输送机；3——千斤顶；4——刨链；5——煤刨；6——防滑梁；7——工作面输送机

(2)滑行刨[图10-31(c)、(d)]，是为克服拖钩刨的缺点而发展起来的。其特点是取消了掌板，用滑架5来支承煤刨并导向，机槽不再后让和上下游动，运行阻力大为减小，机械效率提高了。滑行刨的主要缺点是结构较为复杂，机道须加宽，稳定性不如拖钩刨。

(3)拖钩—滑行刨[图10-31(e)]的结构特点与拖钩刨相似，煤刨由掌板支承，稳定性好。为了减小摩擦阻力，在输送机机槽下面装有与每节机槽长度相同的滑板，使掌板在滑板上滑动，可降低能耗，扩大使用范围。

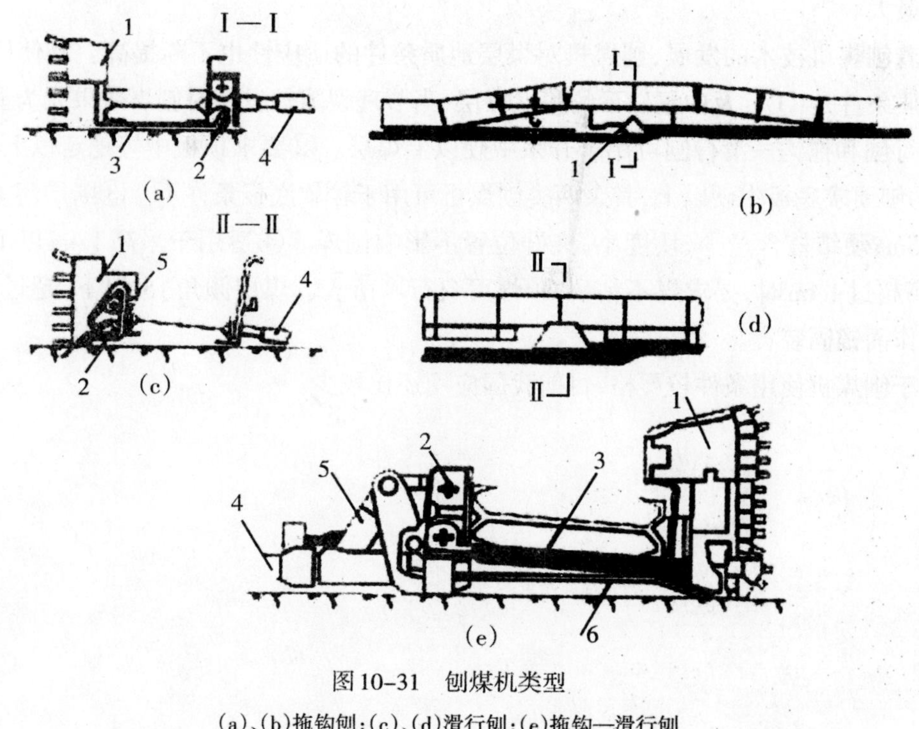

图 10-31　刨煤机类型

(a)、(b)拖钩刨;(c)、(d)滑行刨;(e)拖钩—滑行刨

1——煤刨;2——牵引链;3——掌板;4——千斤顶;5——滑架;6——滑板

刨煤机可用于普采工作面,也可以用于综采工作面,其工作面的布置方式和滚筒采煤机工作面基本相同。

刨煤机的生产能力,取决于煤刨的刨煤能力和刨煤方法。煤刨的刨煤能力可用下式表示:

$$Q_b=3600MV_bh\gamma CK$$

式中　Q_b——煤刨的刨煤能力,t/h;

V_b——煤刨的刨速,m/s;

h——煤刨的刨深,M·h 值与煤体抗压强度σy > 20Mpa 时,取 h=0.04 ~ 0.06m;

σy < 20Mpa 时,取 h=0.05 ~ 0.15m;

K——刨煤机的日开机率。

刨煤机的刨煤方法是指煤刨的运行速度和输送机刮板链的链速之间的相对关系。按照煤刨和刮板链的速度关系,目前有三种刨煤法:

(1)普通刨煤法,即煤刨的速度 V_b 小于输送机的链速 V_1,两者速度不变。该刨煤法在煤刨下行时,需要较大的装载截面,输送机能力相同时煤刨生产能力最低。

(2)组合刨煤法,链速不变,煤刨上行速度大于或等于链速,下行时小于链速。这种刨煤方法输送机装载量较均衡,其他条件相同时煤刨生产能力较大。

(3)超速刨煤法,煤刨速度大于链速,两者保持不变。该刨煤法适合于高速刨煤机,其生产能力最大。

随着刨煤机技术的发展，刨煤机对煤层地质条件的适应性也不断提高。其使用效果较好的地质条件是：①软及中硬以下的脆性煤层，当节理裂隙较发育时刨煤效果尤为显著。大功率滑行刨和拖钩—滑行刨可用于开采中硬以上煤层。②要求顶板中等稳定以上，底板平整，拖钩刨要求底板中硬以上，其余两类刨煤机可用于较软底板条件下。③断层落差要小于0.3～0.5m；硬结核含量少、块度小，夹矸位置不影响刨煤。④适用于采高1.4m以下的薄煤层，采高超过1.4m时，要求煤不粘顶，顶煤可自行垮落。⑤煤层倾角15°以下，超过15°时要设全工作面锚固装置。

由于刨煤机使用条件较严格，目前我国应用还比较少。

第二部分　专业核心知识点

1. 掌握综采工作面设备配套关系。
2. 了解自移式液压支架的工作原理、方式及选型。
3. 熟悉综采工作面采煤工艺特点。

第三部分　专业技能训练

技能一　液压支架工技能训练

一、操作准备

1. 备齐扳手、钳子、螺丝刀、套管、小捶等工具及U形销、高低压管、结头、密封圈等备品配件。

2. 检查支架有无歪斜、倒架、咬架，支架前端、架间有无冒顶、片帮的危险，顶梁与顶板接触是否严密，架间距离是否符合规定，支架是否成一直线或甩头摆尾，顶梁与掩护梁工作状态是否正常等。

3. 检查结构件。检查顶梁、掩护梁、侧护板、千斤顶、立柱、推移杆、底坐箱等是否开焊、断裂、变形，有无联结脱落，螺钉是否松动、压卡、扭歪等。

4. 检查液压件。检查高低压胶管有无损伤、挤压、扭曲、拉紧、破皮断裂，阀组有无滴漏；操作手柄是否齐全、灵活可靠、置于中间停止位置，管接头有无断裂，是否缺U形销子；千斤顶与支架、刮板输送机的联接是否牢固（严禁软联结）。

5. 检查电缆槽（挡煤板）有无变形，槽内的电缆、水管、照明线、通讯线敷设是否良好；挡煤板、铲煤板的联接是否牢固，溜槽口是否平整，采煤机能否顺利通过；照明灯、信号闭锁、洒水喷雾装置等是否齐全、灵活可靠。

6. 检查铺网工作面，网铺的质量是否影响移架，联网铁丝接头能否伤人。坡度较大的工作面，端头过渡支架及刮板输送机防滑锚固装置是否符合质量要求。

7. 放顶煤工作面还应检查后部输送机是否拉移到位。

8. 对存在的问题，应及时处理。支架有可能歪架、倒架、咬架而影响对顶板控制的，应准备必要的调架千斤顶、短节锚链或单体支柱等，以备下一步移架时调整校正。

二、正常移架操作顺序

1. 上下各1组支架的推溜阀片扳到推溜位置。

2. 收回伸缩梁、护帮板、侧护板。

3. 操作前探梁回转千斤顶，使前探梁降低，躲开前面的障碍物。

4. 降柱使顶梁略离顶板。

5. 当支架可移动时立即停止降柱，使支架移够规定步距。

6. 调整支架状态，使推移千斤顶与刮板输送机保持垂直，调整侧护板，使支架不歪斜，中心线符合规定，全工作面支架排成直线。

7. 升柱同时调整平衡千斤顶，保持顶梁与顶板严密接触。接顶后继续供液约3～5s，使支架达到规定初撑力。

8. 伸出伸缩梁使护帮板顶住煤壁。

9. 将各操作手柄扳回“零”位。

三、过断层、老巷、顶板破碎带及压力大时的移架操作顺序

1. 按照安全技术措施进行及时支护或超前支护，尽量使顶板缩短暴露时间、缩小暴露面积。

2. 一般应采用“带压擦顶移架”，即同时打开降柱及移架手柄，及时调整降柱手柄，使破碎矸石滑向采空区，移架达到规定步距后立即升柱。

3. 过断层时，必须按作业规程规定严格控制采高，防止压死支架。

4. 过下分层老巷或溜煤眼时，除超前支护外，必须确认下层老巷、溜煤眼已充实加固后方准移架。

5. 其他同正常移架顺序。

四、工作面端头过渡支架的移架顺序

1. 2人配合操作，1人负责前移支架，1人操作防倒、防滑千斤顶。

2. 移架前将防倒、防滑千斤顶全部放松。

3. 先移里面的二架，再移外面的一架，最后移中间三架。

4. 移中间一架时，应放松其底部防滑千斤顶，以防被顶坏。

5. 其他操作同正常移架顺序。

五、操作训练

1. 清除架前障碍物，检查本架管线不被刮卡、上下相邻两组支架推移千斤顶处于推移状态时，即可移架。

2. 移架操作时要掌握八项操作要领，做到快、匀、够、正、直、稳、严、净，即：

(1)各种操作要快。

(2)移架速度要均匀。

(3)移架步距要符合作业规程规定。

(4)支架位置要正，不咬架。

(5)各组支架要排成一直线。

(6)支架、刮板输送机要平稳牢靠。

(7)顶梁与顶板接触要严密不留空隙。

(8)煤、矸、煤尘要清理干净。

六、综采工作面放顶煤时，应按以下规定操作

1. 放煤前要认真检查放煤机构、液压元件、放煤口喷雾装置是否完好，后部过煤空间是否符合要求。发现问题及时汇报处理。

2. 必须及时清理架间和架后浮煤，确保放煤口放煤情况清晰可见。

3. 严格按照作业规程规定的放煤步距、放煤顺序等放煤工艺要求操作。

4. 当大块煤堵住放煤口时，可反复摆动尾梁，必要时可用插板插碎。严禁采用爆破的方

法处理大块煤、矸。

5. 放煤位置距移架位置不得超过作业规程规定，不得移架后立即放煤。

6. 工作面后部刮板输送机停止运转时严禁放煤。

7. 放煤时必须及时打开喷雾装置喷雾降尘。

8. 放煤结束后，必须把支架尾架升起，将插板伸出，并将放煤阀组拨回“零”位，关闭喷雾装置。

七、收尾

1. 清理支架内的煤、矸及煤尘，整理好架内的管线，清点工具，放置好备品配件。

2. 按规定填写液压支架工作日志。

复习题

1.说明综采双滚筒采煤机的割煤、进刀方式及其适用条件。

2.综采面有哪几种移架方式？不同移架方式对工作面整体移架速度和顶板管理有什么影响？

3.移架与移输送机顺序不同对综采生产和顶板管理有什么影响？

4.综采面端头支护方式有哪几种？各适用于什么条件？

5.综采面设备之间有哪些主要配套几何尺寸？它们对综采生产及顶板管理有何影响？

6.薄煤层机采面设备有哪些特点？

7.简述刨煤机采煤的特点及刨煤机类型。

8.简述大采高、大倾角综采的工艺特点及煤壁防片帮、设备防止下滑的措施。

讨论题

1.如果你是采煤机司机，遇到一窝黄铁石，你应该怎么处理？

2.如果你在采煤工作面工作，知道“三机”配套吗？配套的大致原则是什么？

3.为什么要加强端头支护和超前支护？你能说出理由吗？

4.如果你是支架工，采用哪种移架方式？为什么？

5.你矿采煤工作面的采煤机进刀方式是怎样的？可以采用其他方式吗？

第十一章　其他条件下的采煤技术

第一部分　系统理论知识

第一节　厚煤层倾斜分层采煤法采煤工艺特点

采用分层开采，使得厚煤层倾斜分层走向长壁采煤法的采煤工艺，比单一的薄及中厚煤层走向长壁采煤法具有某些特点。

一、顶分层采煤工艺的特点

顶分层采煤工作面的顶板是煤层的原生顶板，其采煤工艺与单一的等及中厚煤层长壁采煤法基本相同，只是增加了要为下部分层铺设假顶或形成再生顶板的工作。

（一）人工假顶

我国煤矿中采用的人工假顶，主要有以下几种：

1.竹笆（或荆笆）假顶

我国有些矿区就地取材采用竹笆或荆芭等材料作为人工假顶的材料，取得了较好的控顶效果和技术经济效果。

我国煤矿中采用的人工假顶，主要有竹笆（或荆笆）假顶、金属网假顶以及塑料网假顶。其中竹笆（或荆笆）假顶已被淘汰，目前使用的主要是金属网假顶和塑料网假顶。

1.金属网假顶

金属网假顶一般是用12～14号镀锌铁丝编织而成，为加强网边的抗拉强度，常用8～10号铁丝织成网边。常见的网孔形状有正方形、菱形及蜂窝形等，见图11-1。网孔尺寸一般为20mm×20mm或25mm×25mm。生产实践表明，菱形网在承力性能、延展性等方面的指标均比用相同直径的铁丝编制而成的经纬网优越，目前得到广泛的应用。

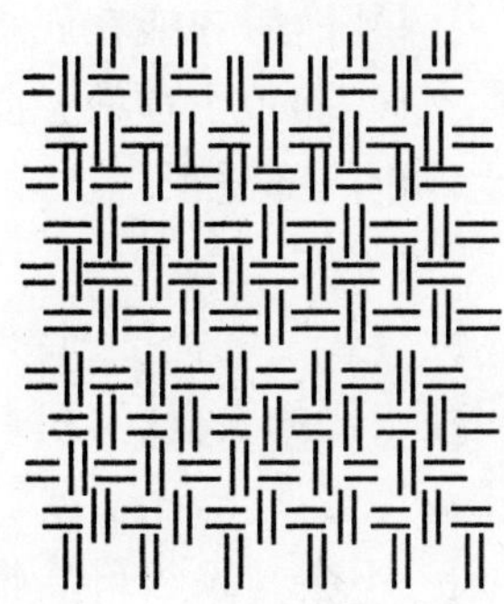

正方形

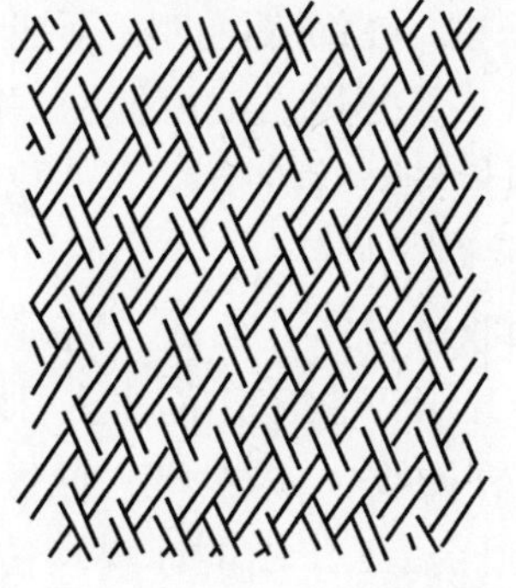

菱形

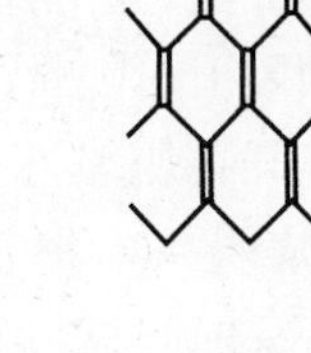

蜂窝形

图11-1　金属网网孔形状

2.由于金属网具有较高的强度，只要保证联网不出现网兜，也可不铺设底梁。金属网假顶柔性大、体积小、重量轻，便于运输及在工作面铺设，且强度高、耐腐蚀、使用寿命长、铺设一次可服务几个分层。因此，目前在分层工作面得到了广泛应用。

过去在炮采及普采工作面，都是采用铺底网的方式，即在落煤、移设工作面输送机后，架设支柱之前，在原输送机道上铺金属网，金属网长边平行于工作面，网片长边间搭接宽度为200～300mm，网片短边对接。搭接处用14号和16号铁丝联网，每隔一孔联一扣，联好网后再打柱及回柱放顶。这种铺网方式的缺点是：由于支柱支设在金属网上，尽管在支柱下垫上木墩，在回柱时也常常把金属网拉坏，破坏了假顶的完整性，给下分层回采带来困难。同时，铺底网只是解决了下分层回采时的人工假顶问题，而不能为本分层的顶板管理服务。20世纪60年代中期，我国一些煤矿试验了铺顶网（图11-2），即在上分层回采时将金属网铺设在工作面支架的顶部，然后在放顶线处随回柱放顶将金属网放落在底板上，成为下分层的假顶。与铺底网方式相比，铺顶网具有以下突出优点：

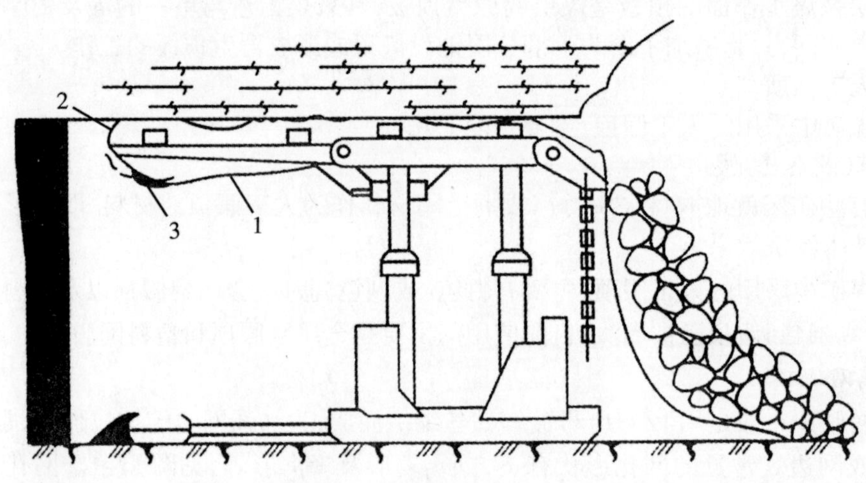

图11-2　工作面铺顶网示意图

1——新挂网；2——原顶网；3——网接头

（1）有利于改善工作面顶板管理。在铺底网时必须把采落的煤全部装净后才能在底板上铺网，而在铺顶网时只需在装出一部分煤后就可挂网，并可以及时支护，缩短了顶板悬露时间，减少了冒顶事故。同时在顶板较破碎的情况下，顶网可有效地防止局部漏顶。这样，铺一次网可同时为上下分层的顶板管理服务。

（2）可提高原煤质量和支柱回收率。工作面放顶时，由于有整体性金属网的掩护，将采空区与工作空间隔开，阻挡了采空区矸石向工作面窜入，既保证了回柱工作的安全，又可使支柱不致被垮落矸石压埋，提高支柱回收率，减少混入原煤的矸石，提高原煤质量。

（3）可提高煤炭采出率。铺顶网后工作面的浮煤均位于金属网下，不会与顶板矸石混杂。在下分层开采时，这些浮煤可一并采出。

（4）可简化采煤工艺、提高效率。在单体支架工作面铺底网时，为了及时支护，在落煤后需先设临时支柱，待煤装净后再撤掉临时支柱，铺底网，然后支设永久支柱，工序复杂，且翻打支柱时易引起冒顶事故。而铺顶网时不需临时支柱，在采落的煤装出一部分后即可挂网和支护，工序简单。

3.塑料网假顶

煤矿使用的塑料网假顶是用聚丙烯树脂制成的塑料带编织而成。我国生产的塑料带宽度为13～16mm，厚度为0.8～0.9mm，每根网带的拉断力为2990kN，破断延伸率小于25%。塑料网网片尺寸通常为5.6m×0.9m或2.0m×0.9m，网孔为15mm左右大小的井字孔或25mm50mm的六角形孔，后者网孔不易变形。塑料网具有无味、无毒、阻燃、抗静电、重量轻、体积小、柔性大、耐腐蚀等优良性能，在100℃内可保持稳定的物理力学特性，是一种理想的人工假顶材料。在我国一些煤矿使用塑料网假顶的实践表明，由于塑料网的重量只有相同面积的金属网的1/5左右，且具有良好的工艺性能，使用塑料网后可显著降低铺联网工作的劳动强度，提高效率，可避免铺设金属网时金属丝扎、挂工人手脚等事故，且由于塑料网抗拉强度高、使用寿命长，可减少下分层补网的工作量。塑料网的缺点是：抗剪能力差，远不如12号铅丝，同时，由于延伸率太大，采下分层时极易形成网兜。塑料网进一步降低成本后，将具有广泛推广应用价值。

塑料网假顶的铺设方法基本上与金属网假顶相同。

（二）再生顶板

如果煤层的顶板为页岩或含泥质成分较高的岩层，顶分层开采后，采空区中垮落的破碎岩石在上覆岩层的压力作用下，再加上顶分层回采时向采空区内注水或灌浆，经过一段时间后能重新胶结成为具有一定稳定性和强度的再生顶板。下分层即可在再生顶板下直接回采，不必铺设人工假顶。再生顶板形成的时间与岩层的特征、含水性、顶板压力大小等因素有关，一般至少需要4～6个月，有的甚至一年的时间。上下分层采煤工作面的滞后时间应大于上述时间。

二、假顶下采煤工艺的特点

（一）假顶下的支护及顶网管理

在假顶或再生顶板下回采时，其顶板为已垮落的岩石，故老顶的周期来压不明显，顶板压力较顶分层小。其顶板管理的关键在于如何管好破碎顶板以及防止漏矸。所以，应采用浅截式采煤机并做到及时支护。在普采工作面，一般采用正倒悬臂错梁齐柱方式，割煤后及时挂梁进行支护。当工作面片帮严重时，为防止顶网下沉冒顶，可提前在煤壁预掏梁窝，挂上铰接顶梁、打贴帮柱进行超前支护。

（二）假顶下的放顶工艺

由于人工假顶或再生顶板易于下沉，放顶时通常采用无密集支柱放顶。由于金属网假顶被连成整体，假顶在工作面放顶线处下落时对工作面支架的牵动力较大，往往会造成支架倾斜、歪扭，甚至会造成支架被大面积推倒而冒顶的事故。因此，在普采工作面应注意加强支架的稳定性，一般可沿放顶线在最后一排支架下支设单排或双排抬棚，或打斜撑柱，以抵抗金属网下落时对支架产生的水平推力。同时放顶时也可用木料斜撑顶网，使其缓慢下沉到底板。沿放顶线倒悬臂铰接顶梁的梁头容易挂破顶网，在放顶前应先用带帽顶柱将其替换。

初次放顶时应特别注意加强对顶网的管理，开帮进度不宜太大，工作面可架设适量的木垛、抬棚、斜撑柱等以增大支架的稳定性。为防止金属网对支架产生过大的牵制力，可先在底板上加铺一层底网，然后沿放顶线将顶网剪断，使顶网沿放顶线呈自然下垂状态。

（三）分层采高的控制

由于煤层厚度经常发生变化，而人工假顶或再生顶板的下沉量较大，在机采分层工作面应特别重视采高控制，主要是要保证底分层有足够的采高，以免给底分层的开采造成困难。一些矿井控制分层采高的做法是在第一分层开采时，在开切眼、工作面及上下平巷中每隔30～50m向底煤中打钻孔探煤厚，然后根据探明的煤层全厚决定分层层数和分层采高。以后在每一分层回采时，都要如顶分层回采时那样探清余煤厚度，以便随时调整和控制分层采高。根据我国目前的技术条件，较合适的分层厚度普采为2m左右，最大不超过2.4m；综采工作面分层厚度为3m左右，一般不超过3.2m。

三、适用条件及评价

倾斜分层下行垮落采煤法有效地解决了缓斜及倾斜厚煤层开采时的顶板支护和采空区处理问题，有利于在此类煤层条件下实现安全生产，提高资源采出率及获取较好的采煤工作面技术经济指标。目前，这种采煤方法在我国已具有成熟的采煤工艺，具有巷道布置及工作面技术管理等方面的经验。用于分层工作面的机械化采煤、运输和支护设备在近年来已有了较大发展，新型假顶材料的研制、假顶和再生顶板的管理技术、分层开采时的通风及防灭火技术均取得了显著的进展。因此，这种采煤方法目前已成为我国开采缓斜及倾斜厚煤层的主要方法。目前，一些矿井应用这一采煤方法成功地开采了厚度达15m的煤层，有的矿井采用倾斜分层金属网假顶下行垮落采煤法连续开采了12～15个分层，开采总厚度达25～30m。这种采煤法主要适用于煤层顶板不是十分坚硬、易于垮落、直接顶具有一定厚度的缓斜及倾斜厚煤层。

这种采煤方法的主要缺点是铺设假顶工作量大，巷道维护较困难，生产的组织管理工作较复杂；在开采易自燃煤层时，煤自燃问题比较严重，需采取特殊措施等。但是，随着生产技术的发展，上述问题已得到不同程度解决。

第二节　厚煤层放顶煤采煤工艺特点

一、基本特点及类型

（一）放顶煤采煤法基本特点

放顶煤采煤法的实质就在厚煤层中，沿煤层（或分段）底部布置一个采高2～3m的长壁工作面，用常规方法进行回采，利用矿山压力的作用或辅以人工松动方法使支架上方的顶煤破碎成散体后由支架后方（或上方）放出，并予以回收的一种采煤方法。

综合机械化放顶煤工作面设备布置如图11-3所示。其工艺过程如下：在煤层（或分段）底部布置的综采工作面中，采煤机割煤后，液压支架及时支护并移至新的位置，随后将工作面前部刮板输送机推移至煤壁。此后，操作后部刮板输送机使用千斤顶，将后部刮板输送机前移至相应位置。

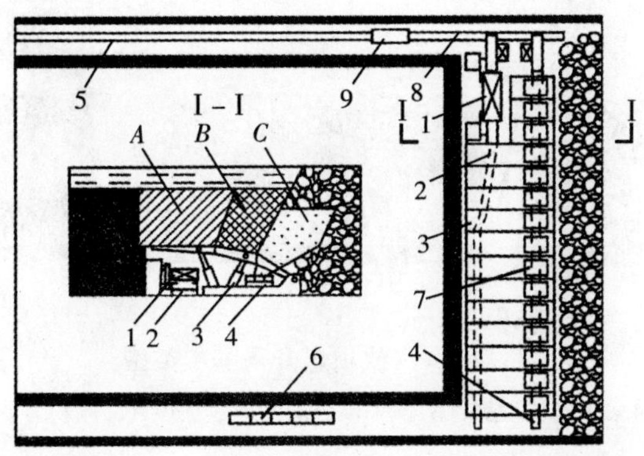

图11-3　综采放顶煤工作面设备布置

1——采煤机；2——前部刮板输送机；3——放顶煤液压支架；4——后部刮板输送机；5——平巷胶带输送机；6——泵站、移变等；7——放煤窗口；8——转载机；9——破碎机

A——不充分破碎煤体；B——较充分破碎煤体；C——待放出煤体

采煤机割过1～3刀后，按规定的放煤工艺要求，打开放煤窗口，放出已松散的煤炭，待放出的煤炭中含矸量超过一定限度后，及时关闭放煤口。完成上述采放全部工序为一个放顶煤开采工艺循环。

(二)放顶煤采煤法的基本类型

根据厚煤层的赋存条件不同，放顶煤长壁采煤法可分为如图11-4所示的三种主要类型。

1.一次采全厚放顶煤开采

如图11-4(a)所示，沿煤层底板布置一个放顶煤开采长壁工作面，一次放出顶煤全厚度。这种方法一般适用于厚度6~12m的缓斜厚煤层，是我国目前使用的主要方法。其优点是回采巷道掘进量及维护量少，工作面设备少，采区运输、通风系统简单，生产集中。缺点是煤质较软时，工作面运输平巷及回风平巷维护较困难。

2.预采顶分层网下放顶煤开采

如图11-4(b)所示，沿煤层顶板布置一个普通长壁工作面，进行铺网预采顶分层，而后沿煤层底板布置放顶煤工作面，将两个工作面之间的煤在网下放出。这种方法一般适用于厚度大于12m直接顶坚硬或煤层瓦斯含量高，需要预先排放瓦斯的缓斜煤层。其优点是由于顶层铺设金属网，可以减少放煤的含矸量。其缺点是开采顶分层后一般矿山压力减弱，不利于顶煤的破碎，常有大块煤需要人工预裂。这种方法在兖州鲍店矿、徐州三河尖矿等得到应用，并且取得了较好的效果。

3.倾斜分层放顶煤开采

如图11-4(c)所示，当煤层厚度超过20m以上时，可将煤层自顶板至底板分成8～12m的分段，然后自上而下依次进行放顶煤开采。这种方法一般适用于厚度大于15m的缓斜煤层。

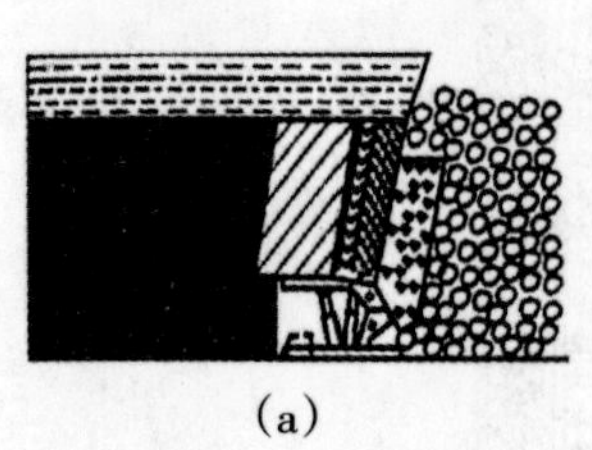
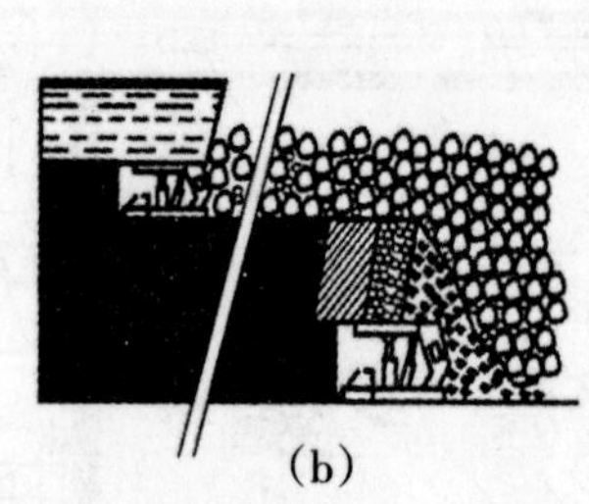
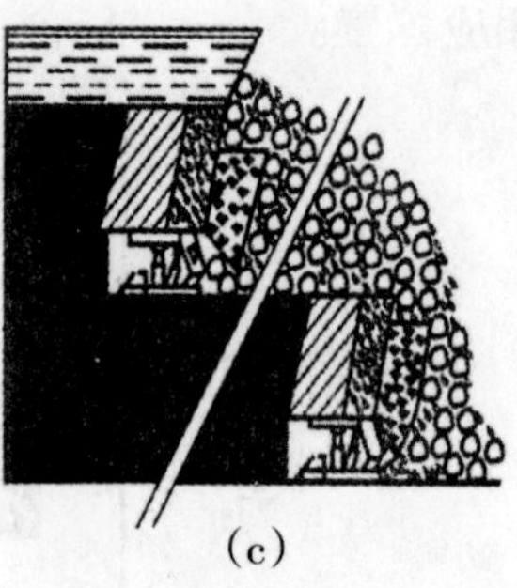

(a)　(b)　(c)

图11-4　放顶煤开采基本类型

(a)一次采全厚放顶煤;(b)预采顶分层网下放顶煤;(c)倾斜分层放顶煤

二、放顶煤开采的支护设备

(一)放顶煤液压支架的特点及性能

放顶煤液压支架是在普通长壁工作面液压支架基础上发展起来的,在控制基本顶、维护直接顶,自移和推移输送机的功能是相同的,但放顶煤机构、支架受力、排头支架、降尘及其他方面的功能则是不同的,其主要特点和性能如下:

1.放顶煤液压支架有液压控制的放煤机构。放顶煤工作面生产的煤炭大多数是由放煤口放出,要求放煤机构的液压控制性能好、开闭迅速、可靠、放煤口不易堵塞,并且有良好的喷雾降尘装置。

2.工作面放煤时,不可避免地会有大块煤冒落,放煤机构必须有强力可靠的二次破煤性能。

3.多数放煤支架采用两部刮板输送机,后部刮板输送机专门运送放出的顶煤,因而支架应有推移后部刮板输送机和清理后部浮煤的性能和机械。并应考虑支架后部留有通道,以便维修后部刮板输送机和排矸使用。

4.由于邻近支架放煤时顶煤的运动,会使未放煤的支架受到侧向力,因此,支架结构必须有较强的抗扭和抗侧向力的功能。

5.对于双输送机放顶煤支架,要求有足够的工作空间,因此支架的控顶距较大,顶梁也较长。

6.放顶煤工作面的顶板为煤,在多次反复支撑作用下较为破碎,因此支架必须全封闭顶板,有更好控制端面冒顶和防止架间漏矸的性能。

7.放顶煤工作面采煤机的采高是根据最佳工作条件人为确定的,采高大体在2.5~3.0m之间。不需要使用双伸缩立柱或带加长段的立柱。

8.由于放顶煤支架重量大,工作面浮煤较多,支架必须有较大的拉架力,拉架速度要快,能够带压擦顶移架。

(二)放顶煤液压架分类

根据放煤窗口的位置不同,又有高、中、低三种放煤方式;按输送机数目可分为单输送机和双输送机两类。

1.单输送机高位放顶煤支架

这类支架是指单输送机、短顶梁、掩护梁开天窗高位放煤的掩护式支架。主要有FYD4400-26/32、YFY2000-16/26、YFY2000-16/20、ZFD4000-17/33等型号，图11-5为YFY2000-16/26型放顶煤支架。这类支架的特点如下：

(1)支架结构简单,采煤机割煤与放煤由一部输送机运出,端头维护空间小,工作面整体布置与普通长壁工作面相同,便于维护管理,减少事故发生点。

(2)支架的长度较短,结构紧凑,稳定性和封闭性较好。

(3)掩护梁放煤口尺寸较大,有利于顶煤的放出,但放煤口位置高,丢煤多,采出率较低,煤尘大,支架通风断面较小。

(4)由于顶梁短,放煤口位置距煤壁较近,因此地煤层冒放性的要求较高。一方面要求梁端顶煤完整,不冒顶,不片帮;另一方面要求顶梁后顶煤破碎,即放煤口能顺利放出。

(5)放煤槽在放煤状态时与底座呈35°夹角,难以达到40°。如果当仰角为10°时,放煤不流畅,向左右溢出。

(6)采放同用一部输送机,不能平行作业,会影响产量的提高。

单输送机高位放顶煤支架只用于煤质中硬,节理裂隙比较发育煤层厚度7m左右,煤层底板较硬及煤层底含水率较高的条件。

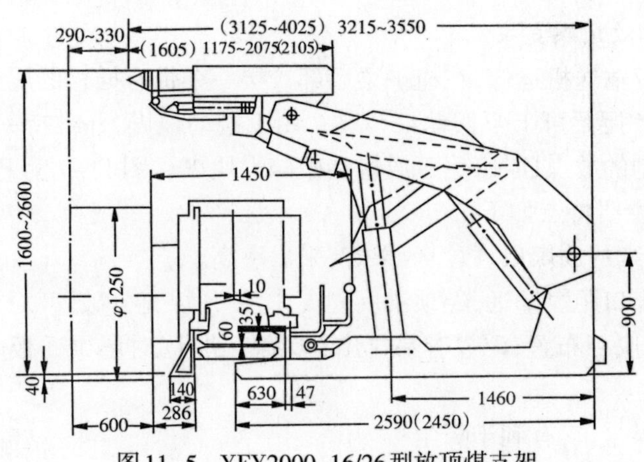

图11-5　YFY2000-16/26型放顶煤支架

2.双输送机中位放顶煤支架

这类支架是指双输送机运煤，在掩护梁上开放煤口，中位放煤的支撑掩护式液压支架。图11-6 为FYS3000 - 19/28型放顶煤支架。这类支架的特点如下：

(1)支架稳定性和密封性好,抗偏载和抗扭能力大,不易损坏。

(2)放煤口距煤壁远,有助于工作面前方顶煤的维护。支架顶梁长,有利于反复支承顶板,增加顶煤的破坏程度。

(3)由于采煤和放煤使用两部输送机,可以实现采放平行作业,实现高产高效。

(4)放煤口位置较高,丢煤多,采出率较低,煤尘较大。

(5)后输送机放在支架底座上,后部空间有限,造成大块煤通过困难,并且移架阻力较大。

(6)掩护梁不能摆动，二次破煤能力差。

双输送机中位放顶煤支架适用条件较为广泛，在矿压显现剧烈、有悬顶危险的条件下，具有较好的适应性。

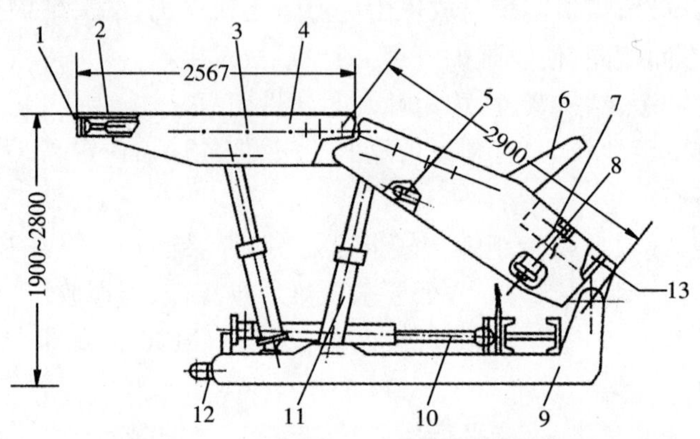

图11-6 FYS3000-19/28型放顶煤支架

1——伸缩梁；2——伸缩梁千斤顶；3——侧推千斤顶；4——顶梁；5——摆杆千斤顶；6——摆动杆；7——掩护梁；8——放煤千斤顶；9——底座；10——后输送机千斤顶；11——立柱；12——推移千斤顶及框架；13——放煤板

3.双输送机低位放顶煤支架

这类支架是指双输送机运煤，在掩护梁后部铰接一个带有插板的尾梁，低位放顶煤的支撑掩护式液压支架。尾梁可上下摆动45°左右，用于松动顶煤，并维持一个落煤空间。尾梁中间有一个液压控制的放煤插板，用于放煤和破碎大块煤。图11-7为FZ3000-15/30型放顶煤支架 。这类支架主要特点如下：

(1)由于具有连续的放煤口，放煤效果好，采出率高。

(2)顶梁长，放煤口距煤壁远，经顶梁反复支撑，使顶煤充分破碎，对放煤极为有利。

(3)后输送机沿底板布置，浮煤容易排出，移架轻快，同时尾梁插板可以破碎大块煤，放煤口不易堵塞。

(4)低位放煤，煤尘小，有利于降尘。

(5)支架的稳定性较差。

双输送机低位放顶煤支架，适应性强，在急倾斜煤层、缓倾斜中硬煤层和三软煤层综放开采中取得成功，是目前我国应用最广泛的放顶煤液压支架架型。

三、放顶煤开采工艺特点

(一)放顶煤综采主要工艺过程

中、低位放顶煤优点突出，使用广泛，是放顶煤开采的主要方向。一次采全厚放顶煤开采的综采工艺过程和工序如下：

1.采煤机割煤

放顶煤综采工作面一般采用双滚筒采煤机沿工作面全长截割煤体，工作面两端采用斜

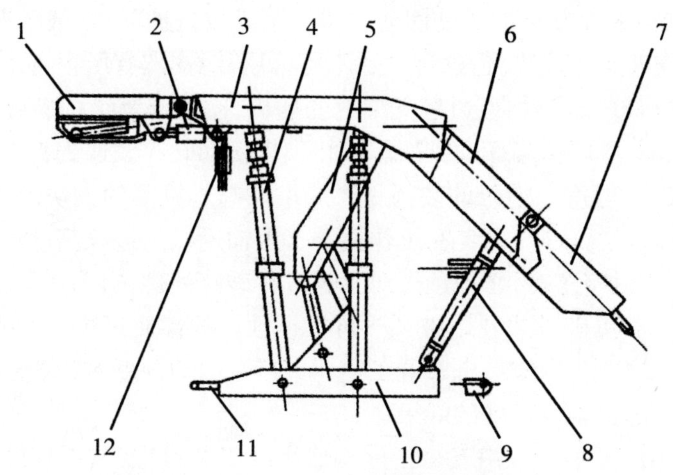

图11-7　FZ3000-15/30型放顶煤支架

1——前梁；2——梁千斤顶；3——顶梁；4——支柱；5——上连杆；6——掩护梁；7——摆动尾梁；8——支撑板；9——后部千斤顶；10——底座；11——推杆；12——操纵阀

切进刀方式。截深一般为0.6～0.8m，采高2.4～2.8m。采煤机落煤由滚筒螺旋叶片、挡煤板及前输送机铲煤板相互配合，装入前输送机运出工作面。当煤层倾角较大时，为防止设备下滑，可采用单向割煤，即由下向上的单向割煤。

2.移架

为维护端面顶煤的稳定性，放顶煤液压支架一般均有伸缩前探梁和护帮板。在采煤机割煤后，立即伸出伸缩前探梁支护新暴露顶煤。采煤机通过后，及时移架，同时收回伸缩前梁，并用护帮板护住煤壁。

3.推移前部输送机

移架后，即可移置前输送机。若采用一次推移到位，可以在距采煤机约15m处逐节一次完成输送机的推移。若采用多架协调操作，分段移输送机，可在采煤机后5m左右开始推移输送机，每次推移不超过300mm，分两三次将输送机全部移近煤壁，并保证前输送机弯曲段不小于15m，输送机推移后呈直线状，不得出现急弯。

4.移后输送机

在拉架和移置前输送机后，操作移后输送机的专用千斤顶，将后输送机移到规定位置。操作时要注意邻架和溜槽的连接部位，防止错槽和掉链等事故。

5.放顶煤

放顶煤为综放开采的关键工序，一般要根据架型、放煤口位置及几何尺寸、顶煤厚度及破碎状况，合理确定放顶煤的步距与作业方式。一般情况下采用“二采一放”或“三采一放”，即采煤机割两刀或三刀放一次顶煤。顶煤的放出顺序，可以从工作面一端开始，顺序逐架依次放煤，如果顶煤较厚，也可以隔架轮换或2、3架一组，隔组轮换放煤。放煤时，要坚持“见矸关门”的原则。

放顶煤时，可能有以下三种情况引起放煤不正常，一是碎煤成拱放不下来；二是大块煤堵放煤口,放不出来;三是顶煤过硬,难以垮落。

处理碎煤成拱的主要方法是通过摆动支架的尾梁或掩护梁,一般情况下都能破坏成拱的碎煤,亦可升降支架破坏成拱,但这种方法不可常用,对支架有所损害。

当大块顶煤堵塞放煤口时,可通过支架上的插板,搅动杆等结构破碎或松动顶煤,在工作面顶板稳定情况下,可以适当摆动支架尾梁将顶煤松动破碎。遇到特大块煤时,可以采用打眼放炮的方法破碎,但每个炮眼的装药量要严格控制。放落的大块煤在输送机上要及时用人工或机械的方式进行破碎,以免在工作面端头因输送机的过煤高度产生阻煤现象。

处理顶煤过硬难以垮落时,必须预先对顶煤进行破碎处理,目前主要采取从工作面向顶煤打眼放炮的方法,其爆破方式及爆破参数可根据顶煤的性质来决定。若由工作面无法破碎顶煤或在高瓦斯矿井中,则应考虑布置工艺巷进行专门的预爆破作业。另外,一些矿井采用高压注水软化顶煤,也取得良好的效果。

综上所述,放顶煤开采一般由五个工序构成主要工艺过程,其循环顺序为:采煤机割煤→移架及时支护→推移前部输送机→拉后部输送机→打开放煤口放顶煤。放顶煤开采一个循环结束是以放煤工序完成为标志的,因此一刀一放所需循环时间最短。

(二)初采和末采放煤工艺

在我国推行放顶煤开采的初期,为防止顶板垮落对采煤工作面造成的威胁,通常采取初采推进10~20m不放顶煤,但实践证明这种措施的实际意义不大。目前在大多数综放工作面,推出开切巷后即做到了及时放煤,但由于采煤工作面顶板的结构和顶煤的性质,为减小初次放顶煤步距,提高初采回收率,常采用切顶巷技术。

切顶巷技术是减少初采期间顶煤垮落步距和提高初采回收率的一种技术。其方法是在工作面开采前在切眼外上侧沿顶板开掘一条与切巷平行的辅助巷道,称为切顶巷。同时,在巷道的一帮打眼放炮,扩大切顶效果。兖州矿务局鲍店煤矿采用这一技术取得了较好的效果。据观测,当工作面推进3.4m时,顶煤开始冒落,推进7.8m时,直接顶垮落,比相邻工作面的顶煤垮落步距减少5.2m。又如鹤岗矿务局南山煤矿利用切顶巷技术解决了特厚煤层放顶煤工作面初次来压步距增加、压力集中、顶煤冒落不充分、丢煤严重、工作面采出率低的问题。当工作面推过切顶巷时,顶煤全部垮落,而没有切顶巷的工作面,采出24m后顶煤才全部冒落。

应用放顶煤开采初期,通常在工作面结束前20 m左右铺双层金属网停止放煤,或使沿底板布置的工作面向上爬坡至顶板时结束,这样造成了大量煤炭损失。为此,近年来在综放开采的实践中普遍缩小了不放顶煤的范围,一般可提前10m左右停止放顶煤并铺顶网,但应注意解决好两个方面的问题:一是使撤架空间处于稳定的顶板条件之下,即选择合理的停采线位置;二是有效地防止后方矸石窜入工作面,即矸石应能够压住金属网。如不铺网,应在综放设备允许的坡度范围内加大爬坡度,减少放煤量,在到停采线时,使支架基本贴近顶板,将易燃的碎煤变为底板上的实体煤。

(三)放煤步距

放煤步距是相邻两循环放煤之间综放工作面向前推进的距离,称为循环放煤步距。合理地选择放煤步距,对提高采出率、降低含矸率十分重要。放煤步距与顶煤厚度、破碎质量、松散程度及放煤口的位置有关。合理的放煤步距能使顶煤上方的矸石与采空区冒落的矸石同时到达放煤口,这样才能达到最大限度的放出率。

放煤步距过大时,所需放出煤的体积也较大,若打开放煤口,随破碎顶煤的放出,上方矸石也将不断向放煤口移动,由于待放的煤较多,在上方矸石到放煤口后,其采空区后面仍有一部分顶煤没有放出,造成顶煤的过多损失。放煤步距过小时,后方矸石易混入放煤口,影响煤质,并容易误认为煤已放尽,停止放煤,造成上部顶煤的丢失。放煤过程中不能保证既不混矸又不丢煤,合理的放煤步距只是把煤炭采出率和混矸率控制在一定范围内,图11-8为不同放煤步距下的混矸状况。

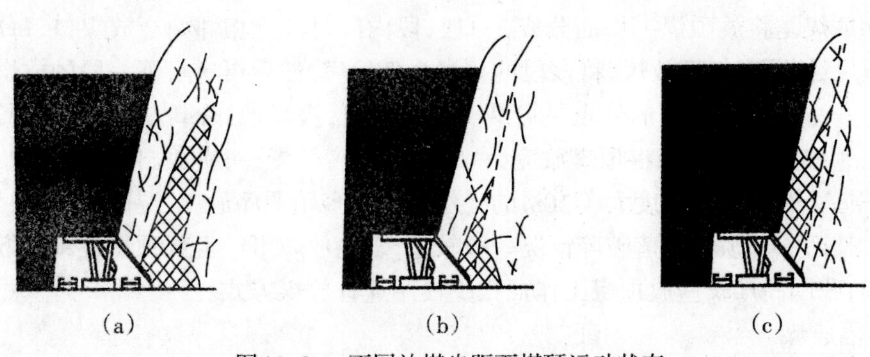

图11-8 不同放煤步距下煤矸运动状态

(a)大放煤步距;(b)合理放煤步距;(c)小放煤步距

(四)放煤方式

综采放顶煤工作面每个放顶煤支架均有一个放煤口,放煤口可分为连续放煤口和不连续放煤口两类,其中低位放顶煤支架为连续放煤口,中、高位放顶煤支架为不连续放煤口。放煤方式的选择不仅对工作面煤炭采出率、含矸率影响较大,同时还会影响总的放煤速度、正规循环的完成及工作面能否高产。放煤方式按放煤轮次不同,可分为单轮放煤和多轮放煤。打开放煤口,一次将能放出的顶煤全部放完的称为单轮放煤;每架支架的放煤口需打开若干次才能将顶煤放完的称为多轮放煤。放煤方式按放煤顺序不同,可分为顺序放煤和间隔放煤,顺序放煤是指按支架排列顺序(1、2、3、……)依次打开放煤口的方式;间隔放煤是指按支架排列顺序每隔一架或几架(如1、3、5、……或1、4、7、……)依次打开放煤口。无论是顺序放煤还是间隔放煤都可以采用单轮或多轮放煤,我国常用的放煤方式主要有单轮顺序放煤、多轮顺序放煤及单轮间隔放煤。

1.单轮顺序放煤

单轮顺序放煤方式是一种常见的放煤方式,从端头处可以放煤的1号支架开始放煤,一直放到放煤口见矸,顶煤放完后关闭放煤口,再打开2号支架放煤口,2号支架放完后再打开3号支架放煤口,直到最后支架放完煤为一轮。这种放煤方式的优点是操作简单,工人容易掌握,放煤速度也较快。放煤时,坚持“见矸关门”的原则,但并不是见到个别矸石就关门,只有矸石连续流出,顶煤才算放完。见到矸石连续放出,必须立即关门,否则大量矸石将混入煤中,造成含矸率增加。

为提高单轮顺序放煤的速度,实现多口放煤,可采用单轮顺序多口放煤方式。多个放煤口同时顺序单轮放煤方式可将放煤能力提高,而含矸率反而可能降低。实际操作中,经常2、3个放煤口同时放煤,三个放煤工同时工作,第一个放煤工负责顺序打开放煤口放煤,第二个放煤工负责中间支架的正常放煤,第三个放煤工负责在放煤中出现混矸时,关闭后面的放煤口。这种放煤方式当顶煤强度不大、放煤流畅、煤流均匀时,可获得较高的产量和较低的混矸率。双放煤口同时放煤适用于煤层厚度小于8m的工作面;多口放煤滞后关闭放煤口的方式适用于8~10m的厚煤层。

2.多轮顺序放煤

多轮顺序放煤是将放顶煤工作面分成2、3段,段内同时开启相邻两个放煤口,每次放出1/3到1/2的顶煤,按顺序循环放煤,将该段的顶煤全部放完,然后再进行下一段的放煤,或者各段同时进行。多轮顺序放煤的优点是可减少煤中混矸,提高顶煤回收率。其主要缺点是每个放煤口必须多次打开才能将顶煤放完,总的放煤速度较慢;每次放出顶煤的1/2或1/3,操作上难以掌握。对于煤层厚度大于10m的工作面采用多轮顺序放煤,混矸率较低;顶煤太厚的工作面移架后中部顶煤冒落破碎情况一般较差,多轮放煤可使上部顶煤逐步松散,有利于放煤。目前,我国高产长壁放顶煤工作面很少使用这种放煤方式。

3.单轮间隔放煤

单轮间隔放煤是指间隔一架或若干支架打开一个放煤口。每个放煤口一次放完,见矸关门。具体操作时,先顺序放1、3、5、……号支架的煤,相邻两架支架间将形成脊背高度较大,两侧对称,暂放不出的脊背煤。放单号放煤口时,一般不混矸,放完全或部分单号支架后,再顺序打开2、4、6、……号支架放煤口,放出单号架之间的脊背煤。这是常见的单轮间隔一架的放煤方式,当煤层厚度大于12m时,可采取间隔两架或三架打开放煤口,再放脊背煤的放煤方式。单轮间隔放煤的主要优点是扩大了放煤间隔,避免矸石窜入放煤口,减少混矸;顶煤放出率高于上述两种放煤方式,工作面理想采出率接近90%;单轮间隔放煤可实现多口放煤,提高了工作面产量和加快了放煤速度,易于实现高产高效,是一种好的放煤方式。

(五)端头放煤

端头放顶煤工艺是我国目前尚未完全解决的问题。由于端头支架架型不多,即使有端头支架也有不完善的地方,大多数放顶煤工作面都是用过渡支架或正常放顶煤支架进行端头维护,由于输送机在端头的过渡槽的加高,支架放煤后过煤困难,因此只有在工作面两端各留2~4架不放煤,增加了煤炭损失。

随着工作面输送机和支架的不断改进,端头设备布置也不断更新。目前解决端头放煤的途径主要有以下三种:

1.加大巷道断面尺寸,将工作面输送机的机头和机尾布置在巷道中,取消过渡支架;

2.使用短机头和短机尾工作面输送机或侧卸式工作面输送机;

3.采用带有高位放煤口的端头支架,实现端头及两巷放顶煤。

四、倾斜长壁采煤法采煤工艺特点

(一)矿压显现及支护特点

对于仰斜工作面,由于倾角的影响,顶板将产生向采空区方向的分力(沿层面方向),如图11-9(a)所示。在此分力作用下,顶板的悬臂岩层将向采空区方向移动,使顶板岩层受拉力作用。因此,它更容易出现裂隙和加剧破碎,并有将支柱推向采空区侧的趋势。

对于俯斜工作面,沿顶板岩层的分力指向煤壁侧,顶板岩层受压力作用,使顶板裂隙有密合的趋势,有利于顶板保持连续性和稳定性,如图11-9(b)所示。

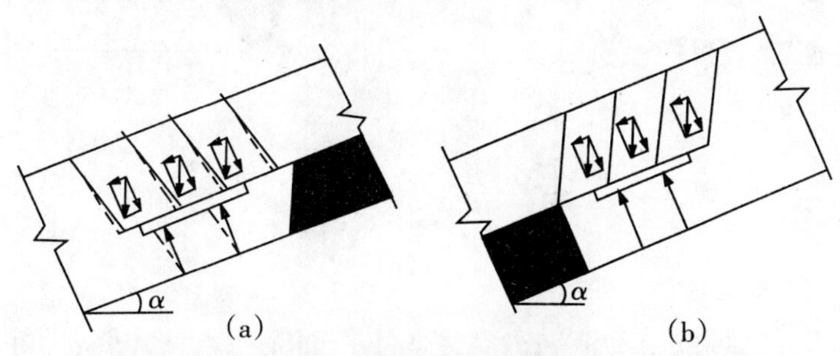

图11-9 倾斜长壁工作面直接顶板稳定状态

(a)仰斜工作面;(b)俯斜工作面

由图11-9可以看出,倾角α越大,仰斜工作面的顶板越不稳定,而在俯斜工作面的顶板越稳定。

对于仰斜工作面,采空区顶板冒落矸石基本上涌向采空区,这时支架的主要作用是支撑顶板,如图11-10(a)所示。因此,可选用支撑式或支撑掩护式支架。当倾角大于12°左右时,为防止支架向采空区侧倾斜,支柱应斜向煤壁6°左右,并加强复位装置或设置复位千斤顶,以确保支柱与煤壁的正确位置关系。煤层倾角较大时,工作面长度不能过大,否则由于煤壁片帮造成煤量过多,输送机难以启动。煤层厚度增加时,需采取防片帮措施。如打锚杆控制煤壁片帮;液压支架应设防片帮装置等。仰斜开采移架困难,当倾角较大时,可采用全工作面小移量多次移的方法,同时优先采用大拉力推移千斤顶的液压支架。倾角较大时,垛式支架有向后倾倒的现象且移架困难。支撑掩护式支架则可加大掩护梁坡度,使托梁受力作用方向趋向底座内,对支架工作有利,稳定性较好。鸡西城子河矿开采37号煤层,坡度大18°时,采用ZY2B型支撑掩护式支架,稳定性能良好。

对俯斜工作面,采空区顶板冒落的矸石可能会直接涌入工作空间,这样支架的作用除支撑顶板外,还要防止破碎矸石涌入。因此,根据具体情况可选用支撑掩护式或掩护式支架。由于碎石作用在掩护梁上,其载荷有时较大,所以,掩护梁应具有良好的掩护性和承载性能。为防止顶板岩石冒落时直接冲击掩护梁,可增加顶梁的后臂长度,如图11-10(b)所示。掩护式支架容易前倾,在移架过程中当倾角较大,采高大于2.0m,降架高度大于300mm时,经常出现支架向煤壁倾倒现象。为此,移架时严格控制降架高度不大于150mm,并收缩支架的平衡千斤顶,拱起顶梁的尾部,使之带压擦顶移架,以有效地防止支架倾倒。

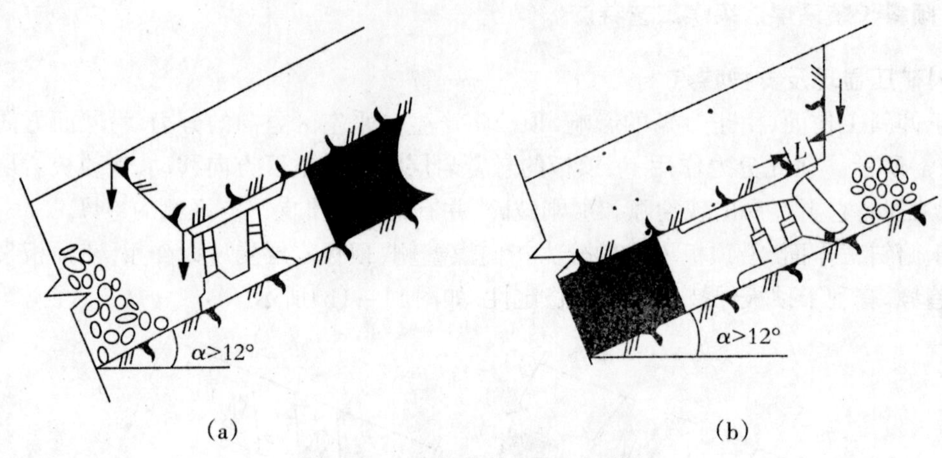

图11-10　支架维护工作空间状况

(a)仰斜工作面；(b)俯斜工作面

(二)采煤工艺特点

1.仰斜开采时，水可以自动流向采空区。工作面无积水，劳动条件好，机械设备不易受潮，装煤效果好。当煤层倾角小于10°左右时，采煤机及输送机工作稳定性尚好。如倾角较大，采煤机在自重影响下，截煤时偏离煤壁减少了截深；输送机也会因采下的煤滚向溜槽下侧，易造成断链事故。为此，要采取一些措施，如减少截深、采用中心链式输送机、下部设三角架把输送机调平、加强采煤机的导向定位装置等。在煤层夹矸较多时，滚筒切割反弹力较大，使采煤机受振动和滚筒易"割飘"，导向管在煤壁侧磨损严重。当倾角大于17°时，采煤机机体常向采空区一侧转动，甚至出现翻倒现象。

2.在俯斜开采时，随着煤层倾角的加大，采煤机和输送机的事故也会增加，装煤率降低。由于采煤机的重心偏向滚筒，俯斜开采将加剧机组的不稳定，易出现机组掉道或断牵引链的事故，并且采煤机机身两侧导向装置磨损严重。鸡西矿区小恒山矿通过采取加高滚筒滑靴的措施，在煤层倾角17°左右时，仍取得了较好的效果。俯斜开采最大的问题是装煤困难。城子河矿开采倾角20°左右的煤层，采取下述措施较好地解决了装煤困难的问题：最初，该矿选用采煤机的滚筒是相向旋转的，滚筒螺旋叶升角小、装煤率低、牵引负荷大、安全阀经常开启，无法正常割煤。为此，将采煤机两滚筒对换位置，改为背向旋转，且割底煤滚筒用弧形挡煤板，70%的煤能靠采煤机装入输送机，30%的煤由铲煤板装入输送机。但这种方法使采煤机负荷加大。为此，应适当降低割煤速度。当倾角大于22°时，采煤机机身下滑，滚筒钻入煤壁，煤装不进输送机中，经试验采取把输送机靠煤壁侧先吊起来，使溜槽倾斜度保持在13°～15°，采煤机割底煤时卧底，使底板始终保持台阶状，采煤机可正常工作。

第二部分　专业核心知识点

1. 掌握综采工作面设备配套关系。
2. 了解自移式液压支架的工作原理、方式及选型。
3. 熟悉综采工作面采煤工艺特点。

第三部分　专业技能训练

技能　人工假顶工

一、操作准备

1. 备齐钳子、牙钳、锹、联网钩等工具及足够的金属网、联网铁丝(14号以上)、管箍、连接头、胶管等备件材料。

2. 检查工作地点的顶板支架是否安全可靠,有无妨碍工作的支柱;铺底网地点浮煤、浮矸是否已清理,底板找平。

3. 检查供水管路、闸门是否完好。

4. 铺底网前将网道和上一个循环的网边的浮煤、矸、杂物清理干净,将网边露出,并在下底梁前,按作业规程规定挖底沟。

5. 将工作面的供水管、胶管移至刮板输送机道靠采空区侧(在放顶前移设好),并和上口顺槽的注水管接好。

6. 按作业规程规定将金属网等材料至工作面指定位置。

二、操作训练

(一)铺底网

1. 铺网时要向煤帮伸延铺网,超出所铺柱根0.1~0.2m。若需下底梁,则先下底梁后铺网。

2. 按工作面坡度铺设底梁,并使各底梁的高度保持一致,不得高低不平,底梁下不能有空隙。若不刨底梁槽,两底梁间必须用浮煤填平。

3. 底梁方向可垂直工作面或呈45°角,底梁铺设不得弯曲,要成一条直线。两排底梁要对接(或搭接)、对齐。

4. 铺双层网时,先铺一卷或数卷下层网,再及时铺上层网。先将网头的网边同上一个循环的网边固定起来,然后开始展网,铺平铺直后,及时联网。

5. 联网用镀锌铁丝(或尼龙绳等),折成双股,弯成60°~80°的钩,穿过网边的网孔,用联网钩,拧够3圈,按前进方向将刷头铅丝压下,如此一道紧接一道地联网。交错铺网时,必须联够双层三片网边,单道连接(网头接头处相同)。对接铺网时,必须联够双层四片网边,单道连接。联网卷接头处四层四片,双道连接。

6. 一般应采用先铺网后支护的方法。铺网前先扶好临时棚子和贴帮点柱,挂好悬臂梁,攉净浮煤,找平底板,然后进行铺网工作。网铺平后,先稀联,待支上支柱后再密联。网上的支柱必须穿鞋,以免压坏网。

7. 采用先支护后铺网的方法(包柱法)时,要严格控制包柱的联网距离,柱孔两端要连接牢固。联网孔距柱边不大于2个网孔。因补柱包网困难时,应先在网上打临时支柱,换下妨碍铺网的柱子。

(二)挂顶网

1. 金属支柱、铰接顶梁的挂网操作顺序与铺底网基本相同。挂网时一般应自上而下一卷一卷地依次吊挂。先稀联几扣,然后用悬臂梁或托棚托住,再按联网要求联网。网下的柱头必须有帽或托板。

2. 综采工作面挂网工应在移架、推溜后、刮板输送机停转时,按照展网、联网、拉网、放网的顺序操作。

先将新金属网压在垂挂的金属网的煤壁侧,接着用联网钩和0.6m长的双股12~14号镀锌铁丝将前后二片网拧紧(不少于3圈),并把接头往下压平。然后在支架前梁下设挂网钩,联网后,将网折挂在前梁下,待采煤机割过后,将折挂的网放下放顺,为移架作好准备。

(三)网下补网

1. 应选用大小适宜的网片进行补网。网破坏严重时,必须先架设棚子用托梁拖住网片,然后再进行补网。

2. 在有坡度的工作面补网时,人员要站在上方,先联网片的上边,然后依次往下联结。

3. 采煤过程发现坏网时,补网人员由上往下操作,禁止贴靠煤壁补网。

4. 笆片的铺设顺序和金属底网的铺设顺序基本相同。笆下底梁的铺设和网下底梁相同。

(四)注水、注浆

1. 注水、注浆时要遵守注水、注浆操作规程,符合作业规程规定。

2. 一般的方法是从下到上,在每个棚挡中向采空区由顶板逐步向底板均匀喷射压力水,直至湿透为止。注水到上风巷后,关好水闸。将水管盘好,放在指定地点。

3. 注水过程中应多次去下顺槽观察,既能使矸石湿透,又不使下顺槽被淹或淤塞。

4. 采空区注浆操作顺序和向采空区注水的操作顺序基本相同。操作时应不少于两人配合作业,一人掌握浆管喷头,均匀周密向采空区注浆,另一个人配合移设、检查管路及信号联系。

5. 送浆前,要用电话与注浆站联系,先用清水冲洗管道,后送泥浆。发生管路崩裂、堵塞时,应立即联系停止供浆,处理妥善后,方可继续作业。

复习题

1.简述厚煤层分层开采的技术特点。

2.简述综采放顶煤的工艺过程。

3.综采放顶煤的放煤方式有哪些?各自的特点是什么?

4.简述倾斜长壁采煤法采煤工艺特点。

讨论题

1.如果你矿是综采放顶煤工作面,你知道它的放煤方式吗?能否换一种放煤方式?

2.对于仰斜开采或俯斜开采,你矿是怎么处理的?

第十二章　急倾斜煤层采煤法

第一部分　系统理论知识

第一节　急倾斜单一煤层走向长壁采煤法

急倾斜单一煤层走向长壁采煤法区段巷道的布置与缓倾斜、倾斜煤层走向长壁采煤法布置基本相同。工作面沿走向布置，上部为回风平巷，下部为运输平巷，采区边界布置开切眼，多采用钻眼爆破破煤。为了适应急倾斜煤层顶板下滑力大的特点，采用平行于采煤工作面的顺山木支柱或单体液压支柱支护，用四、六排空顶距，分段错茬放顶。

一、倒台阶采煤法

倒台阶采煤法是指在急倾斜煤层的阶段或区段内，布置下部超前的台阶形工作面，并沿走向推进的采煤方法。倒台阶采煤法于1950年首次在安徽淮南矿务局九龙岗矿试验成功，并逐渐推向全国，是我国20世纪70年代以前开采急斜薄及中厚煤层应用较广的一种方法。目前，仅在煤层赋存条件极为复杂，厚度变化较大的急斜煤层中少量使用。根据采空区处理方法不同，倒台阶采煤法又分为倒台阶全部垮落采煤法、倒台阶矸石充填采煤法。

(一)倒台阶全部垮落采煤法

倒台阶工作面一般采用风镐破煤，每个台阶只配备一台风镐，由1、2名工人进行破煤和支柱工作。一般采用"两采一准"循环方式，每日完成一个循环，循环进度为1.8～2.0m。台阶长度一般按每班能采、支一排支柱的进度的原则确定。工作面一般采用木支柱进行支护，由于支柱既要防止顶底板岩石垮落、滑动，又要作为工人操作、人员上下的脚手架，还要承受煤块、岩块的冲击、挤压，因而支柱必须支设牢固、可靠。支柱应有3°～5°的迎山角以抵抗顶板向下滑移。如果底板较为破碎，有滑动或垮落危险时，应设底梁，垫方木，并砍墩口；如果顶底板比较坚固，可支设点柱。为了保证支架的稳定性，应采用平行于工作面一梁两柱或一梁三柱对结棚，排、柱距均为0.8～1.0m，常用0.9m。为防止煤块砸伤人员，采空区垮落矸石滚入工作面，减少煤炭资源损失，应沿工作面在适当位置设置溜煤板。阶檐处要用背板背紧背牢，以防阶檐煤壁垮塌伤人。工人破煤作业地点必须设置脚手板，以保证作业安全。当工作面压力较大时，上下出口处必须设置丛柱、密集支柱或木垛，以保证安全出口畅通。

倒台阶工作面安全脚手板、护身板和溜煤板统称为"三板"，它是保证安全生产的重要措施。

倒台阶工作面一般采用全部垮落法处理采空区，工作面控顶距以上部台阶面为准，一般不超过5排支柱。如果工作面过长，台阶过多，必然导致下部台阶控顶距加大，可用分台阶错茬放顶方法，即上下台阶的密集支柱错开两排支柱，上台阶新密集支柱与下台阶老密集支柱相连接，这样可使所有台阶都保持5~7排支柱控顶。为了减少采煤工作面顶板管理难度，可以利用上区段采空区矸石充填本区段采空区，则称为倒台阶矸石充填采煤法。

二、正台阶采煤法

正台阶采煤法，又称为伪斜短壁采煤法。它是指在急斜煤层的阶段或区段内，沿伪斜方向布置成上部超前的台阶形工作面，并沿走向推进的采煤方法。

为了克服倒台阶全部陷落采煤法和倒台阶矸石充填采煤法存在的控顶面积大、坑木消耗高、资源回收率低、工作面内行人及运料不便、台阶上方易于瓦斯积聚等缺点，重庆市中梁山矿务局南矿于1984年6月试验成功了正台阶采煤法，取得较好技术经济效果，安全状况得到进一步改善。

短壁工作面采用风镐破煤。各短壁采出的煤炭堆积在其下部伪斜小巷溜煤槽内，各伪斜小巷下口均设置挡煤板，以防止短壁工作面采煤时，伤及下短壁工作面作业人员。当煤堆积到一定高度时，应由下向上逐步取掉挡煤板自溜放煤。为防止大块煤、矸打落支柱和伤及人员，可在伪斜小巷下口的正前方挂设胶皮挡煤板，使煤流沿伪斜小巷运动。

短壁工作面采用专用卸载手把远距离人工回柱。回撤工作面支柱前，先设置人工假顶支柱，假顶加强支柱，铺上竹笆，沿顶板一侧掏出不少于0.3m厚的矸石垫层，然后按矸石堆积斜面自上而下，由采空区向煤壁回撤支柱，使矸石滚落到新设置的人工假顶上。回柱时若遇“死顶”，要先打好替柱，用松顶或掏底方式回柱。回柱放顶时，短壁工作面必须停止采煤和其他工作。

第二节　伪倾斜柔性掩护支架采煤法

伪倾斜柔性掩护支架采煤法是指在急斜煤层中，沿伪倾斜布置采煤工作面，用柔性掩护支架将采空区和工作空间隔开，沿走向推进的采煤方法。

伪倾斜柔性掩护支架采煤法经过近40年的发展，已在安徽、河北、江苏、四川、重庆、贵州、浙江、新疆、云南、青海、广东、广西、吉林、陕西及山西等省区市急斜煤层中广泛使用，成为我国开采急斜煤层的一种主要采煤方法。

一、采煤系统

伪倾斜柔性掩护支架采煤法区段高度取决于煤层倾角大小、沿倾斜变化情况、采煤技术条件、职工队伍素质、管理水平等因素。目前实际使用一般为30~50m，当煤层赋存稳定、构造简单、区段高度可以达到80~100m。在区段范围内，区段运输平巷和区段回风平巷掘到边界后，距采区边界5m处开掘一处开切眼。开切眼包括溜煤眼和人行眼，两眼间距5~8m，沿倾斜每隔10~15m用联络平巷贯通。开切眼贯穿回风平巷后，便可从回风平巷边界起铺设掩护支架。根据重庆中梁山矿区生产经验，回风平巷至开切眼中人行眼的距离应达到5~10m，以保证掩护支架工作面下倒角沿开切眼顺利下放。利用开切眼逐步把水平铺设的掩护支架下放到与水平面呈30°~35°夹角的伪倾斜位置，形成伪倾斜采煤工作面。伪倾斜柔性掩护支架采煤法工作面布置，如图12–1所示。

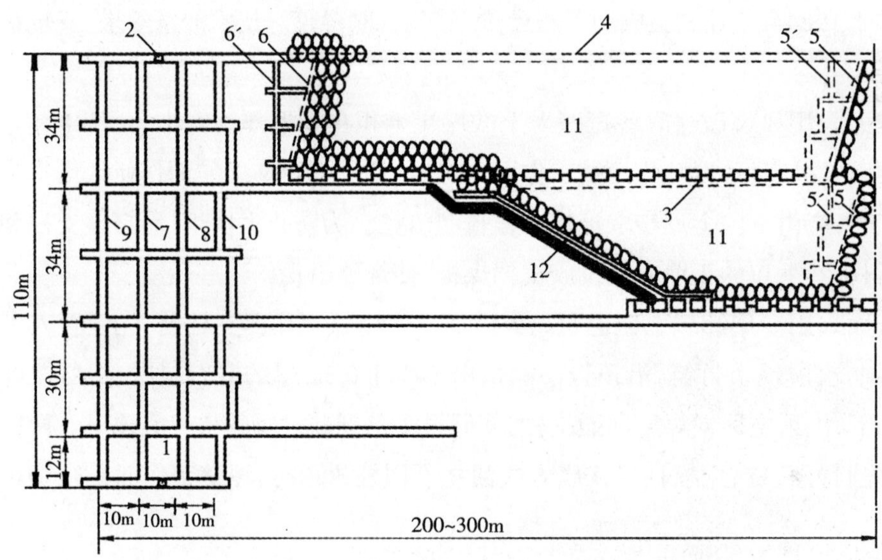

图12–1　伪倾斜柔性掩护支架采煤法工作面布置图

1——采区运输石门；2——采区回风石门；3——工作面运输巷；4——工作面回风平巷；5——开切溜煤眼；5′——开切人行眼；6——收尾眼；7——溜煤眼；8——溜矸眼；9——运料眼；10——人行眼；11——采空区；12——掩护支架

正常采煤过程中，应安排专人在回风平巷扩巷、采地沟、铺设掩护支架，在工作面下端掩护支架下放到运输平巷时应按作业规程、操作规程要求拆除掩护支架，并及时运至运输石门，经转运后重复使用。在工作面推进过程中，应在采区上山眼隔离煤柱外侧开掘一对收尾眼，逐步将支架下放成水平位置，然后全部回收。根据重庆南桐、中梁山以及山西宁武矿区生产经验，煤厚小于2m掩护支架采煤工作面可以不掘收尾眼，而采用沿空留巷方式进行收尾。

1.通风系统：新鲜风流自采区运输石门进入，经运输平巷到采煤工作面。污浊风流从采煤工作面经回风平巷到回风石门排出。

2.运料系统：支架等材料由回风石门运进，经回风平巷运到支架安装地点。

3.运煤系统：工作面破煤经自溜到运输平巷，经刮板运输机转到运输石门，到采区溜煤眼，大巷装车。

二、掩护支架结构

平板型掩护支架是国内最早的一种，其他形式的掩护支架是在平板型掩护支架的基础上演变形成的。

平板型掩护支架结构简单，由长度比煤层厚度小0.2~0.4m直钢梁及钢丝绳构成。钢梁排列密度根据煤层厚度灵活掌握。煤厚在2.5~4m时，钢梁密度为3~5根/m；煤厚在4~5m时，钢梁密度为5~6根/m，钢梁可采用矿用工字钢、U型钢及旧钢轨。钢梁的规格应根据开采煤层的厚度选用不同型号。架宽在2m以下时，可选用矿用工字钢10号、U型钢18B或18kg/m钢轨；架宽在2.0m以上时，选用矿用工字钢11号、U型钢18A或24kg/m钢轨。为便于运输，单根钢梁长度不宜超过3.0~3.2m。单根钢梁平板型掩护支架的主要规格为2.2m、2.4m、2.6m、2.8m、3.0m、3.2m。理想适用条件：倾角大于60°，厚度2.4~3.6m，赋存稳定的煤层。钢梁垂直于煤层顶底板，沿走向每米布置4~5根，钢梁间夹方木荆条捆，使钢梁保持200~300mm间距，排列好后用直径为22~43.5mm的旧钢丝绳、夹板和螺栓将钢梁连接成一柔性掩护体。图12-2为平板型掩护支架结构。

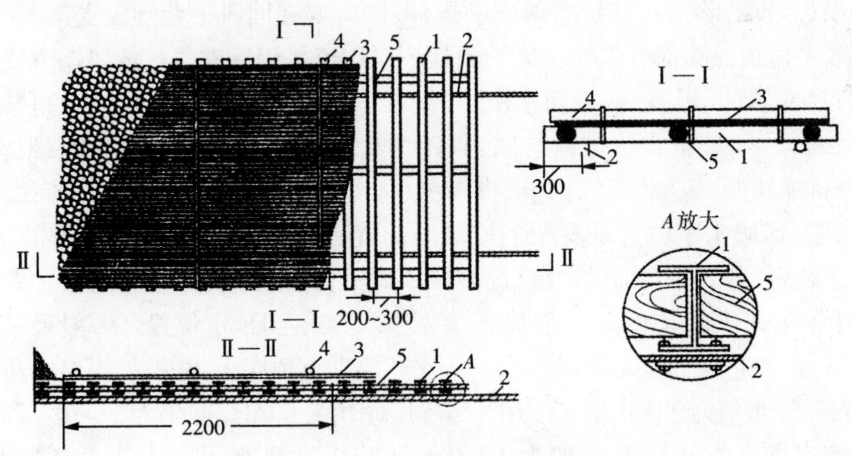

图12-2 平板型掩护支架结构

1——工字钢；2——钢丝绳；3——荆笆；4——压木；5——撑木

钢丝绳根数依据架宽确定。根据河北开滦、安徽淮南、重庆天府及中梁山矿区生产经验，架宽在2m以下时用4~5根。为了防止钢丝绳松捻，要在其两端封口，每段钢丝绳长度为15~20m，接头处用5~6个绳卡搭接。钢梁上交替铺设竹笆、荆笆或金属网，并用铁丝与钢梁拴紧，以隔离采空区矸石。竹笆宽度应稍小于钢梁长度，以避免支架下放过程中，竹笆挂住顶底板矸石而被拉开，发生漏矸现象。

三、采煤工艺

伪倾斜柔性掩护支架采煤法的采煤工作由安装掩护支架、正常破煤、下放掩护支架、掩护支架拆除四部分组成，可分为三个工作阶段。

1.准备阶段

准备阶段的工作主要是扩巷、挖地沟、铺设掩护支架、调架。安装支架前，先将区段回风平巷扩至煤层顶底板，从开切眼以外5m处开始挖倒梯形地沟。煤厚在1.3~3.0m时，地沟深度不小于0.8m；厚度大于3.0m时，地沟深度不小于1m。

扩巷及地沟挖好后，可以安装掩护支架。第一根支架应从距开切眼以外3~5m的地方开始铺起，其一端紧靠顶板，垫高0.2~0.4m，使钢梁与水平方向呈3°~5°，以便于支架、钢丝绳连接，有利于支架下放。钢丝绳、支架、方木(荆条捆)用螺栓夹板连接成整体后，应在支架上铺设竹笆。安装工作沿走向推进15m后应将回风平巷支架拆除，使上部煤矸垮落，保证掩护支架上有2~3m厚的垫层，以避免开采过程中大块顶底板岩石垮落砸坏掩护支架。若垫层厚度小于煤厚2倍以下时，应采用爆破方法强制获取。为了防止掩护支架在下放过程中煤矸垮落，应使煤矸垮落点距伪斜工作面上部拐点的距离经常保持在5m以上。当掩护支架安装的水平长度达到15m时，就可以调放掩护支架，下放支架利用开切眼来完成。在开切眼中打眼爆破，使支架的尾端由水平状态逐步调斜下放，使其与水平面呈30°~35°。在伪斜工作面中，应始终使每根支架垂直于煤层顶底板。

2.正常采煤阶段

在正常采煤阶段，除了在掩护支架下破煤外，同时要在回风平巷铺设支架，在工作面下端掩护支架放平位置撤除部分支架。掩护支架下采煤可采用爆破方式或风镐方式。爆破方式破煤包括打眼、装药、爆破、铺设溜槽出煤、调架工作。炮眼布置根据架宽和煤层硬度确定。架宽在2m以下时，布置单排地沟眼，眼距为0.5~0.6m，眼深为1.0~1.5m；架宽在2~3m时，应布置双排地沟眼，眼距、眼深同上，排距为0.4~0.5m；架宽在3m以上，顶底煤硬度较大时，应增加帮眼，帮眼水平位置是支架下放后的位置，炮眼深度以不超出支架的两端为限。工作面炮眼爆破后，自下而上铺设溜槽，煤炭装入溜槽自溜到下部运输平巷。随着煤层的破落，掩护支架会自动下落，应随时注意调整，使掩护支架落到预定位置。一般采用点柱来控制掩护支架下落，使它在工作面中保持平直。支架应垂直顶底板，并根据煤层倾角不同而保持2°~ 5°。当煤层倾角为90°时，仰角为0°；当煤层倾角为60°时，仰角为5°。破煤清除后，支架会整体沿走向推进一定距离，一般为0.8~0.9m。先拆除溜槽，再进行下循环打眼爆破、出煤调架工作。

掩护支架下放方式与爆破出煤顺序有关，曾经采用两种方式：

(1)工作面分段爆破

伪倾斜柔性掩护支架工作面采用自下而上分段爆破的方式。工作面上、下段可以交替打眼爆破出煤，使工作面工时利用比较合理。其缺点是放架时形成如图12-3 (a) 所示的情况，下段爆破出煤后，掩护支架将由ab变为$acdeb$的位置，因$acdeb$段长度大于ab段长度，掩护支架受拉易变形损坏。

(2)工作面全长一次爆破

伪倾斜柔性掩护支架工作面全长一次爆破后出煤，掩护支架将由ab变为cd位置，如图12-3(b)所示。爆破出煤后，掩护支架可以全工作面同步向下滑移到新的位置，掩护支架不会受拉变形。其缺点是打眼与出煤不能平行作业，工时利用差，单产低，有时还会造成碎煤堵塞工作面。

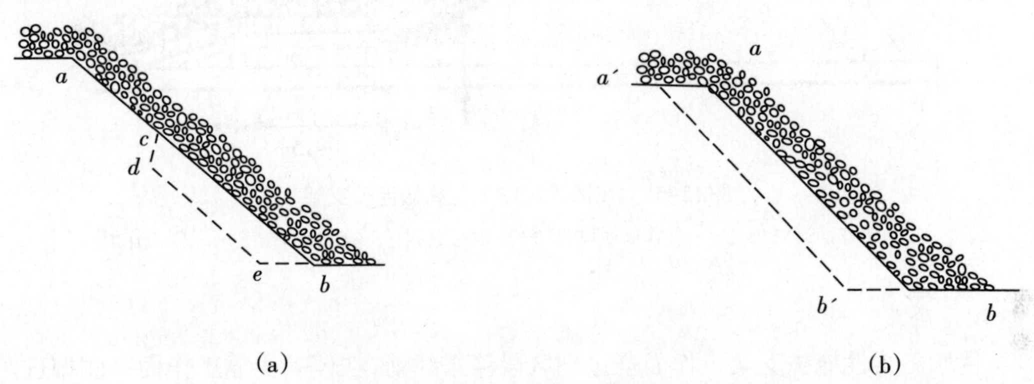

图12-3 掩护支架下放长度变化

(a)工作面分段爆破掩护支架下放长度变化;(b)工作面全长一次爆破掩护支架下放长度变化

在工作面采煤时，同样要在回风平巷中不断铺设掩护支架，以便连续采煤。随着工作面不断向前推进，要及时拆除工作面下端的掩护支架。拆除掩护支架时，将工作面下端掩护支架放平在运输巷中，如图12-4(a)所示。在放平段尾部，由地沟向煤层顶底板两帮扩巷，到支架两端露出为止。这时支架失去两侧煤台的支承，应及时打上点柱支承悬露出来的掩护支架，下部回收巷道高度不应小于1.2m，如图12-4(b)所示。拆架工作自最后一根支架开始，卸掉螺栓、夹板，将支架由下煤眼运出，钢绳由小眼拉出。后方悬露出的假顶应及时架设点柱维护，当达到一定控顶距时回柱放顶，如图12-4(c)所示。

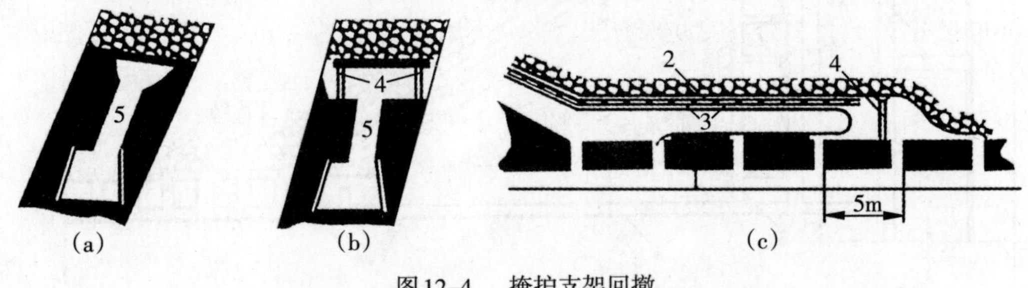

图12-4 掩护支架回撤

1——区段运输巷;2——假顶材料;3——绳接头;4——戴帽点柱;5——溜眼

拆架工作也可以直接在下区段的运输平巷中进行，如图12-5所示。下区段回风平巷可以在被假顶隔离垮落矸石下方直接沿空掘进，不留设区段煤柱，以提高采区回收率。

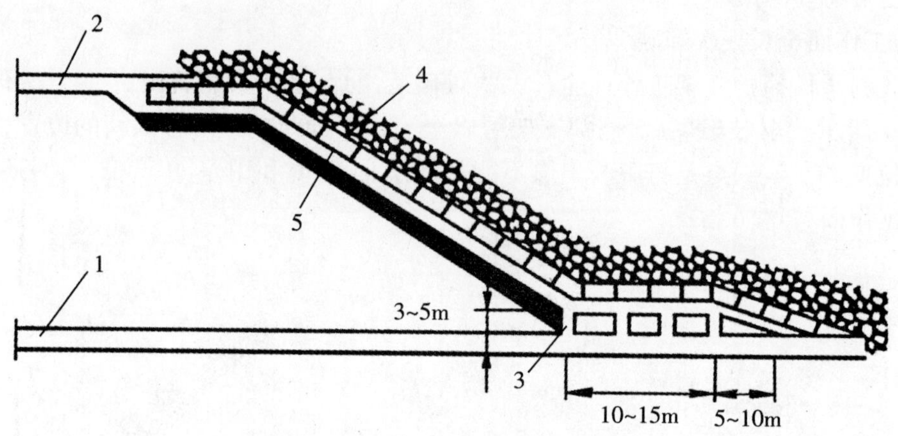

图 12-5　在区段运输平巷回撤掩护支架

1——工作面运输巷；2——工作面回风巷；3——联络巷；4——掩护支架；5——采煤工作面

3.收尾阶段

当伪倾斜柔性掩护支架工作面推进到区段停采线前，在停采线靠工作面一侧掘进两条收尾眼。两眼相距 8 ~ 10m，沿倾斜每隔 10 ~ 15m 用联络巷连通。掩护支架铺设至收尾眼时，应停止铺架。利用收尾眼将支架前端逐渐下放，减少工作面伪斜角度，拆除上端多出的一段支架，使支架下放到回架处的水平位置。用上述拆架方法将掩护支架全部拆除，如图 12 - 6 所示。在拆除掩护支架过程中应始终保持支架落平部分与区段运输平巷不少于三个溜煤眼相通，以满足通风、行人和拆架的需要。但最多不超过五个溜煤眼，避免压力过大给拆除掩护支架造成困难。

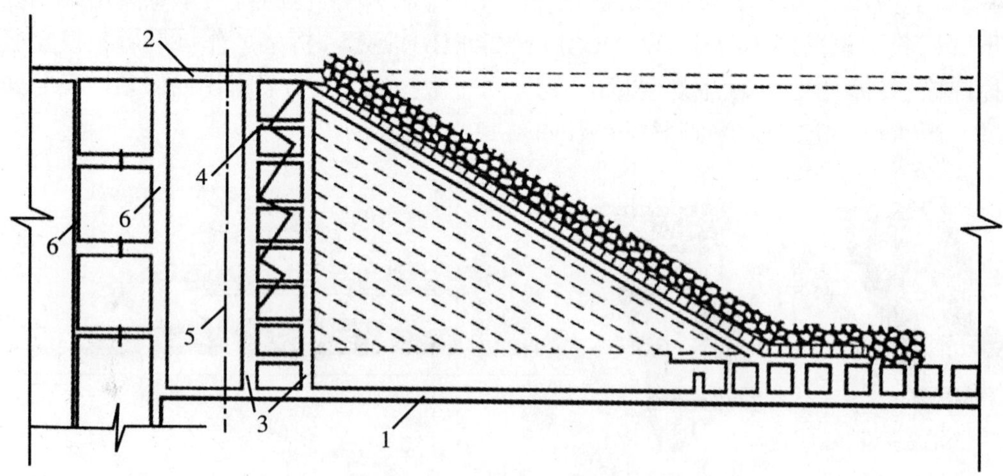

图 12-6　掩护支架工作面收尾

1——工作面运输巷；2——工作面回风巷；3——收尾上山眼；
4——通风联络巷；5——停采线；6——采区上山眼

四、改进支架结构、扩大使用范围

为扩大伪倾斜柔性掩护支架采煤方法的使用范围，40多年来，我国众多急斜煤层开采矿井根据本矿区煤层赋存条件、技术条件积极进行研究、试验，因地制宜开发出多种结构的掩护支架，这些结构形式的掩护均是在平板形掩护支架基础上演变而来的。

1.多根钢梁组合平板形掩护支架

当煤层厚度大于4m时，可以用两根或多根钢梁对接或搭接，形成两根或多根钢梁组合平板形支架。两根钢梁搭接组合平板形掩护支架如图12-7所示，主要规格为3.6m、4.0m、4.5m、5.0m、5.2m五种，分别用两根2.4m、3.0m、3.6m长的11号矿用工字钢搭接组合而成。使用条件为煤层倾角大于60°、厚度3.8～5.5m、赋存稳定煤层。

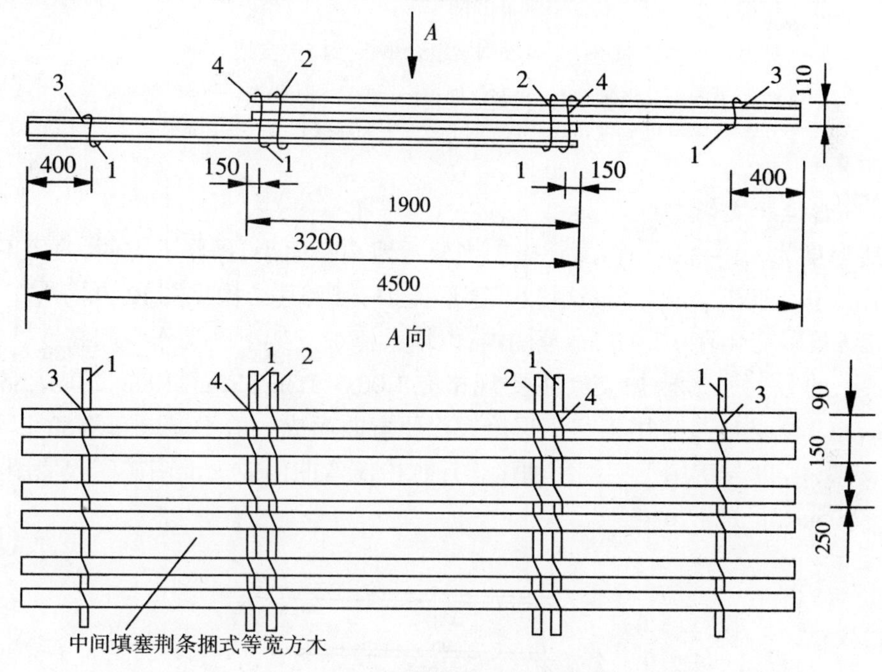

图12-7　两根钢梁搭接组合平板形掩护支架

1——主钢绳；2——背绳；3——大圆钢卡；4——小圆钢卡

多根钢梁组合平板形掩护支架如图12-8所示。其主要规格为5.6m、6.0m、6.4m、6.8m、7.2m，分别用1.6m、2.0m、2.4m、2.8m、3.2m、3.6m、4.0m长的11号矿用工字钢组合而成。适宜条件为倾角大于60°、厚度5.8～10m、赋存稳定煤层。目前国内已能用多根钢梁组合平板形掩护支架开采8m以上煤层。如河北开滦马家沟矿曾经采用钢梁组合平板形掩护支架，成功开采厚度为8～12m的煤层，取得了良好的技术经济效果。

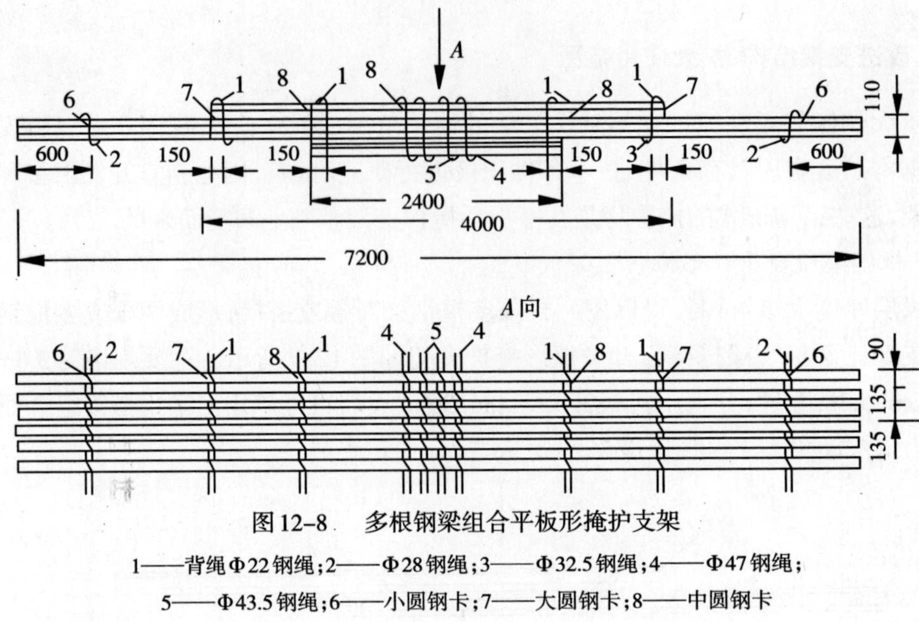

图12-8 多根钢梁组合平板形掩护支架

1——背绳Φ22钢绳；2——Φ28钢绳；3——Φ32.5钢绳；4——Φ47钢绳；
5——Φ43.5钢绳；6——小圆钢卡；7——大圆钢卡；8——中圆钢卡

2.“八”字形掩护支架

当煤层厚度为1.1～3.0m时，由于掩护支架下地沟断面小，操作不方便，通风不良，因此一般不采用平板形掩护支架，而采用“八”字形掩护支架，其结构见图12-9。“八”字形掩护支架的高度h可以变化在0.3～0.5m范围内，以增大掩护支架下的工作空间高度。适于煤层倾角60°以上的“八”字形掩护支架主要规格有1.06m、1.3m、1.5m、1.8m、2.0m、2.5m、3.0m、4.2m、6.0m，用9号或11号矿用工字钢焊接或冷压弯曲而成。适于煤层倾角60°以下的“八”字形掩护支架，用11号矿用工字钢用油压千斤顶冷压弯曲而成。淮南矿区曾使用的主要规格有1.8m、2.05m、3.5m、4.2m。

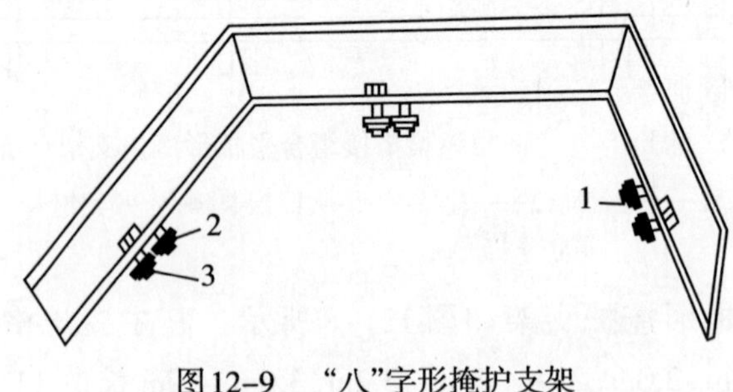

图12-9 “八”字形掩护支架

1——六角螺栓；2——小垫板；3——钢丝绳

3.“〈”形掩护支架

当煤层倾角小于60°时，为了增加掩护支架下的工作空间及便于向下移动，无论煤层薄厚，都不宜采用平板形支架，可以采用如图12-10所示的用11号矿用工字钢加工而成的“〈”形掩护支架。生产实践表明：“〈”形掩护支架可以用来开采倾角为55°～60°的煤层，支架上肢和下肢长度之比(肢长比)、肢间夹角和支架跨度都会影响掩护支架下滑性能。尤其是肢长比更为重要,肢长比过大时,支架会头重脚轻,容易切入底板;肢长比过小时,容易出现窜矸,而且空间小、操作不便。当煤层倾角为55°时,肢长比采用1:1为宜,肢间夹角可用140°,支架跨度可比煤层厚度小0.5~1.0m,支架工作角度应保持在65°~80°之间,防止支架出现啃底后仰现象。

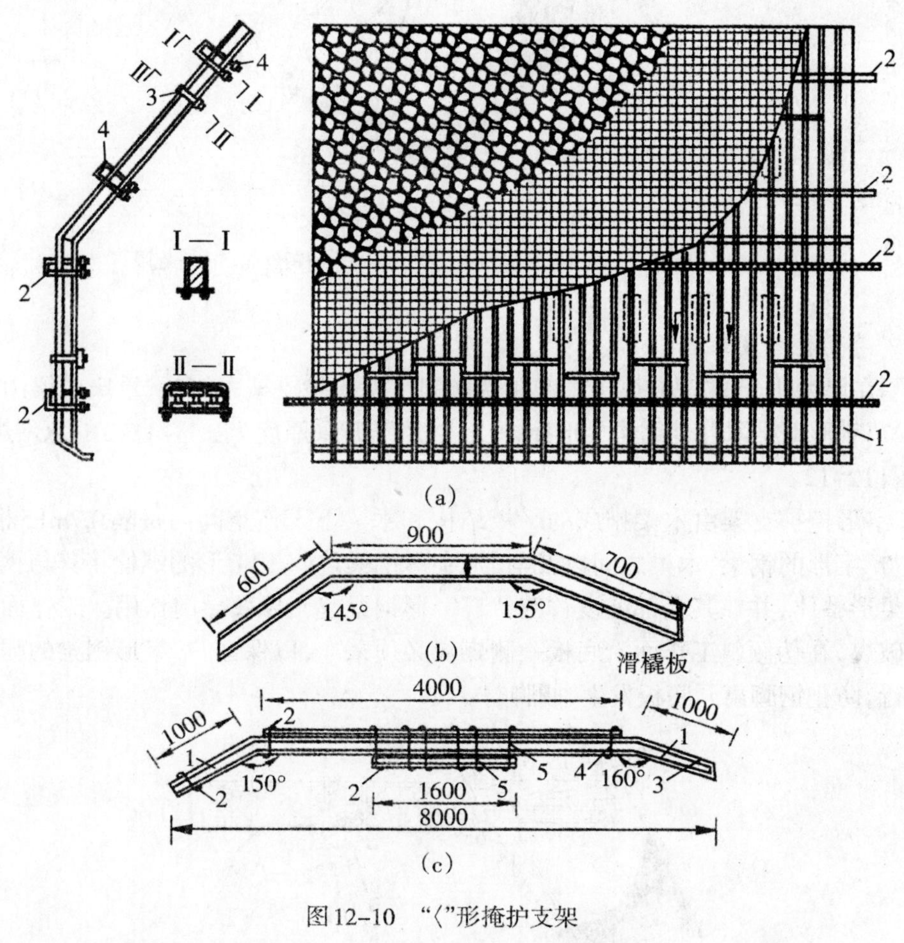

图12-10　"〈"形掩护支架

1——钢梁;2——钢丝绳;3——小圆钢卡子;4——大圆钢卡子;5——中圆钢卡子

4.单腿支撑式掩护支架

当煤层倾角为45°~60°时,为使支架能顺利下放而不切入底板,安徽淮南矿区成功地使用单腿支撑的"〈"形或"["形掩护支架。这种掩护支架已能顺利开采倾角45°~50°,厚度为2.0~3.5m的煤层。掩护支架由"〈"形或"["形钢梁和连接这些钢梁的走向钢梁组成,在伪斜工作面中每隔1m在掩护支架下打上一根木撑柱或单体液压支柱,撑柱与水平面的交角为75°~80°(见图12-11),适用于倾角在40°以上,厚度1.45~4.6m以上产状赋存较稳定的煤层。

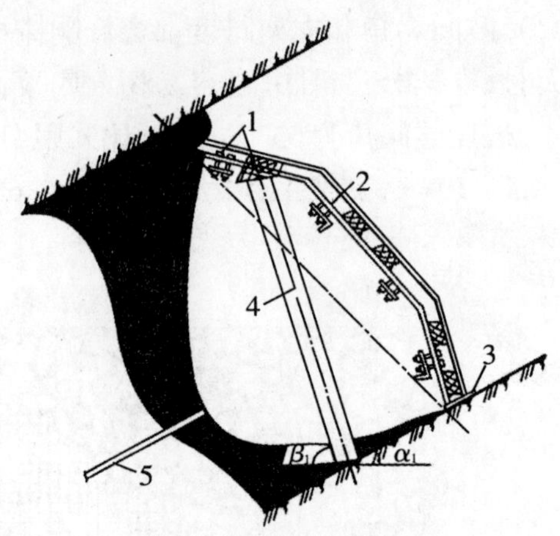

图 12-11　单腿支撑式掩护支架

1——单腿；2——走向钢梁；3——滑撬板；4——钢丝绳；5——炮眼

5."7"字形掩护支架

为了在厚度小于1.3m的煤层中使用伪倾斜柔性掩护支架采煤法，重庆中梁山矿务局试验成功"7"字形钢梁木混合结构柔形掩护支架，用于开采厚度为0.7～1.3m的急斜煤层，支架结构见图12-12。

"7"字形掩护支架由木梁排成的平板结构和木梁下工作空间内每隔0.7m(5根木梁)安装一根"7"字形的钢梁，木梁之间以及与"7"字形钢梁之间，用U形的螺栓将其与钢丝绳联合成一个柔形整体，并在其上部铺设竹笆，"7"字形钢梁起支撑及导向作用。工作面采用爆破或风镐破煤，在伪倾斜工作面沿底板一侧煤炭必须采净，以保证"7"字形钢梁的腿紧贴底板向下滑行，防止钢脚离开底板发生"撬脚"。

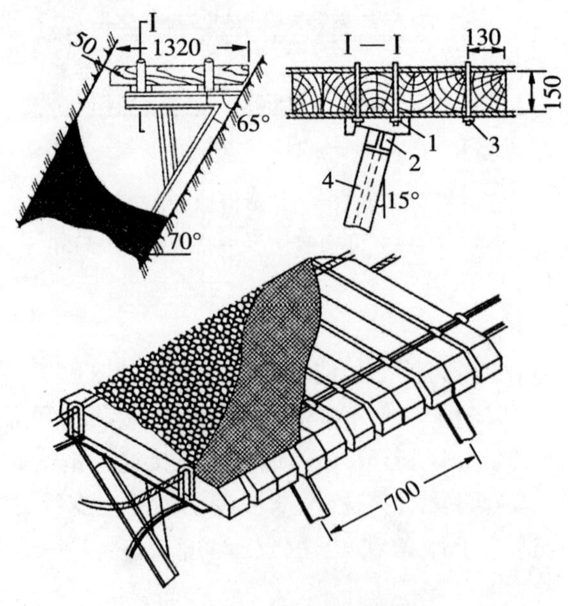

图 12-12　"7"字型掩护支架

1——槽钢楔块；2——钢梁；3——U型螺栓；4——钢梁腿

五、伪倾斜柔性掩护支架采煤法的优缺点及适用条件

1.优点

(1)伪倾斜柔性掩护支架采煤法将工作面倾角变缓,工作面伪倾斜长度增大,巷道布置和生产系统简单,工作面连续推进时间长,搬迁次数减少,有利于安排工作面均衡生产,有利于发展采煤机械化,降低掘进率。同时,工作面破煤能自溜运输。

(2)伪倾斜柔性掩护支架采煤法利用掩护支架把采煤工作面空间与采空区隔开,简化复杂繁重的顶板管理工作,减少了繁重的体力劳动,安全可靠性增加,支护材料消耗降低。

(3)掩护支架安装和拆除工作,在空间上能与工作面的正常采煤工作分开,三者可以平行作业,互不影响,采煤工艺简单,可以实现三班连续破煤,单产高,技术经济效果好。

2.缺点

(1)掩护支架结构固定,在下放过程中,对煤层厚度、倾角等产状变化的适应性差。

(2)采煤工艺尚未实现机械化,限制了各项技术经济指标的进一步提高。

(3)在含有夹矸的煤层中使用时,无法排除矸石,降低了煤炭质量。

(4)当工作面出现淋水时,劳动条件较差,煤炭自溜困难。

3.适用条件

煤层赋存稳定、倾角和厚度变化较小、夹矸层较薄、煤层厚度在1.1~8.0m的急斜煤层。

4.改进方向

为了扩大伪倾斜柔性掩护支架采煤法的应用范围,提高其技术经济效果,今后的改进方向是:

(1)在倾角为45°~60°、厚度不同的急倾斜煤层中应用时,掩护支架下放容易发生事故,要求具有较高技术及管理水平,因此,对于这种条件下的掩护支架结构及其下放方式需要进一步研究和改进。

(2)在倾角大于60°、厚度小于1.3m及厚度大于8~10m的急斜煤层中应用时,现仍存在一定困难。煤厚小于1.3m时,掩护支架下工作空间小,劳动条件恶化,风速高,产尘量大;煤厚大于6~10m时,掩护支架笨重,安装和拆卸工作繁重,支架下放难以控制,因此,对于这两种条件下的掩护支架结构及其下放方式需要进一步研究和改进。

(3)伪倾斜柔性掩护支架采煤法的所有工序目前均是人工作业,劳动强度较繁重。生产现场迫切需要实现部分工序的机械化,以改善工人劳动条件。

第三节　水平分段放顶煤采煤法

在急倾斜特厚煤层中,水平分段放顶煤采煤法类似于水平分层采煤法,其差别是按一定高度划分为分段,在分段底部采用水平分层采煤法的破煤方式,分段上部的煤炭由采场后方放出运走。这样各分段依次自上而下使用放顶煤采煤工艺进行开采。

急倾斜厚煤层水平分段放顶煤采煤法按其采煤工艺特点可分为综采放顶煤采煤法和滑移顶梁液压支架放顶煤采煤法。

随着综合机械化采煤工艺的发展，特别是放顶煤液压支架及滑移支架试验成功，从20世纪90年代起在辽宁辽源、甘肃窑街、新疆乌鲁木齐等矿区进行了急斜厚煤层水平分段综采放顶煤采煤法试验，取得良好的效果。其工作面单产提高，巷道掘进率降低，坑木消耗较少，成本大幅度降低，安全状况明显改善。急斜厚煤层水平分段放顶煤采煤法的试验成功，是急倾斜采煤方法及其采煤工艺的重大改革，值得在全国推广。推广应用该项技术过程中，要注意解决放顶煤开采中回采率、煤尘、自然发火、瓦斯积聚等问题。

一、采煤系统

急倾斜厚煤层水平分段放顶煤采煤法将急倾斜厚煤层在采区内沿倾斜划分为若干分段，每个分段底部布置一个采煤工作面，其上部为随该工作面开采一起放落的顶煤段，底层工作面和顶煤段合称为水平分段。如图12-13所示，工作面运输巷沿顶板布置，与采区溜煤眼相通，工作面回风巷沿底板布置，与采区回风石门相通。根据窑街矿区生产经验，正常情况下，底层工作面采高为2.5m，水平分段高度为放煤高度与底层工作面采高之和。放顶高度与支架提供的松散空间有关，当使用低位放煤插板式支架时，放顶高度不大于8.7～17.0m，则水平分段高度为11.2～19.5m；当使用高位放煤单输送机支架打开放煤槽时，放煤高度不大于3.3～6.7m，则水平分段高度为5.9～9.0m。

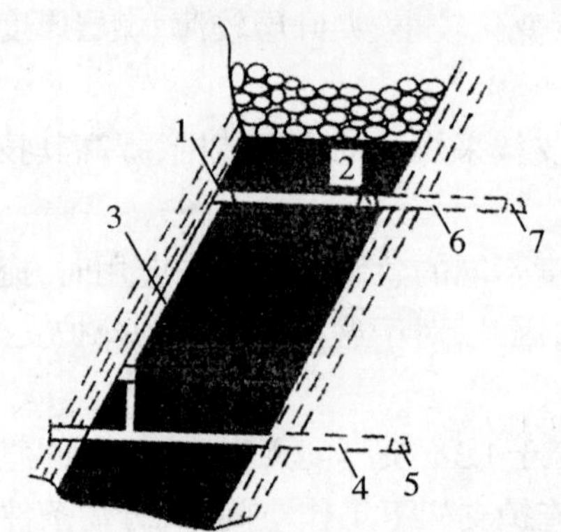

图12-13　水平分段放顶煤采煤法巷道布置

1——工作面运输巷；2——工作面回风巷；3——采区溜煤眼；4——运输石门；5——运输大巷；6——采区回风石门；7——回风平巷

二、采煤工艺

1.切眼附近顶煤处理

切眼附近顶煤，视煤质硬度不同有不同的处理方法：当煤质较硬时，由于顶煤初次垮落步距较大，为了减少顶煤损失，在开切眼内需向顶煤和煤柱侧打眼爆破对煤体进行松动；对于煤质较软、节理层理发育、易于垮落的煤层，开切眼推进一定范围内，工作面不得放顶煤，以防破坏采区隔离煤柱。

2.工作面割煤、移架、推移输送机

(1)工作面设备。采煤工作面可采用单滚筒采煤机，也可采用双滚筒采煤机；自移式支架采用双输送机尾梁插板支撑掩护式支架，也可采用单（双）输送机掩护梁开天窗掩护式支架；工作面前端采用与采煤机配套的重型链牵引刮板输送机，后端采用轻型刮板输送机。

（2）工作面割煤、移架、推移输送机。

进刀方式：根据工作面长度和所选用采煤机不同，可选择斜切进刀、中间进刀和工作面上下开切口等进刀方式。

截割方式：单滚筒采煤机多采用上行割顶煤、下行割底煤，往返进一刀的截割方式；双滚筒采煤机采用双向割煤，往返进两刀的截割方式。

支护方式：采煤机割煤后，立即移架，及时支护裸露顶煤。

移架：采用擦顶移架方式，移架速度要快，尽可能依次到位。

推移输送机：前端输送机弯曲段一般经过两三次推移到位；后端输送机要待顶煤放完后才进行推移。

3.放顶煤

一般采用割两刀或割三刀放一次顶煤，放顶煤步距为“两刀一放”或“三刀一放”，用单轮间隔或多轮顺序放顶煤方式。由于工作面普遍较短，多采用两轮移架放顶煤方式。使用两轮移架放顶煤时，由底板向顶板方向移架一轮放总放煤量的一半，两轮全部放完。但因放煤不均匀或煤层本身因素提前见到矸石时，应隔架放顶煤。

由于急倾斜煤层矿山压力显现不强烈，地压破煤效果不及缓倾斜煤层。当工作面长度过小或煤层厚度大于15m时，工作面会出现悬顶及大块煤，顶煤垮落前需要采取爆破松动顶煤。当煤层硬度较大，倾角小于55°时，靠底板侧会残留较大“死煤三角区”的顶煤放不出来，需要采用爆破崩落措施。

图12–14为急倾斜厚煤层综采放顶煤工作面布置，采煤工作面采用双滚筒采煤机及双输送机尾梁插板式四柱支撑掩护式放顶煤支架。

三、水平分段综采放顶煤采煤法的优缺点及使用条件

水平分段放顶煤采煤法与其他急倾斜煤层采煤法相比，具有下列优点：①机械化程度高，生产集中，工作面产量高，劳动生产率高，生产成本低；②巷道掘进工程量少，掘进率及巷道维护费用低；③与水平分层采煤法比较，减少了铺网工序及材料消耗；④煤炭损失较大幅度减少。

其缺点是：①较其他急倾斜煤层采煤法投资大；②对地质条件要求严格；③设备笨重，设备运输，安装较为困难，不能因煤厚度变化而调整工作面长度；④在未进行灌浆及注水灭火的干燥煤层中使用高位或中位放顶煤支架时，产尘量较大。

适用于煤层倾角大于45°的；煤层厚度大于20m，厚度沿走向范围变化不大的；煤层赋存稳定，无较大落差断层存在；煤层硬度系数f=0.8～2.0，当f>2.0时必须采取爆破强制破煤措施。

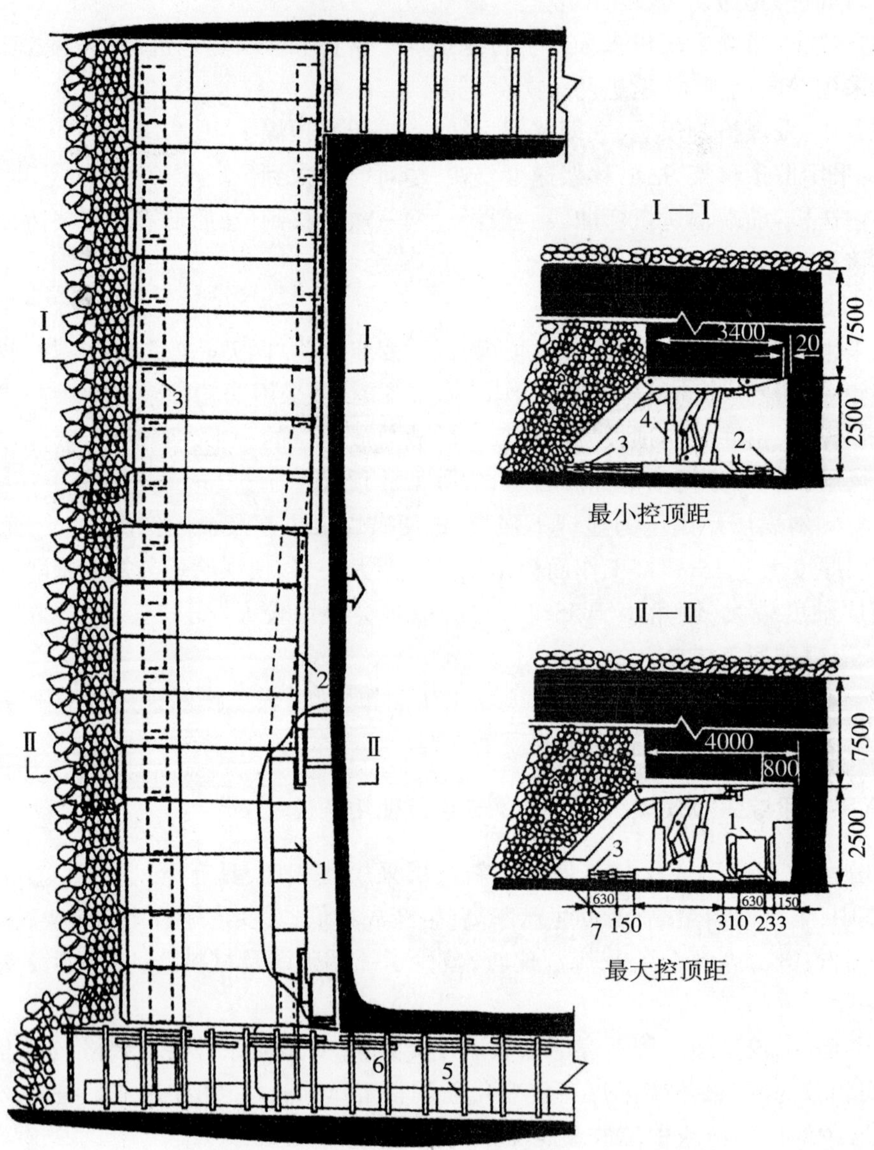

图12-14　急倾斜厚煤层综采放顶煤工作面布置

1——采煤机；2——前部输送机；3——后部输送机；4——液压支架；

5——运输平巷输送机；6——加强支柱；7——放煤插板

第四节　水平分层及斜切分层采煤法

水平分层采煤法是指急倾斜煤层沿水平面划分分层的采煤方法。斜切分层采煤法是指在急倾斜煤层中，沿与水平面成25°～30°的斜面划分分层的采煤方法。各分层向顶板方向有一定倾角时称为正斜切分层，各分层间底板方向有一定倾角，称为倒倾斜分层，见图12-15。斜切分层的主要目的是便于煤炭自溜。

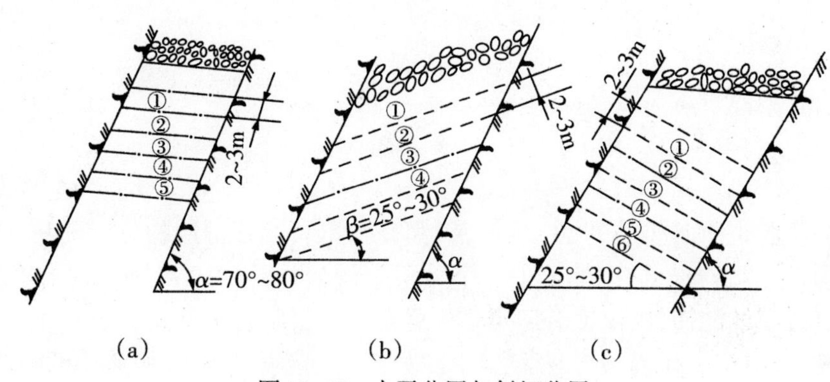

图12-15　水平分层与斜切分层

(a)水平分层；(b)倒斜切分层；(c)正斜切分层

一、水平分层采煤法

1.采煤系统

采区巷道布置有单翼和双翼采区两种形式。在采区内，沿倾斜划分为5～6个区段，区段高度一般为15～20m，区段内包括5～10个分层，每个分层厚度为2～3m，个别可达6m。

如图12-16所示为水平分层采煤法采用的巷道布置形式。采区运输石门进入煤层后，在石门两侧沿煤层底板开掘一组上山眼，包括溜煤眼、人行眼、运料眼。各上山眼之间的距离，一般为10～15m。当上山眼与采区回风石门贯通后，从上山眼开始掘进第一区段运输平巷和区段回风平巷。为了方便运输平巷和回风平巷掘进时的运煤和通风，两者将需沿走向每隔20～30m掘进联络眼连通。当两条区段平巷掘到采区边界后，从采区溜煤眼开始沿走向每隔5～6m，从区段运输巷向上掘进区段溜煤眼与区段回风巷连通。在第一分层掘分层运输平巷，待溜煤眼掘出两个以后，就可在区段回风巷与第一区段溜煤眼的交叉处掘沟通煤层顶底板的煤门，作为第一分层采煤工作面的开切眼。

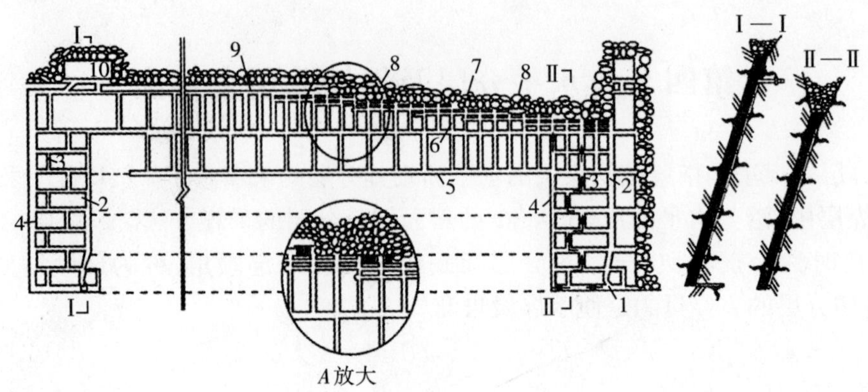

图12-16　水平分层采煤法巷道布置

1——采区运输石门;2——采区溜煤眼;3——采区人行眼;4——采区运料眼;5——区段运输平巷;6—区段溜煤眼;7—分层运输平巷;8—分层工作面;9—区段回风巷;10—回风石门

当第一分层沿走向向前推进20~30m后,可依次准备第二分层的分层平巷、溜煤眼和开切眼,如此循环一直进行到区段的最下一个分层。每个分层在其最小控顶距内要保持有两个溜煤眼与区段平巷相通,以保证分层工作面的溜煤、通风、行人及运料。

运煤系统:各分层工作面破煤经溜煤眼下放到区段运输平巷,由平巷中的输送机运至采区溜煤眼,直接溜入采区煤仓,在采区下部大巷石门装车运出。

运料系统:材料由下一采区的回风石门运入,经区段回风平巷分别送到各分层工作面,或由本采区的下部运输石门运入,经运料眼运到区段运输平巷,经各分层溜煤眼向上到各分层工作面。

通风系统:新鲜风流经采区下部运输石门、人行上山眼及运料眼到区段运输平巷,经各分层平巷及溜煤眼到各分层的工作面;各分层的污浊风流经工作面前方的分层平巷向上汇集到区段回风平巷,由下一采区回风石门排出。

2.采煤工艺

水平分层工作面采煤工艺包括破煤、装煤、支护、假顶铺设、采空区处理等工序。

(1)工作面破煤

破煤一般采用打眼爆破方式,根据煤层硬度,可用单排眼或双排眼,眼深一般为1.0~1.5m,单眼装药量为150~300g。当工作面长度很大时,可以采用采煤机破煤。

(2)工作面煤的装运

当工作面长度不大时,一般用人工将煤直接装入溜煤眼中。如果工作面较长时,在斜切分层工作面可铺设溜槽,装煤入溜槽溜到分层溜煤眼中。对于工作面长度很大的特厚煤层,可以采用割板运输机运输。

(3)工作面支护及采空区处理

工作面支护采用木支架或金属支柱及铰接顶架。

工作面采用全部垮落法管理顶板。由于工作面较短,最大控顶距可达7~8m,最小控顶距为5～6m。

(4)人工假顶铺设

开采上分层时,随工作面的推进及时铺设人工假顶。假顶管理同缓斜厚煤层倾斜分层下行垮落采煤法。

3.优缺点及应用条件

水平分层采煤法对煤层厚度倾角的变化适应性强,工作较安全,采出率较高。但巷道布置和通风系统复杂,巷道掘进工程量大,采煤工序多,工作面短,生产能力小,效率低,通风和运输困难,工作面装煤工作量大,材料消耗多,成本高。

水平分层采煤法适用于埋藏很不稳定,厚度和倾角变化较大,容易自燃,厚度为4～6m或大于6m的急斜煤层。

二、斜切分层采煤法

采用水平分层采煤法开采厚度较大的煤层,工作面装煤、通风都较困难,此时可采用斜切分层采煤法。斜切分层采煤法的巷道布置,生产系统和采煤系统工艺与水平分层采煤法相似,不同的是工作面向底板倾斜(或向顶板倾斜)25°～30°,以便在工作面铺设溜槽后,破落的煤经溜槽溜到区段溜煤眼。当煤层厚度较大时,可将溜煤眼布置在煤层厚度方向的中间。

为了解决采煤工作面通风问题,可在分层平巷的布置上采用如图12-17所示的方式,除了布置一套沿底板掘进的区段溜煤眼和分层平巷以外,在每个分层中沿顶板再掘一条分层平巷,并隔两个溜煤眼开斜巷连通顶底板两条平巷。新鲜风流从区段运输平巷,经区段溜煤眼,进入沿底板分层平巷至工作面;污浊风流经沿顶板的分层平巷、斜巷回到沿底板的分层平巷,汇集到区段回风平巷,经回风石门排到总回风巷。

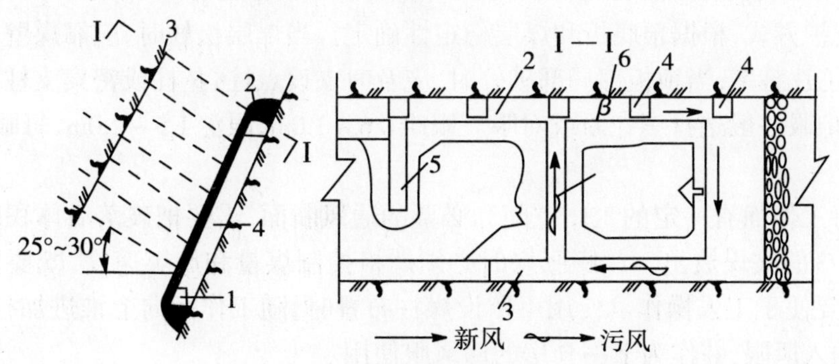

图12-17　斜切分层采煤法巷道布置

1——区段运输平巷;2——区段回风平巷;3——第一分层顶板平巷;4——区段溜煤眼;5——斜巷;6—风门

第五节　仓储式采煤法

仓储式采煤法是指急倾斜煤层中将采落的煤暂存于已采空间中，待仓房内的煤体采完后，再依次放出存煤的采煤方法。其实质是利用急倾斜煤层开采后可以自溜的特点，将采落的松散煤炭暂时储留在采空区，用以暂时支撑采空区悬露的顶底板。为了保持工作面具有一定的工作空间，要把破落后体积膨胀的约占破落煤炭体积1/3的那部分煤炭随时从工作面放出。

根据仓房布置与采煤工作面推进关系，仓储采煤法可以分为沿仰斜推进仓储采煤法和沿走向推进仓储采煤法。

一、沿仰斜推进仓储采煤法

该采煤方法是将区段划分为若干倾斜条带，条带长即区段斜长，区段长度一般为40～60m，在每个倾斜条带内，工作面仰斜开采。这种采煤方法的工作面长度约等于仓房宽度。仓房宽度主要取决于顶底板允许暴露的最大面积和最长时间，并与区段高度和采煤工作面推进适度有关，一般是根据对顶底板实际观测结果来具体确定，以保持仓房在放煤过程中顶底板不发生垮塌为原则，一般为15～30m；如果顶底板坚硬，允许暴露较大面积而不垮落时，仓房宽度可以加大，最长达100m，区段高度40～60m。

采煤前必须关闭放煤闸门，采煤工作从工作面超前运输巷开始，仰斜推进，用打眼爆破或风镐破煤，破落的煤炭堆积于仓房内，工人站在煤堆上进行作业，逐步形成与水平面成10°～20°的采煤工作面，为防止煤壁片帮伤人，应使煤壁与水平面成70°～80°。采煤工作面支护方式，根据顶底板和煤层稳定性确定。当顶底板煤层稳定时，工作面空间可进行支护；采煤工作面支护方式，根据顶底板和煤层稳定性确定。当煤层松软时，应靠煤壁打上贴帮支柱，并木板或笆片替率；当顶板部局部破碎时，应及时支设点柱、丛柱或密集支柱。采用爆破方式破煤时，炮眼一般选择三花眼或对眼。眼距0.6～1.0m，眼深1.5～2.0m，每眼装药400～600g。

为了保持工作面有一定的工作空间和必要的通风断面，需要把破落后体积膨胀约占破落煤炭体积1/3的破煤放出。放膨胀煤时必须严格控制煤量和放煤速度，既要留足必要的通风断面，又要便于工人操作。使用不留设煤柱布置时，随工作面向上推进加打密集支柱，隔成工作面的入风眼，并作为下一仓房的回风眼使用。

为保证采区连续出煤，一般以三个仓房为一组。当第Ⅱ仓房煤层开采时，第Ⅰ仓房中的存煤待放；当第Ⅲ仓房煤层开采时，第Ⅱ仓房中的存煤待放，第Ⅰ仓房中的存煤经溜煤眼下放到区段运输平巷内的运输机上外运。同样，当第Ⅳ仓房煤层开采时，第Ⅲ仓房中的存煤待放，第Ⅱ仓房存煤可以放出。这样可使采煤与出煤不间断地同时进行。

优点是：①采煤工艺简单，工序单一，基本避免了支柱、回柱的繁重劳动；②工作面可三班出煤，产量高，效率好；③坑木消耗少，成本低；④安全条件较好。

缺点是:①工作面较短,不易实现机械化;②采用仓间留煤柱方式时,巷道掘进率高,采区回收率低;③煤质不易保证;④待采煤体位于工作空间上方,容易造成煤体垮落,诱导产生煤与瓦斯突出;⑤工作面断面小,易使煤尘飞扬。

适用于顶板岩石坚硬,能暴露较大面积而不垮落,底板平整稳定;煤层倾角大于50°;煤厚1.0~4.5m;煤质坚硬;不易自然发火;瓦斯含量不大;无淋水。

二、沿走向推进仓储采煤法

对于围岩稳定的急倾斜煤层,可在煤层中掘伪倾斜采区上山,布置双翼采区,每翼走向长度为300m,阶段垂高为100m,共划分为两个区段,每个区段的一翼即为一个走向仓房。伪倾斜上山及伪倾斜溜煤巷内分为两格,一格铺设溜槽溜煤,另一格用于行人、运料,通风及其他用途。工作面布置成伪倾斜,伪斜角为25°~30°。采煤工作面内用爆破方法破煤,无支护,破落的煤炭暂留在仓房内。仓房沿走向推进结束,由采区边界的放煤斜巷开始,依次逐步将煤从各斜巷放出到区段运输平巷的输送机中,经采区伪斜上山运出采区。放仓之后,采空区顶板任其自然垮落,或将上阶段采空区的矸石放出充填下部采空区。

沿走向推进仓储采煤法的优缺点与沿倾斜推进仓储采煤法大致相同,由于仓房面积较大,使巷道掘进率显著降低,其他指标有所改善。

沿走向推进仓储采煤法一般适用于厚度为0.5~3.5m,顶底板稳定的急倾斜煤层。当煤质坚硬,需要进行二次破碎时,适宜采用这种方法。因为仓房面积较大,仓内存煤时间较长,工作面采用下行通风,所以不适于瓦斯涌出量高、容易自燃及顶底板松软的煤层。

第二部分　专业核心知识点

1. 熟悉几种急倾斜煤层采煤法的技术特点。
2. 掌握急倾斜柔性掩护支架采煤法的工艺过程。
3. 熟悉急倾斜厚煤层的采煤方法。

第三部分　专业技能训练

技能一　伪倾斜柔性掩护支架采煤法支架安装工技能训练

一、操作准备

1. 备齐所需的各种材料及锹、镐、钎、螺丝扳手等工具。

2. 详细检查维修地点周围安全情况，清理好安全退路。发现折梁、断柱、片帮、冒顶等威胁人身安全的情况时，必须妥善处理。

二、操作训练

1. 在工作面（回风）材料巷中由里向外逐棚进行支架安装。操作步骤如下：

（1）拆除原巷道中的轨道；

（2）打好拖梁；

（3）在巷道底部卧出倒梯形地沟；

（4）掏挖顶板侧棚腿；

（5）安装支架；

（6）安装轻轨及钢丝绳；

（7）支架下打小点柱；

（8）支架上背面与巷道棚梁间打木点柱；

（9）支架上背面打木垛，移出巷道支架托棚重新架设好；

（10）回棚放顶。

三、收尾操作

支架安装结束后，收拾好工具，将剩余材料码放整齐，煤矸、杂物清理干净。

技能二　伪倾斜柔性掩护支架采煤法支架下放工技能训练

一、操作准备

1. 备齐锹、镐、搪瓷溜槽、铁丝等工具材料。

2. 检查运输机械、出煤眼、通风、顶板、煤壁及支架状况。

二、操作训练

1. 由下往上找帮。

2. 铺设搪瓷溜槽。

3. 打点柱、横撑，控制支架直至上出口平台。

4. 由上向下处理下伞檐煤、清理浮煤、拆除搪瓷溜槽。

三、收尾操作

工作结束后收拾好工具，向当班班长汇报，经验收合格后方可下班。

技能三　伪倾斜柔性掩护支架采煤法回拆支架工技能训练

一、操作准备

1. 备齐锹、镐、钎、搪瓷溜槽、螺丝扳手、手动葫芦等工具及所需材料。

2. 检查沟尾通风、瓦斯、支护等情况。

二、操作训练

1. 清理后路高度达1.2m以上。

2. 刷扩煤帮打柱。

3. 拆卸卡缆螺丝。

4. 拉出钢丝绳。

5. 撬出支架。

6. 将回撤下的架体外运。

三、收尾操作

工作结束后收拾好工具，不需外运的零部件分类码放整齐。

技能四　伪倾斜柔性掩护支架采煤法掘进小立眼工技能训练

一、操作准备

1. 备齐电钻、钻杆、钻头、锹、镐、小立眼用料等。

2. 检查风镐是否接到位，瓦斯探头是否悬挂好，位置是否符合要求，工作是否正常。

3. 检查瓦斯等有害气体是否超限。

4. 检查煤电钻是否完好。

5. 检查当班所需材料是否备齐。

二、操作训练

1. 用手镐进行敲帮问顶，同时定好眼位。

2. 洒水、打眼、装药、连线，按要求撤出人员，设好警戒、放炮，再洒水。

3. 找下悬矸、悬煤，码立眼井圈。

三、收尾操作

工作结束后收拾好工具，清理小立眼小口，将剩下的材料码放整齐或运到指定地点。

技能五　斜切分层采煤巷道掘进工技能训练

一、操作准备

1. 备齐电钻、钻杆、钻头、锹、镐、支护用料等工具和材料。

2. 检查风筒是否按作业规程要求接到位，瓦斯探头是否悬挂好，位置是否符合要求，工作是否正常。

3. 检查瓦斯等有害气体是否超限。

4. 检查煤电钻是否完好。

5. 检查当班所需材料是否备齐。

二、操作训练

1. 后路巷道符合规程要求，无浮煤、乱料堆积。

2. 用手镐进行敲帮问顶，同时定好眼位。

3. 洒水灭尘、打眼、装药、连线，按要求撤出人员，设好警戒、爆破，再洒水灭尘。

4. 找下悬矸、悬煤，出煤，支护。

三、收尾操作

工作结束后收拾好工具，将迎头及后路浮煤出净，将剩余材料分类码放整齐或运到指定地点。

技能六　斜切分层采煤开切眼工技能训练

一、操作准备

1. 备齐注液枪、卸载手柄、液压升柱器、锹、镐、锤、斧子、锯等工具，并检查工具是否完好、牢固可靠。

2. 检查液压管路是否完好。

3. 检查工作地点的顶板、煤帮和支护是否符合质量要求，发现问题及时处理。

二、操作训练

1. 挂梁（使用顶网的先挂网），插水平销背顶，打紧水平销，清理并定柱位，竖立支柱，清洗注液阀煤粉，供液升柱。

2. 操作时应符合下列规定：

（1）挂网时将网展开拉直，按作业规程规定要求进行联网。

（2）挂梁支柱时，每组不少于2人，一人站在支架完整处，两手抓住铰接顶梁将其插入已安设好的顶梁两耳中；另一人站在人行道，插入顶梁圆销并用锤将圆销打到位。

（3）插水平销时，先将顶梁托起，然后从下向上将水平销插入，使梁与顶板间留有一定的间隙（0.1～0.15m或按作业规程规定）。

（4）竖立支柱前，要按作业规程规定确定柱位，清扫柱位浮煤，刨柱窝、砸麻面、放置柱鞋，对号回出临时密集支柱。

（5）支柱时，人员要站在该支柱地点上方操作。

架设单体液压支柱时，一人扶柱，将手柄体和注液阀调整到规定位置；一人用注液枪清洗注液阀嘴，然后将注液枪卡套卡紧注液阀，按动手柄均匀供液升柱，使柱爪卡住梁齿或柱帽，并供液使支柱达到规定初撑力为止。

（6）升柱后要及时拴好防倒绳。

（7）单体液压支柱架设工作结束后，必须对初撑力未达到规定值的支柱进行二次注液。

3. 应按作业规程规定及时铺网、挂梁、支设临时支柱和贴帮柱。

4. 顶板破碎、煤壁片帮严重时，应掏梁窝挂梁，提前支护顶板。提前支护方式按作业规程规定操作。

三、收尾操作

将剩余的顶梁，背顶材料，失效和损坏的柱、梁以及各种工具分别运到指定地点。

技能七　斜切分层采煤回采工技能训练

一、操作准备

1. 备齐注液枪、卸载手柄、液压升柱器、锹、镐、锤、斧子、锯等工具，并检查工具是否完好、牢固可靠。

2. 检查液压管路是否完好。

3. 检查工作地点的顶板、煤帮和支护是否符合质量要求，发现问题及时处理。

二、操作训练

1. 挂梁（使用顶网的先挂网），插水平销背顶，打紧水平销，清理并定柱位，竖立支柱，清洗注液阀煤粉，供液升柱。

2. 操作时应符合下列规定：

（1）挂网时将网展开拉直，按作业规程规定要求进行联网。

（2）挂梁支柱时，每组不少于2人，一人站在支架完整处，两手抓住铰接顶梁将其插入已安装好的顶梁两耳中；另一人站在人行道，插入顶梁圆销并用锤圆将销打到位。

（3）插水平销时，先将顶梁托起，然后从下向上将水平销插入，使梁与顶板间留有一定的间隙（0.1～0.15m或按作业规程规定）。

（4）竖立支柱前，要按作业规程规定确定柱位，清扫柱位浮煤，刨柱窝、砸麻面、放置柱鞋，对号回出临时密集支柱。

（5）支柱时，人员要站在该支柱地点上方操作。

架设单体液压支柱时，一人扶柱，将手柄体和注液阀调整到规定位置；一人用注液枪清洗注液阀嘴，然后将注液枪卡套卡紧注液阀，按动手柄均匀供液升柱，使柱爪卡住梁齿或柱帽，并供液使支柱达到规定的初撑力为止。

（6）升柱后要及时拴好防倒绳。

（7）单体液压支柱架设工作结束后，必须对新架设的支柱进行二次注液。

3. 应按作业规程规定及时铺网、挂梁、支设临时支柱和贴帮柱。

4. 顶板破碎、煤壁片帮严重时，应掏梁窝挂梁，提前支护顶板。提前支护方式按作业规程规定操作。

三、收尾操作

将剩余的顶梁，背顶材料，失效和损坏的柱、梁以及各种工具分别送到指定地点。

技能八　斜切分层采煤放顶煤工技能训练

一、操作准备

1. 备齐注液枪、卸载手柄、液压升柱器、锹、镐、锤、斧子、长钎子等工具，并检查工具是否完好、牢固可靠。

2. 检查液压管路是否完好。

3. 检查工作地点的顶板、煤帮和支护是否符合质量要求，发现问题及时处理。确认无问题后方可进行放顶煤工作。

二、操作训练

1. 放煤前先将工作地点清理到作业规程要求的高度，乱料码放好，以保证后路畅通。

2. 放煤前将工作面的液压支柱进行二次注液。

3. 放煤前检查工作面的特殊支护是否齐全有效，无特殊支护或特殊支护不全时严禁放顶煤。

4. 打眼、爆破、剪网、放煤。

5. 放顶煤时采用多轮、均匀、等量从底板一侧向顶板一侧进行。

三、收尾操作

将出煤口拦好，工作面浮煤出清，各种工具分别运送到指定地点。

复习题

1.解释专业术语：倒台阶采煤法、正台阶采煤法、伪倾斜掩护支架采煤法、伪倾斜长壁采煤法、水平分层采煤法、斜切分层采煤法、仓储式采煤法。

2.简述急斜煤层开采的主要特点。

3.简述倒台阶全部垮落采煤法的适用条件和主要优缺点。

4.简述倒台阶矸石充填采煤法的适用条件和主要优缺点。

5.简述正台阶采煤法的适用条件和主要优缺点。

6.简述伪倾斜掩护支架采煤法的适用条件和主要优缺点。

7.简述伪倾斜掩护支架采煤法生产过程容易出现的主要故障及其处理措施。

8.简述水平分层及斜切分层采煤法的适用条件和主要优缺点。

讨论题

1.你矿是否为急倾斜煤层，采用哪种方法开采，其他方法是否可行，请说说你的理由。

第十三章　采煤工作面生产技术管理

第一部分　系统理论知识

第一节　采煤工作面生产组织管理

若要使采煤工作面各道工序在空间上、时间上相互协调，人力、物力和机械设备得到合理的利用，保证采煤工作面获得最佳的技术经济效果，必须对采煤工作面生产过程进行科学、合理的组织。

一、采煤工作面的循环作业

采煤工作面的“循环”就是完成工作面落煤、装煤、运煤、支护和放顶(或放顶煤)等工序的全过程，并且周而复始地进行下去。炮采、普采工作面多以完成工作面放顶工序作为完成一个循环的标志，综采工作面一般是以进刀或移架工序作为完成一个循环的标志，放顶煤采煤工作面则是按完成一次放煤工序过程作为循环的标志。

采煤工作面循环作业的主要内容包括循环方式、作业形式、工序安排及劳动组织等。

(一)循环方式

循环方式是循环进度和昼夜循环次数的组合。采煤工作面的循环方式主要分为单循环与多循环。

1.循环进度。采煤工作面每完成一个循环向前推进的距离，是每次落煤的深度(截深)和循环落煤次数的乘积。炮采工作面的落煤进度，是根据工作面顶板的稳定状况和所选顶梁的长度确定的，一般取值为0.8~1.0m。综采、普采工作面采煤机截深，应根据工作面顶板岩石性质、煤层特征、采煤机械设备性能，以及支架结构、参数和工作面生产工序等特点合理确定，一般取值为0.5~0.8 m，最大取值可达1.0m。

2.昼夜循环次数。主要根据采煤工作面的顶板条件、采煤工艺方式、操作管理水平、工作面的基本参数和作业方式合理确定。高产高效工作面可达10次以上。

3.正规循环作业。按照作业规程中循环作业图表安排的工序顺序和劳动定员，在规定的时间内保质、保量、安全地完成循环作业的全部工作量，并保持周而复始进行采煤工作的一种作业方法。符合规定的循环时间、循环进度、工作质量和劳动定员等是正规循环作业的四项基本要求，按照循环图表作业是正规循环的基本特点。因此，根据工作面的地质条件和生产技术设备制定出切实可行的正规循环作业图表，是工作面组织正规循环作业的前提。

4.正规循环率。为了加强采煤工作面现场规范化、科学化、标准化管理，生产现场多采用正规循环率来评价工作面生产组织管理水平。

$$月正规循环率=\frac{月实际完成循环数目}{月工作日数\times日计划循环数}\times 100\%$$

在一般情况下日进单循环和双循环作业的，采煤工作面正规循环率不能低于80%；日完成三个以上循环的，正规循环率不能低于75%。

（二）作业形式

作业形式是采煤工作面在一昼夜内生产班与准备班的相互配合关系。确定工作面的作业形式应与矿井的工作制度相适应。

生产班是指在规定工作时间内从事采煤工作面各道工序作业的班组，又称为采煤班。准备班则是在工作时间内主要进行支护、运输、机电等设备的日常维护、检修作业，巷道维护，工作面安全措施的施工等准备工作的班组。

我国大多数矿井的工作制度采用"三八"工作制和"四六"工作制。

"三八"工作制的作业形式，一般多采用"两采一准"、"边采边准"、"两班半采煤半班准备"。"四六"工作制与"四八"交叉工作制的作业形式，一般采用"三采一准"或"边采边准"。

1.两采一准作业形式

这种作业形式有专门的准备检修班，准备时间比较充分，可保证工作面支护、机械、电气等设备的正常检修时间，有利于保障支架和机械、电气设备的完好性。准备班还可进行工作面的安全施工（如在有煤与瓦斯突出危险的工作面进行局部防突施工、防突效果检验等），确保生产班安全顺利地进行生产。这种形式经常应用在机械化采煤工作面或开采有煤与瓦斯突出危险的工作面。

2.边采边准作业形式

这种作业形式可充分利用工时，提高设备的利用率。生产的时间相对较长，可实现日进多循环。工作面推进速度比较快，有利于顶板控制。但这种作业形式没有专门的准备检修班，不能保障机械设备的正常维护、保养和检修，对设备的正常使用有一定的影响，须2~3天安排一班进行设备的集中检修。这种作业形式在机械设备比较简单的炮采工作面应用较多。

3.两班半采煤半班准备作业形式

针对边采边准作业形式无法保障每天正常的检修时间，该作业形式在两班采煤的基础上，另一班则采用半班准备半班生产。这种形式既增加工作面的生产时间，又保证有固定的机械设备检修时间，可较好地保障工作面开采设备的可靠性和完好性。该作业形式主要在一些设备比较先进，检修工作量较少的机采和炮采工作面采用。

4.三采一准作业形式

三采一准作业形式是"四六"工作制时，经常采用的作业形式。每天三个生产班工作时间为18h，和两采一准作业形式相比增加有效生产时间2h，可较好地发挥设备效益，又保证设备的检修时间，并有效地改善井下工人工作条件，对保障工人身心健康与矿井的安全生产非常有利。在工作地点较远的综采工作面多采用该作业形式。

5.四班交叉三采一准作业形式

四班交叉三采一准作业形式是在"四六"工作制三采一准基础上,为使工人每天有效的工作时间达到8h而采用的一种作业形式。该作业形式每次交接班时两班工人在工作地点相互交叉2h,接班的提前进行生产准备工作。该作业形式既保证工人有效的工作时间和提高设备利用率,又可提高工作面的生产能力。这种作业形式在交接班时工作面较长时间内有两班工作人员,组织管理比较复杂,不利于工作面安全管理。因此该作业形式只适用于在一些中小型矿井,工作地点距离井口较近或有时为赶任务、抢循环采取的一种临时性的作业形式。

此外,还有两采两准作业形式,即两个生产班每班工作8h,两个准备班穿插在两个生产班中间,每班工作4h。生产班主要完成工作面的落煤和支护工作,准备班主要进行放顶作业。目前炮采、普采工作面基本上采用单体液压支柱来支护顶板,工作面支护和放顶工序已成为采煤综合工种作业,工作面不再安排专门作业的放顶工,因此这种作业形式已很少采用。

(三)工序安排

确定工作面的循环方式和作业形式时,应合理安排采煤工作面的生产工序。工序安排的基本要求是:充分利用工作面的空间和作业时间,避免各工序的相互影响,提高工时利用率;保持工作面的均衡生产,最大限度地提高工作面的生产能力。

1.安排工序时应注意的问题

(1)保证主要工序的顺利进行。工作面的主要工序是落煤、装煤、推移运输机、支设支架和放顶。主要工序的安排直接影响着采煤工作面的安全生产和效率,因此,在安排工序时,必须首先考虑主要工序在时间和空间上的合理安排。

(2)处理好主要工序和辅助工序的关系。辅助工序与基本工序的作业关系可采用平行作业或顺序作业。工序的顺序安排,一定要符合工艺要求,确保前一工序按时转入后一工序,各工序之间有机配合,互不影响。如工作面的两端头作业,不能按时完成准备工作,采煤机就无法进刀;单体支护的工作面,放顶工序不能按时完成,就不能进行下一循环落煤工序作业。

(3)采用平行作业,提高工作效率。在保证安全的前提下,工作面的工序应尽可能采用平行作业。充分利用工作面的有限空间和工作时间,缩短循环周期。安排平行作业,各工序在空间上要保持一定的距离。推移运输机要滞后采煤机10~15m,工作面落煤工序与放顶工序之间的距离要在15m以上,单体支护分段作业时,放顶工序分段距离必须大于15m,才可避免关系间相互干扰,影响安全生产。

2.工序流线图

利用统筹法原理,按各工序所占用的时间和它们的相互关系(如顺序作业、平行作业等关系),确定主要工序线路和辅助工序线路。主要工序线路用粗实线表示,辅助工序线路用细实线表示。顺序作业画在一条线上,用箭头表示先后关系。平行作业的工序,用上下平行的线段表示。超前或滞后一定时间依次开工的工序，用斜线表示。图13-1为某矿普采工作面的循环工艺流线图。虚线方框内表示由综合工种完成的工作。该循环工艺流线图主要工序是采煤机割煤准备→割煤→端头斜切进刀等工序；辅助工序线有两条，做缺口线和支护线，随采煤机割煤滞后进行挂梁、移运输机、支柱和放顶作业。次要工序与主要工序平行作业。

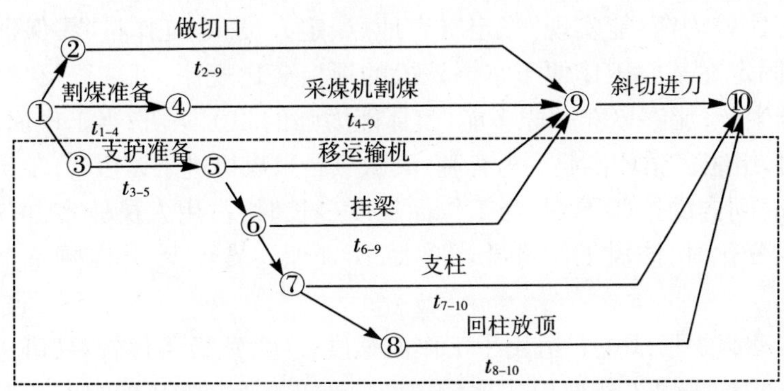

图13-1　普采工作面的循环工艺流线图

根据循环工艺流线图各工序相互关系和所需占用时间，结合企业网络管理知识，确定工艺流线图中的关键线路。计算出完成循环作业所需时间。对关键线路进行优化，减少循环作业时间，可增加工作面的日循环次数。

（四）劳动组织

劳动组织是各工作班中劳动力定员与各工种的相互配合关系。采煤工作面劳动组织对提高工作面的产量和劳动效率有很大影响。劳动组织应根据循环方式、作业形式和工序安排合理确定。根据循环方式确定一昼夜内工作面总的工作量及各工种的工作量定额，计算各工种所需定员，依据作业形式分配生产班与准备班的工作时间，然后按工种确定每个生产班的工作量，劳动定员及占据的时间与空间。

劳动组织包括工作面的劳动力配备和劳动组织形式。劳动力配备有关内容在企业管理课程中讲述。采煤工作面劳动组织形式主要分为以下几种：

1.追机作业

这种劳动组织形式一般和专业工种相配合。特点是依照普采工作面的生产过程，组织挂梁、推移运输机、支柱和回柱放顶等专业工作组，在采煤机割煤后顺序跟机进行作业。它的主要优点是，各工种之间分工明确，工种单一，便于新工人尽快掌握生产技术；有利于实现工种岗位责任制；适应机采工作的特点，各工种工作效果与采煤机工作效能一致；人力集中，在正常条件下可较好地发挥机械采煤的优势，加快采煤机割煤速度，提高采煤工效。其缺点是各工种分工过细，追机作业劳动强度较大；由于各工种要顺序作业，一个工种跟不上将影响整个采煤生产过程；在采煤机进刀过程中，可出现部分工种窝工现象。总之，追机作业易出现各工种之间工作量的不平衡，造成忙闲不均的现象。

追机作业劳动组织形式主要使用在工作面长度较长，每生产班进刀数较少，顶板条件较好，采煤队管理水平较高的机采和综采工作面。

2.分段作业

这种劳动组织形式一般和综合工种相配合。在工作面除采煤机司机、机电工、泵站工、钻眼爆破工、作缺口等与工作面长度无关的专职工种外，将工作面的采支工组成若干个工作小组，每小组2~3人，按工作面的长度分为几段，各工作小组在本段内完成采煤过程中除落煤外的各项工作。根据工作难易程度和工作量的大小，每段的长度15~20m。它的主要优点是各段劳动强度比较均衡；能实现“三定”（定地点、定人员、定工作量）易保证工作面的工程质量；工人每天固定在某段工作便于掌握该段的顶板变化规律，可进行及时预防处理，有利于工作面的安全生产；能够培养一职多能，整体能力强的职工队伍；当工作面长度较短，工作面推进速度快时，组织多循环作业更为有利。其缺点是采煤机进入该段时，工人工作量比较集中，易出现工作时间内的忙闲不均；当工作面长度过长时，占用人员较多，可造成窝工现象；当煤层局部发生变化时，该段工作量显著增大，而处理人员较少，将影响整个工作面采煤工作顺利进行。

分段作业劳动组织形式主要适用于工作面长度较短，顶板条件较差，班进多循环的作业条件。在单体支护的采煤工作面应用比较广泛。炮采、刨煤机开采的采煤工作面均采用分段作业形式。

3.分段接力追机作业

这种劳动组织形式在工作面除少数专业工种外，采支工每2~3人为一小组，工作面共计6~7小组，每小组一次负责10~15m范围内的采、支工作。完成一段工作后，再追机进行另一段的采煤工作，形成几个小组轮流接力前进的工作过程。避免在工作时间内出现忙闲不均的现象，可充分利用工时。遇到突发事件，可集中人员进行处理。主要不足是工人工作地点不固定，不利于工作面的质量管理。分段接力追机作业，回采准备时间不充分，工作面生产管理难度较大。

分段接力追机作业主要使用于工作面长度较长，顶板条件较好，出勤人员较少的机采或炮采工作面。

4.分段综合作业

该劳动组织形式是将工作面分为3~4个大段，每段配备6~8名工人为一个工作小组，负责段内采煤工序的各项工作。各工作组由组长负责进行适当分工，可采用组内追机或分段作业，组内还可进行协调管理，相互帮助，有利于工作面的安全生产管理。

分段综合作业能较好地发挥工人的基本特长，是一种比较合理的劳动组织形式。在工作组内相互协调配合，有利于工作面的生产管理。其使用条件与分段作业基本相同。

二、采煤工作面循环作业图表

采煤工作面循环作业图表是工作面作业规程主要内容。它主要包括工作面的循环作业图、劳动组织表、技术经济指标表和工作面布置图四部分。

（一）循环作业图

循环作业图是用来表示采煤工作面各工序在时间上和空间上的相互关系。循环图以时间为横坐标，单位是小时，用h表示，画出一昼夜内各工作班的工作时间。以工作面的长度为纵坐标，单位为米，用m表示，下端为工作面机头。按一定比例表示工作面的实际长度。

按规定的符号在循环图的h-m坐标系中绘出各工序不同时间在工作面的所处位置。表13-1为采掘工作面循环作业图中常用规定符号。

表13-1　　采煤工作面循环作业图中常用规定符号

序号	工序名称	符 号	备注	序号	工序名称	符 号	备 注
1	采煤机割煤		标准	8	打煤眼		标准
2	采煤机装煤		标准	9	放炮		标准
3	移运输机		标准	10	开缺口		标准
4	移支架		标准	11	铺金属网		标准
5	支柱		标准	12	挂梁		非标准
6	准备及检修		标准	13	临时支柱		非标准
7	回柱放顶		标准	14	煤壁注水		非标准

图13-2为某综采工作面循环作业图。该工作面采用双向割煤，端头斜切进刀，作业形式为三采一准，工作面长度150m，每日循环数12个。

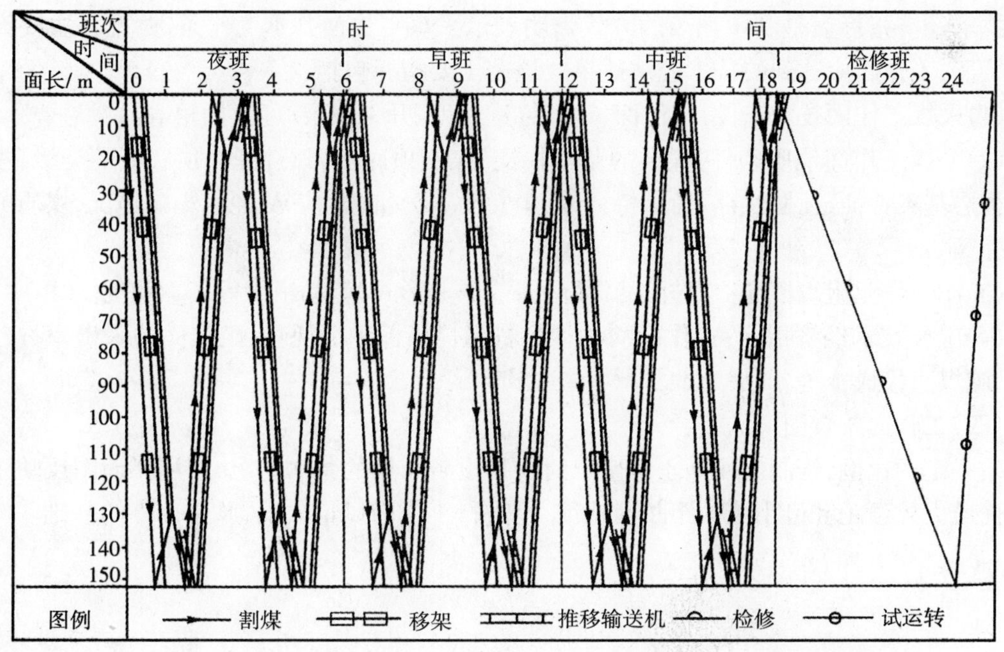

图13-2　综采工作面循环作业图

1.编制循环作业图的步骤

(1)根据工作面的条件和作业形式,建立循环图的h-m坐标系。

(2)按主要工序运行方向,运行的速度与所需时间,在循环图的h-m坐标系中画出主要工序运行线。

(3)根据次要工序与主要工序相距的距离和滞后时间,画出次要工序线。超前主要工序画在左侧,滞后主要工序画在右侧。两工序线垂直距离,表示工序在工作面的滞后距离;两工序线的水平距离,表示工序间的滞后时间。

(4)画出不与主要工序平行作业的其他工序,如开缺口等。

2.绘制循环图的注意事项

(1)工序符号要使用规定的标准符号来表示。

(2)工序所需时间,要以平均的速度计算。如采煤机平均运行速度不同于采煤机实际割煤时的速度,要考虑采煤机开机率的影响。

(3)分段作业各工序在空间和时间上要相互配合,不能在空间上出现间断和重复。

(4)单体支护工作面支柱和放顶工序,要注意作业的方向。放顶作业在倾角大时必须从下向上进行,循环图中要正确绘制。

(5)循环图的图视比例要合适,力求美观,工序关系表示清晰正确。

(二)劳动组织表

劳动组织表是根据工作面的作业形式与循环作业各工种工作量和企业劳动定额规定,计算确定各工种所需定员数目。列表表示工作面各工作班不同工种应出勤人员数目、工作时间、各班及工作面需配备人员总数。

(三)技术经济指标表

技术经济指标表是利用列表的方式简明表示采煤工作面基本工作条件,配备主要设备技术特征,工作面应达到的技术经济效果。该表主要指标包括:

(1)采煤工作面技术条件:工作面长度、推进长度、开采煤层厚度、倾角等。

(2)采煤工作面地质条件:煤层的基本特征,煤层顶底板岩石性质、顶底板的类级,主要地质构造基本特征,瓦斯赋存、涌出特征,煤尘性质、煤炭自燃状况,涌水影响情况,煤质的主要指标等。

(3)循环作业组织概况:工作面的循环方式、作业形式、劳动组织等基本状况。

(4)主要技术经济指标:工作面的各种材料消耗指标和消耗量,工作面的采出率、产量、效率、吨煤直接成本等。

(四)工作面布置图

按一定的比例,绘制工作面正常生产时支护设备布置的基本状况,利用断面图反映采煤工作面最大控顶距和最小控顶距断面特征,是进行工作面风量分配、风速计算的基础。

第二节　采煤工作面技术管理

采煤工作面技术管理工作，是通过执行采煤工作面作业规程和各工种技术操作规范体现的。

一、采煤工作面作业规程

采煤工作面作业规程是现场工程技术管理人员根据工作面的具体地质条件、机械电气设备配备和劳动力条件编制的，是工作面生产技术管理的依据。制定切实可行的采煤工作面作业规程，是工作面技术管理的关键。《煤矿安全规程》第49条规定：采煤工作面在回采前，必须编写作业规程。情况发生变化时，必须及时修改作业规程或补充安全措施。

（一）采煤工作面作业规程主要内容

1.工作面基本概况

简述采煤工作面在矿井中所处的位置、编号，工作面的长度、沿走向或倾向推进长度，工作面四周开采状况，工作面开采范围与地表相对应位置，开采对地表建筑物的影响状况，地面水体和含水层对工作面开采的影响等。

2.工作面的地质状况

根据地质勘察部门提供的采煤工作面地质勘察资料，结合已开采揭露和掌握的煤层地质情况，简要描述工作面的地质条件。

（1）煤层性质：煤层的产状要素，赋存特征，煤体的强度，煤体实体密度、松散体视密度，煤的内在灰分、挥发分、发热量、硫、磷含量，以及煤的工业分类等。

（2）围岩性质：利用柱状图表示工作面顶底板的岩石性质，各类岩层的厚度，岩石的基本特征，顶底板岩石的类级划分。

（3）地质构造特征：开采范围内对开采影响较大的断层位置及产状要素，主要的褶皱构造、火成岩侵入体的位置特征及对开采的影响程度。

（4）瓦斯、煤尘及煤炭自燃状况：工作面煤层瓦斯的压力、含量、预计涌出量，煤尘爆炸危险性，煤的自燃倾向性、自燃发火期等。

（5）水文地质状况：开采期间地表水和含水层水对开采的影响，工作面正常涌水量和最大涌水量。

（6）工作面煤炭储量：工作面开采范围内煤层的工业储量与可采储量、工作面预计开采期限等。

3.采煤方法

（1）工作面的巷道布置系统图

按一定的比例绘制工作面巷道布置示意图、主要巷道与工作面开切眼的断面图。

（2）采煤工艺设计

结合工作面具体地质条件和设备配备情况首先确定采煤工作面的回采工艺方式。

①炮采工作面。主要进行工作面顶板支护设计、支护参数及支护材料数量确定,爆破设计说明书编制,工作面运输设备选型计算等。

②普采工作面。进行工作面顶板支护设计,选择采煤机械的型号及主要参数,采煤机进刀方式和割煤方式的选择,工作面运输设备选型等。

③综采工作面。主要进行工作面支护设备选型与支护能力验算、采煤机械选型计算,运输机选型与能力配套验算、乳化液泵站选型等。

4.工作面主要生产系统(在工作面巷道布置图中标注并简述)

(1)运输系统:简述工作面煤炭运输路线,主要运输设备性能,运输能力匹配情况。

(2)通风系统:工作面的通风系统图,主要通风设施位置,工作面所需风量计算方法,对工作面及主要巷道风速进行验算,确定工作面需配备的风量。

(3)辅助运输系统:工作面所需材料、设备运输路线、运输设备与运输要求,设备回收路线与要求。

(4)供电系统:工作面主要电器设备选型计算,供电电缆的选型计算,控制、检测设备整定计算与配备。绘制工作面的供电系统图。

(5)供水系统:工作面供水管道路线与喷洒水点的布置,供水管道管径选择,供水水压和水量的要求。

(6)安全监测系统:工作面回采系统中安全监测仪器设置的位置与要求,仪器的性能与整定值确定。

(7)瓦斯抽放系统:在有煤与瓦斯突出危险的采煤工作面要确定煤层瓦斯抽放方式,主要抽放参数,抽放系统及管道管径选择。瓦斯抽放系统主要安全设施设置的位置与要求。

5.工作面的循环图表

根据工作面采煤工艺确定的循环方式、作业形式,编制工作面的劳动组织表和技术经济指标表,绘制工作面的布置图与工作面的循环作业图。

6.安全管理制度

采煤工作面的安全管理制度主要包括以下几个方面:

(1)采煤工作面的交接班管理制度。

(2)主要工种安全操作管理制度。包括运输机司机、采煤机司机、泵站工、机电检修工、端头工、支架工、巷道维修工、材料运输工等。

(3)工作面工程质量管理制度。

(4)巷道超前支护与巷道维护管理制度。

(5)机械、电器设备安全管理制度。

(6)工作面文明生产管理制度。

7.安全技术措施

采煤工作面安全技术措施主要包括以下几个方面:

(1)采煤工作面初采初放和顶板初次来压时的安全技术管理措施。

(2)工作面支护设备、液压支架、采煤机安装方法和有关的安全技术措施。

(3)采煤工作面周期来压时,防治顶板事故的安全技术措施。

(4)工作面遇断层、过(跳)中间眼时,破碎顶板安全管理措施。

(5)液压支架防倒防滑技术措施、工作面倒架、死架处理方法和安全措施。

(6)工作面防治瓦斯、煤尘、水、火和顶板事故安全技术措施等。

8.灾害事故防治措施

针对工作面可能出现或遇到的重大灾害事故,制定具体的预防对策。确定工作人员在各种灾害事故时安全避灾路线图。常见工伤事故处置基本方法和伤员运送方法与要求。

9.煤质管理措施

采煤工作面加强煤质管理的基本要求,冒顶矸石处理方法,煤层夹矸处理要求,工作面通过断层时保障煤质的措施,割煤、放炮时控制煤质的要求,维修巷道时矸石的处理方法。工作面煤质管理奖励、处罚规定。

(二)作业规程编审步骤

采煤工作面作业规程编制的一般步骤:

1.收集整理资料编制作业规程初稿

采煤(区)队工程技术管理人员根据地质部门提供的采煤工作面地质说明书,深入现场调查熟悉工作面的基本情况。收集条件相似工作面生产技术管理资料;了解机电技术部门可提供的机械设备供应情况;掌握工作面生产技术、安全管理、产量、效率等方面的基本要求。征求有关技术人员和技术工人对生产管理和安全管理的意见,按作业规程编制规范要求,编制出采煤工作面作业规程的初稿。

2.集体研讨定稿

由采煤(区)队主管负责人召集本单位生产管理人员和技术工人代表,对编制的作业规程初稿进行研讨,提出修改意见。工程技术管理人员根据研讨意见进一步修改完善后,上报矿主管领导、部门审批。

3.作业规程的审批

采煤队编制的作业规程须由矿总工程师组织地质、设计、机电、运输、通风、安检、计划、物资供应、劳动工资等相关部门对作业规程进行会审。结合各自管理要求,针对作业规程的有关条款进行审查,签署对作业规程执行中的注意事项和审定意见。最后由矿总工程师签字批准,并报上一级主管部门备案。

4.作业规程的贯彻落实

经矿总工程师签批的作业规程,必须在工作面投产前的10~15天由主管采煤(区)队长和技术员组织职工学习,确保全体职工熟悉工作面生产的基本条件,了解工作面操作和管理的基本要求,掌握各种灾害事故发生规律、危害性质及防治的基本措施,确保工作面高产高效安全生产。学习之后要组织考试,未参加作业规程学习的和考核不合格者,不准上岗作业。

5.作业规程的修改与补充措施

作业规程在执行过程中如遇采煤工作面条件发生变化,要及时进行作业规程的修改或编制补充措施,另行审批。

(三)编制作业规程注意事项

1.编制作业规程必须符合工作面的基本条件,切实可行。严禁套用、沿用其他工作面的作业规程。

2.作业规程要文字简明易懂,图表清晰准确,计算规范无误,措施齐全可行。

3.作业规程编制要严格执行《安全规程》的有关规定和设计规范的有关要求。

4.作业规程编制应选择合理的作业形式和劳动组织方式,各项指标要具有一定的先进性,使工作面的生产技术管理达到先进水平。

二、技术操作规程

《技术操作规程》、《煤矿安全规程》和《采煤工作面作业规程》是煤矿的三大规程。《技术操作规程》是行业主管部门负责制定的工人进行生产活动时的操作规范和行为准则,是实现技术标准化、操作规范化,搞好技术培训和技术练兵,保障安全生产和工程质量,提高生产效率,杜绝违章作业,避免人身事故与设备和财产损失的规范性条例。煤矿企业各工种生产活动中必须严格执行技术操作规程的各项规定。原煤炭工业部制定的《煤矿工人技术操作规程(采煤)》由总则和采煤各工种技术操作规程组成。总则主要规定工人上岗操作的基本条件,工作地点环境安全的有关规定,工人操作时的基本要求,并强调工人有权杜绝违章指挥。各工种技术操作规程由四部分内容组成。

1.一般规定。说明担任该工种上岗作业必须具备的基本条件,本工种操作应达到的质量标准,和与其他工种相互配合关系以及对操作环境的基本要求。

2.操作前准备与检查。包括操作工具、配件、材料准备的基本要求,对操作设备进行检查的程序与要求,以及发现问题处理的原则方法。

3.操作及注意事项。说明该工种操作程序、工作方法与要求,操作时的安全注意事项,遇到意外事故时处理的基本方法。

4.收尾工作。该工种工作结束时需达到的基本要求,设备应保持的基本状态,交接班的要求及注意事项。

第三节 采煤工作面质量管理

采煤工作面的质量管理主要包括产品质量和工程质量管理两大部分。

一、产品质量管理

质量是企业的命根子,煤炭产品质量直接关系着煤矿的经济效益和企业的生存发展。加强煤炭产品质量管理也是工作面生产技术管理的主要任务。

煤炭产品质量指标主要是考核煤炭产品的使用价值。采煤工作面煤炭产品质量管理的关键就是控制原煤的灰分、含矸率、水分和块煤率等几项主要指标。煤炭产品质量管理措施主要包括以下几个方面。

1.采区及工作面设计时要有完善的排矸系统,实现煤矸的分采分运。

2.编制工作面作业规程时,应结合工作面的地质及生产技术条件,制定工作面煤质管理的技术措施。主要内容包括:

(1)遇到较大断层应尽可能改造工作面,避开断层破碎带对煤质的影响。不改造时要利用排矸系统实现分采分运。

(2)局部煤层变薄时,要及时更换相应规格的支柱,不得采用破顶或卧底处理。

(3)煤层夹矸较厚时,可考虑以夹矸为界分层开采,不适合分层开采时要采取措施实现煤与矸石分采分运。

(4)加强工作面顶板管理,放炮、割煤不得破坏顶板,顶板不稳定时及时进行支护,防止冒顶漏矸。

(5)采用分层开采的工作面,要坚持铺网、注浆措施,确保下分层顶板的整体性,为下分层开采创造条件。防止下分层开采时冒漏矸石影响煤质。

(6)采用放顶煤开采的工作面要认真分析研究顶煤活动规律,合理确定放顶煤工艺参数,在保证煤质的前提下提高工作面煤炭采出率。

(7)维修巷道冒落的矸石,要用矿车运出或填入采空区中,严禁混入原煤中。

(8)提高职工对煤炭质量重要性的认识,尽量在工作面或运输巷内拣出煤中矸石。

(9)采区及工作面的排水系统不得流经煤仓和溜煤眼,避免影响煤炭水分。

3.健全煤炭质量管理激励机制:定期对煤炭质量管理工作进行考核,对重视煤质工作成绩突出者给予表彰奖励,对造成煤炭质量严重下降者则进行必要的处罚,确保煤炭产品质量,提高煤矿的经济效益。

二、工程质量管理

(一)采煤工作面工程质量管理标准

第一条　为深入开展全国煤矿安全质量标准化工作,根据《安全生产法》、《国务院关于进一步加强企业安全生产工作的通知》(国发[2010]23号)和《国务院安委会关于深入开展企业安全生产标准化建设的指导意见》(安委[2011]4号)等法律法规、规定,制定本办法。

第二条　本办法适用于全国所有合法的生产煤矿,新建、技改(包括重组整合)煤矿参照执行。

第三条　考核评级标准执行《煤矿安全质量标准化基本要求及评分方法(试行)》。

第四条　申报安全质量标准化煤矿的基本条件:

1.证照齐全有效。

2.实现安全生产目标:考核年度内达到安全生产目标要求。

3.隐患排查治理:按照《安全生产事故隐患排查治理暂行规定》(国家安全监管总局令第16号)建立安全生产隐患排查治理体系。

4.采掘关系正常:开拓煤量、准备煤量、回采煤量、抽采煤量符合有关规定,回采率达到要求。

5.自查考核奖惩:煤矿企业制定并执行安全质量标准化考核评比及奖惩制度。

6.按要求建立煤矿瓦斯综合治理工作体系。

第五条　安全质量标准化煤矿分为三个等级。

一级:煤矿安全质量标准化考核评分90分及以上,且年度内无死亡事故。井工煤矿通风、地测防治水、采煤、掘进、机电、运输的单项考核评分均不低于90分,其他专业均不低于80分;露天煤矿穿孔、爆破、采装、运输、排土、机电、边坡的考核评分均不低于90分,其他专业均不低于80分。

二级:煤矿安全质量标准化考核评分80分及以上,且井工煤矿百万吨死亡率低于全国及所在省(直辖市、自治区)上年度平均水平,露天煤矿年度内无死亡事故。井工煤矿通风、地测防治水、采煤、掘进、机电、运输的单项考核评分均不低于80分,其他专业均不低于70分;露天煤矿穿孔、煤破、采装、运输、排土、机电、边坡的考核评分均不低于80分,其他专业均不低于70分。

三级:煤矿安全质量标准化考核评分70分以上,且百万吨死亡率低于所在省(直辖市、自治区)上年度平均水平。井工煤矿通风、地测防治水、采煤、掘进、机电、运输的单项考核评分均不低于70分,其他专业均不低于60分;露天煤矿穿孔、爆破、采装、运输、排土、机电、边坡的考核评分均不低于70分,其他专业不低于60分。

第六条 考核检查过程中发现申报煤矿有《煤矿安全质量标准化基本要求及评分方法(试行)》总则所列的重大安全生产隐患和行为时,应当立即责令其停产整改,待隐患排除后,重新申报。

第七条 鼓励煤矿企业采用《煤矿安全风险预控管理体系规范》(AQ/T1093—2011)开展安全质量标准化创建工作,其指标与《煤矿安全质量标准化基本要求及评分方法(试行)》对标确认,报国家煤矿安全监察局备案后可引用,但考核评级工作须按照本办法执行。

第八条 煤矿安全质量标准化等级按年度分级考核。一级安全质量标准化煤矿的考核工作由国家煤矿安全监察局负责,具体的评审工作委托中国煤炭工业协会承担;二级、三级的考核工作由省级主管部门负责。

第九条 煤矿安全质量标准化考评,按照企业申报、现场考核、等级认定、公示发布、颁发证书的程度进行。

第十条 安全质量标准化煤矿的检查考核。

1.安全质量标准化煤矿考核采取动态检查。全国煤炭行业每年进行一次;省(直辖市、自治区)每半年抽查1次;矿每月进行1次全面自查。

2.对被取消和未取得安全质量标准化等级的煤矿,须责令其停产整改;对逾期未整改达标的,提请地方政府依法予以关闭。

第十一条 企业应加大安全质量标准化投入,制定安全质量标准化等级提升计划,不断改善煤矿安全生产条件。

项目	项目内容	基本要求	标准分值	评分方法	得分
一、基础管理(15分)	监测预报	1.监测支护质量和顶板动态，有健全的分析和处理制度，分析、处理和记录闭合、资料齐全	3	查资料。未开展动态监测和无记录资料不得分记录资料缺1项扣0。5分	
		2.有工作面地质及水文地质预报，矿地质部门每月至少进行1次预报，有经矿总工程师(矿技术负责人)签字认可并向相关部门和施工单位报告的记录	3	查资料。1扣不符合要求扣1分	
	规程措施	作业规程应符合《煤矿和安全规程》和技术规范要求，并能结合实际，指导现场工作； 作业规程编制、审批、贯彻、实施管理制度健全，并由矿总工程师(矿技术负责人)每2个月至少组织1次复审，并有复审意见； 有工作面安装、初次放顶、收尾、回撤、过地质构造带、过老巷的专项措施； 生产现场有安全技术措施，各种图牌板(设备布置图、通风系统图、监测通信系统图、供电系统图、工作面支护示意图、正规作业循环图表、避灾路线图等)清晰规范	4	查现场和资料。缺1项扣1分，1项不符合要求扣0.5分	
	支护材料	支护材料有管理台账(规格、型号、数量及合格证等)，不应超期使用，现场备用支护材料和备件符合作业规程要求	5	查现场和资料。缺1项扣0.5分，备用材料和备件不足不得分	
	机械化程度	矿井采煤机械化程度不低于75%	3	查资料。每降低10个百分点扣0.5分，扣完为止	
二、岗位规范(10分)	持证上岗	管理人员按规定要求取得安全资格证，新工人应培训合格后方可上岗，特种作业人员应持证上岗	2	查资格证，1人不符合要求不得分	
	规范作业	现场作业人员操作规范，执行“敲帮问顶”制度和开工前安全确认制度，无“三违”行为，零星工程施工有会审、有针对性措施，有跟班干部	3	查现场和资料。1项不符合要求扣1分	
	专业技能	管理人员和技术人员掌握专业技术，作业人员掌握本岗位规程和技术措施	2	随机抽考。1人不达要求扣0.5分	
	隐患排查	作业前进行隐患排查，并实行闭合管理	3	查记录。1处不合格扣0.5分	
三、质量与安全(50分)	顶板管理	1.液压支架初撑力不应低于额定值的80%，有现场检测手段，单体液压支柱撑力符合《煤矿安全规程》要求	3	查现场。沿工作面均匀选5点，并在某两点间再任选5点，共10点，1点不合格扣1分	
		2.工作面支架的中心距《支柱间排距》误差不超过100mm，侧护板正常使用，架间间隙不超过200mm(柱距-50-50mm)，支架不超高使用	3	查现场。沿工作面均匀选5点，并在某两点间再任选5点，共10点，1点不合格扣1分	
		3.液压支架接顶严实，相邻支架(支柱)顶梁平整，不应有明显错茬(不超过顶梁侧护板高的2/3)，支架不挤不咬	3	查现场。1处不符合要求扣1分	
		4.工作面液压支架(支柱顶梁)端面距应符合作业规程规定。工作面“三直一平”，液压支架(支柱)排成一条直线，其偏差不超过50MM。工作面伞檐长度大于1m时，其最大突出部分，薄煤层不超过150mm，中厚以上煤层不超过200mm，伞檐长度在1m以下时，最突出部分薄煤层不超过200mm，中厚煤层不超过250mm	4	查现场。1处不符合要求扣1分	

		5.液压支架(支柱)应编号管理,牌号清晰	2	查现场。1处不符合要求扣0.5分	
		6.工作面内特殊支护齐全,局部悬顶和冒落不充分(2m×5m)的应采取措施,超过的应进行强制放顶。特殊情况下不能强制放顶时,应有加强支护的可靠措施和矿压观测监测手段	3	查现场和资料,1处不符合要求该项不得分	
		7.不随意留顶煤开采。留煤顶、托夹矸开采时,应有经过审查批准的专项安全技术措施	3	查现场。1处不符合要求扣0.5分,留煤顶、托夹矸开采时无安全措施的不得分	
		8.采用放顶煤、采空区充填等特殊生产工艺的采煤工作面,支护和顶板管理应符合作业规程的要求	2	查现场。1处不符合要求扣0.5分	
		9.工作面因顶板破碎或分层开采,需要铺设假顶时,应按照作业规程的规定执行	2	查现场。1处不符合要求扣0.5分	
		10.对工作面工程质量、顶板管理、规程落实及安全隐患整改情况进行班评估,并做好记录	1	查现场和记录。未进行班评估不得分,记录不符合要求扣0.5分	
		11.工作面控顶范围内顶底板移近量按采高不大于100mm/m,底板松软时,支柱应穿柱鞋,钻底小于100mm,工作面顶板不应出现台阶下沉	2	查现场。1处不符合要求扣0.5分	
		12.回风、运输巷与工作面放顶线放齐,控顶距应在作业规程中规定,挡矸有效	2	查现场。1处不符合要求扣0.5分	
	安全出口与端头支护	1.工作面安全出口畅通,人行道宽度不应低于0.8m,综采(放)工作面安全出口高度不小于1.8m,其他不应小于1.6m,工作面内排头支架与巷道支护间距不应大于0.5m,架设抬棚的单体支柱初撑力符合规定,宜使用端头支架或其他有效支护形式	4	查现场。1处不符合要求该项不得分	
		2.超前支护距离不小于20m,初撑力符合作业规程规定	4	查现场和资料。超前支护距离不符合要求不得分;上下超前支护段均匀各选5点,共10点,初撑力1点不符合要求扣0.5分	
		3.架棚巷道超前替换距离符合作业规程规定	2	查现场。1处不符合要求扣0.5分,超前替换距离不足不得分	
	安全管理	1.各转载点有喷雾灭尘装置,带式输送机机头、乳化液泵站、配电点等场所配齐消防设施	3	查现场。1处不符合要求扣0.5分	
		2.设备转动外露部位、溜煤井上口等人员通过的地点有可靠的安全防护设施	2	查现场。1处不符合要求扣0.5分	
		3.单体液压支柱有防倒措施;工作面倾角超过15℃,液压支架有防倒、防滑措施,其他设备有防滑措施,倾角在25℃以上时,工作面刮板输送机有防止煤(矸)窜出伤人的措施	3	查现场。1处不符合要求扣0.5分	
		4.行人通过的输送机机尾加盖板;输送机行人跨越处有过桥;安全间距符合规定;工作面刮板输送信号闭锁符合要求	2	查现场。1处不符合要求扣0.5分	
四、机电设备(15分)	设备选型	1.液压支架(支柱)与工作面条件相适应;支护强度选择有科学依据,支架工作阻力满足设计要求	2	查现场支护状况,查矿压、地质资料和支护设计,不符合要求不得分	
		2.采煤机选型应满足煤层采高、截割的难易程度、地质构造发育程度和能力要求	2	结合现场条件查看有无制约产能因素,不符合要求不得分	
		落煤、装煤、运煤、支护等工艺装备能力匹配,无制约因素	2	查现场和资料。1处不符合要求扣2分	

	设备管理	1.液压系统无漏、窜液,部件不缺损,管路无挤压;注液枪完好,控制阀有效,采煤机、刮板输送机、转载机、破碎机等设备完好,保护齐全,运行可靠符合机电设备的管理规定,喷雾装置符合规定,内外喷雾有效	5	查现场。1处不符合要求扣1分	
		2.乳化液泵站完好,综采工作面乳化液浓度为3%—5%、压力不小于30Mpa,炮采、高档普采工作面乳化液浓度为2%—3%,压力不小于18Mpa	1	查现场。1处不符合要求扣1分	
		3.开关上架,电气设备不被淋水	1	查现场。1处不符合要求扣1分	
		4.通信系统畅通可靠监测、监控设备运行正常,安放位置符合规定	1	查现场。1处不符合要求扣0.5分	
		5.辅助运输设备完好,制动可靠,安设符合要求、声光信号齐全,轨道铺设符合要求,钢丝绳及其使用符合《煤矿安全规程》要求,检验合格	1	查现场。1处不符合要求扣0.5分	
五、变化管理(5分)	管理制度	有健全的变化管理工作制度	2	查文件、台账和资料。无制度不得分	
	现场管理	管理部门、区队和班组每天排查人员、时段,工艺、工具、工序、系统和环境等变化情况,发现问题及时处理	2	查现场和资料。缺1次或1项扣1分	
	预控措施	对设计和地质、水文、冲击地压、通风、运输、设备、人员等变化,超前分析、采取措施	1	询问并查记录。缺1次或1项扣1分	
六、文明生产(5分)	面外环境	1.泵站、休息地点、油脂库等场所有照明;图牌板齐全、清晰整洁,巷道交叉口有避灾标识牌	1	查现场。1项不符合要求不得分	
		2.两巷:支护完整,作业范围内无失修巷道;安全距离符合规定,设备上方与顶板距离应大于或等于0.3m	1	查现场。1项不符合要求不得分	
		3.巷道及硐室底板平整,无浮碴及杂物,无淤泥、无积水、管路、设备无积尘,物料分类码放整齐,有标志牌,设备、物料放置地点与通风设施距离大于5m	1	查现场。1项不符合要求不得分	
	面内环境	1.工作面内管路敷设整齐,支架内无浮煤、积矸,照明符合规定	1	查现场。1项不符合要求不得分	
		2.瓦斯浓度不超限、工作面温度超过26度应采取降温措施	1	查现场。1项不符合要求不得分	

(二)加强工作面工程质量管理的措施

1.提高职工工程质量管理的意识

组织职工学习工作面开采后围岩活动的基本规律,工作面来压时的主要特征及控制措施,工作面工程质量管理的有关规定与工作面工程质量评比标准,使职工了解工作面工程质量管理对安全生产的重要意义,树立生产必须安全,安全必抓质量的意识,在生产过程中自觉地养成注重工作面工程质量的良好习惯。

2.健全工作面工程质量管理体系

采煤(区)队要建立以(区)队长和主管技术管理人员为主的工程质量管理组织,负责工作面的工程质量管理工作。各生产班配备工程质量验收监督员,严把工作面的工程质量关。

3.保证工作面物料储备

工作面工程质量管理必须有充足的物料储备作保障。工作面的支护设备、机械、电器设备必须保证其完好性,备品、配件要齐全,发现问题及时维护检修。工作面支护材料需保持不少于3天的日常消耗储备,并备有处理工作面顶板事故所需物料。单体支护工作面的支柱、顶梁需保证一定的备用量,确保损坏、失效的支柱、顶梁能及时地进行更换。

4.严格质量事故追究制度

对工作面发生的质量事故和事故隐患必须采取“四不放过”措施:事故原因不查明不放过,隐患不除不放过,整改措施不落实不放过,责任人未受到教育不放过。通过事故追究制度使全体职工受到激励和教育,从中吸取事故的教训,杜绝和避免事故的再次发生。

5.采取激励机制搞好工作面的工程质量

搞好工作面的工程质量还须采取必要的激励机制。采煤(区)队经常对工作面工程质量进行检查,对工程质量好的要给予表彰和奖励;不重视质量管理、工程质量差造成事故的则给予处罚。上级主管部门对工作面进行检查评比,工作面为优良品的给予奖励,不合格品的给予处罚。通过奖惩形成一个搞好工程质量可得到实惠,不抓工程质量经济受损失环境的企业共识。只要每位职工把工程质量当做头等大事,工作面的工程质量就可得到可靠保障。

第四节　采煤工作面安全管理

安全管理已是企业管理的一项主要内容,安全管理工作也反映着企业管理水平。企业管理得好,重视安全管理工作,生产效率就会提高,经济效益就会增长。反之,不重视安全管理工作,会导致事故、伤亡不断发生,经济财产受到严重损失,安全状况恶化,职工无法安心工作,不能保证生产正常进行,企业的生产和效益都将受到严重影响。因此,随着煤矿开采机械化水平提高,安全管理工作就显得尤为重要。

采煤工作面的安全管理主要任务是保护职工在生产过程中的安全与健康,防止伤亡事故和职业危害,保障采煤生产过程正常进行,提高工作面的生产能力和效益。历年统计资料显示,煤矿的重大事故70%以上发生在采掘工作面。要改善煤矿的安全状况,关键是必须加强工作面的安全管理工作。采煤工作面的安全管理主要内容分为以下几个方面:

一、加强职工安全管理意识

安全管理是工业生产对安全提出的特殊需要,也是安全技术不断发展和完善的产物。安全生产是一项与广大职工的行为和切身利益紧密相连的工作。依靠少数人是不行的,必须依靠广大职工增强安全意识,积极参与安全管理工作,才能保证生产安全正常进行。要经常对职工进行安全技术培训和教育,提高职工安全知识水平和技能,自觉遵守安全生产管理的各项制度,形成安全生产自我保护和互保的坚实基础。

二、健全安全管理体制

要搞好安全管理工作,必须健全安全管理体制。采煤工作面要建立由采煤(区)队长负责的安全管理体制。各工作班要配备安全管理员,负责本班安全管理工作与工程质量管理工作,各工作小组要有安全监督员,对工作地点、工作设备、工作过程的不安全行为进行监督,有权在危及人身安全的状况下停止作业、撤出工作人员,坚决执行不安全决不生产的原则。在工作面形成一个自保、互保的安全管理体系,确保采煤工作面在正常条件下安全地进行生产。

三、加强工作面工程质量管理

工程质量管理是采煤工作面安全管理的主要内容。只有抓好工程质量管理,才能使生产在安全的环境中进行,安全生产才有保证。工程质量首先是工作面的支护质量。要保证支护设备的有效支撑能力,严格按作业规程规定进行支护。认真进行工作面压力监测工作,发现损坏、失效的支护设备及时进行维修处理,确保工作面支护设备的可靠性,使工作面有一个良好安全的工作环境。其次是机械电气设备的完好性。要按规定对机械电气设备进行日常维护检修,保证各类设备完好性符合规定。工作过程中发现设备问题必须及时进行处理,不能出现带病运转的设备,确保工作面生产安全顺利进行。工程质量还包括回采巷道的支护安全状况。采煤工作面两个出口的管理对工作面的安全生产影响很大,必须保证两出口的有效断面和高度,按规定进行两巷的超前支护工作,安排专人对回采巷道支护状况进行巡查和维护。保证回采巷道支护完好和畅通,是工作面安全生产的基本保证。

四、严格执行安全管理制度

安全管理制度是职工生产活动中的行为准则。遵守安全管理制度是工作面安全管理的保障,安全管理制度是工作面作业规程中的主要内容。编制作业规程时,必须结合工作面的具体条件和煤矿安全管理的各项规定,制定完善、切实可行的安全管理制度。制定安全管理制度是工作面安全管理的基础,严格地贯彻落实是安全管理的关键。规范各工种岗位技术操作规程,不违章作业,就可有效地避免事故发生,彻底改变煤矿的不安全状况。

五、采用先进的安全技术设备

随着科学技术进步,先进的技术设备和安全管理设备不断推出,对工作面的安全生产提供了可靠技术保障。无链牵引采煤机的应用,使工作面的安全生产进入一个新的阶段;工作面压力监测系统,可及时地掌握顶板活动的规律,进行有效的顶板控制;安全监测系统,可有效地防治工作面瓦斯、火灾事故发生与危害;采用先进的降尘系统,可有效地降低工作面煤尘的产生和危害。在条件允许的情况下,要尽量采用先进的技术设备和安全管理设施,提高工作面安全管理的水平,以减少和避免各类事故的发生和危害。

六、制定完善的安全技术措施

煤矿地下开采是在复杂的地质条件下从事采掘工作。煤矿的五大自然灾害时刻危及煤矿职工的安全，生产过程中的各种不安全行为也是造成事故的根源。制定完善的安全技术措施是杜绝煤矿灾害事故的基础。工作面安全技术措施主要包括煤矿各类灾害事故的防治措施，工作面生产过程中的各项安全技术措施与机械电器设备操作使用方法及安全管理的技术措施。

1.灾害事故防治措施

(1)瓦斯防治措施:工作面防治瓦斯积聚、上隅角瓦斯的处理、工作面瓦斯监测与检查、工作面杜绝火源的措施、机械电器设备安全防爆管理、工作面煤层突出的预测预报和局部防突措施、防突效果检验方法和主要的防护措施。

(2)煤尘防治措施:工作面煤体注水的方法与要求，主要的减尘、降尘措施，洒水与喷雾设施安设与使用要求，工作面风速控制及浮尘清扫规定，煤尘个体防护的具体措施与要求等。

(3)火灾防治措施:外因火灾防治主要措施。工作面易燃可燃物的管理，电器设备、供电线路防火安全管理，消防器材配置数量与存放地点;内因火灾预防方法及措施。煤炭自燃预测预报管理，预防发生煤炭自燃的措施与自然火灾的处置方法。

(4)水灾防治措施:工作面水患主要危险性，水源分布特点，预测工作面涌水量，排水的方法与排水设备配备及管理措施，工作面发生突水事故时的主要对策。

(5)顶板事故防治措施:工作面顶板管理的基本规定，顶板事故的特点，冒顶事故处理方法与要求，工作面过断层构造带时的技术措施。

2.生产过程中的各项安全技术措施

(1)工作面初采安全技术措施:开切眼支护的方式与要求，工作面支架、运输机、采煤机安装方法和安装与运输时的安全措施，综采工作面安装硐室的规格与支护要求，初次放顶、初次来压工作面顶板管理措施及加强支护的方法与要求。

(2)工作面周期来压防治措施:工作面矿压监测管理要求，工作面矿压的预测预报，来压期间工作面顶板支护管理的主要措施。

(3)工作面支架移设的安全措施:移架前的安全检查和注意事项，移架操作的基本要求，支架推移质量要求，顶板破碎时的控制管理措施，以及工作面支架的维护与检修管理。

(4)采煤机割煤时的安全措施:采煤机运行前的安全检查规定，割煤时操作的基本要求，遇到特殊条件时的安全注意事项。结束割煤时采煤机应保持的基本状态，遇到设备故障时的处理方法与原则要求。

(5)特殊条件开采安全技术措施:主要是结合工作面的具体条件制定在通过断层、中间巷和其他地质构造破碎带时的顶板控制与安全管理措施。

3.机械电器设备安全使用管理措施

(1)液压泵站安全操作措施:液压泵站启动前的安全检查要求，乳化液配比及检测规定，启动操作安全注意事项，泵站故障处理方法与要求，泵站移动时的安全措施。

(2)工作面绞车使用移设安全管理措施:绞车安全设施的配备要求，绞车的固定方法与质量规定，绞车操作的安全注意事项，绞车及牵引钢丝绳日常检修及管理规定，绞车移动的方法与安全措施。

(3)矿车辅助运输的安全措施:运输矿车与轨道的质量要求,装载材料与设备固定的方法与要求,通讯信号配备,矿车运行时的安全措施,矿车掉道处理方法,对提运绞车、钢丝绳的日常检查与维护管理。

(4)电器设备检查维修安全管理措施:电器设备检修时的停送电制度,电器设备防爆管理措施,安全控制设施配备及整定值的规定,电器设备故障处理方法及原则。

4.其他安全技术措施

(1)严禁五种人下井作业:请假准备回家或刚从老家回来的人,没有经过专业技术培训的人,身体有病的人,情绪不正常的人,酗酒的人。

(2)严格执行“四不生产”规定:工作地点不安全不生产,事故隐患不排除不生产,整改措施不落实不生产,工程质量不达标不生产。

第二部分　专业核心知识点

1. 了解采煤工作面的循环作业方式。
2. 掌握循环作业图表的编制方法。
3. 熟悉采煤工作面作业规程的编制程序。
4. 熟悉采煤工作面质量管理、安全管理工作。

复习题

1.试述采煤工作面技术管理的重要性和技术管理的主要内容。

2.说明采煤工作面循环、正规循环作业和正规循环率的概念,简述正规循环率如何规定。

3.采煤工作面的作业形式、作业形式主要有哪些?说明各作业形式的主要特点。

4.何谓采煤工作面的劳动组织?说明劳动组织的主要方式和特点。

5.采煤工作面循环作业图表主要包括哪些内容?

6.如何绘制采煤工作面循环作业图,绘制时注意的问题有哪些?

7.采煤工作面技术经济指标表主要包含哪些内容?

8.采煤工作面作业规程内容主要包括哪些方面?

9.试述采煤工作面作业规程编制的基本原则和编审过程。

10.采煤各工种技术操作规程主要内容由哪几部分组成?

11.采煤工作面安全管理的主要措施有哪些?

讨论题

1.试讨论"三八制"和"四六制"的优缺点,说说本矿适合哪种工作制度?

专业技能训练

试编制你所在矿井的采煤工作面作业规程。

第十四章　水力采煤法

第一部分　系统理论知识

第一节　水采生产系统简介

水采生产系统主要包括:高压供水系统、煤水运提系统和脱水系统。如图14-1所示为水采矿井生产系统示意图。

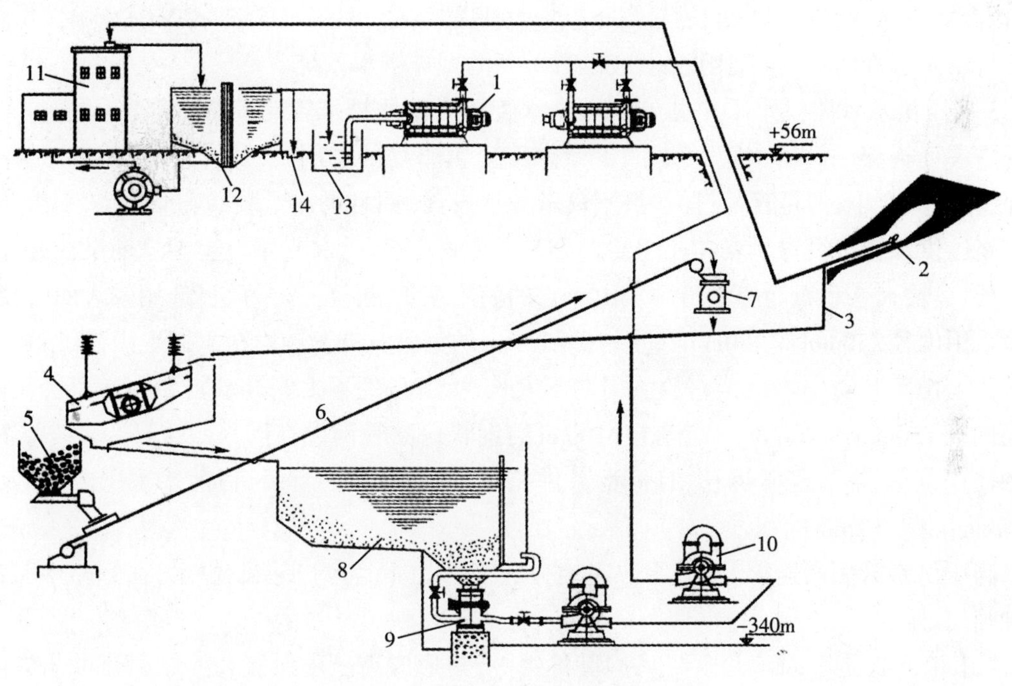

图14-1　水采矿井生产系统示意图

1——高压供水泵;2——水枪;3——煤水溜槽;4——震动筛;5——块煤仓;6——带式输送机;7——锤式破碎机;8——煤水仓;9——滚筒式给煤机;10——煤水泵;11——选煤厂;12——浓缩池;13——循环水池;14——弃水沟

一、高压供水系统

高压供水系统包括供水水源、高压供水泵、高压供水管路和水枪。

1.供水水源。充足适用的水源是水采的必要前提之一。对水源的基本要求是水量充足,水中含固体颗粒杂质少,酸度低,取用方便。地面的河流、湖泊、水库、矿井涌水及用钻孔从含水岩层或溶洞取水均可作为供水水源。

高压供水方式视水源的补给方式不同可分为开式供水和闭式供水两种方式。开式供水时，水采各生产环节用水全部由水源供给，而生产用过的水不再复用，作为废水排放；闭式供水时，生产用过的水经澄清净化后，再输回供水系统予以循环使用，因此又称为循环供水。考虑环保宜优先采用这种供水方式。

2.高压供水泵。它是高压供水系统的核心设备。常用的供水泵有往复泵和离心泵两类。目前我国水采井(区)中均采用分段式多级离心泵，供水压力一般为12～20 MPa。在开采较硬煤层而需要较高供水压力时，可串联使用高压供水泵。高压泵站可设于地面或井下，原则上使泵站位于供水水源附近较为有利。

现在我国水采井(区)均采用一泵一枪的集中供水方式，即各生产工作面按统一作业图表依次轮流用水，同一时间内一套供水泵只向一台水枪供水，以保证破煤时所需要的射流流量，提高破煤能力。此外，我国目前多数水采井(区)中的巷道掘进采用炮掘(或机掘)水运方式，该方式用水次数多，时间长且不固定，一般只需用低、中压水(0.6～2 MPa)，掘进供水的要求与回采水枪用水不同，因此，一般设有单独的掘进供水系统。

3.高压供水管路。水采矿井的高压供水管路一般比排水管路复杂，而且经常随开采工作的进展而拆移。高压水管一般采用无缝钢管，其管径的选用要视具体情况而定。管径愈大，阻力损失愈小，但是管径过大时，不仅增大了投资，而且增加了装卸和搬运的困难。

高压供水管按设置地点和使用期限分为主干管、支干管和支管。主干管铺设在井筒、井底车场、运输大巷和石门等巷道中。由于它的使用期长，拆运条件好，可选用较大的管径，目前多采用内径250mm或300mm、壁厚10～15mm的钢管；支管铺设在采区上山、区段运输巷和分段上山等巷道中。由于它的使用期不太长，拆运条件不太好，应适当减小管径，目前多采用内径150mm或200 mm、壁厚7～10mm的钢管；支管铺设在回采眼或回采巷中。由于它的使用期短，需要经常拆移，且拆运条件差，宜选用较小的管径，目前多采用内径125mm或150mm、壁厚7mm的钢管。

高压供水管间的连接，多采用快速接头连接。此外，为调节控制供水，在管路中需设置各种闸门。

4.水枪。它是水采矿井主要采掘设备之一，是形成高压水射流和控制射流冲击方向而进行破煤的主要工具。按其操作和移动支设方式可分为：①手动水枪；②液控水枪(包括程序自动控制水枪)；③自移液控水枪。

目前在我国的水采井(区)主要用的是手动水枪，其一般工作参数为：压力12～20MPa，流量180～300m^3/h，有效射程为15～20m，喷嘴直径一般为20～25mm。L-W型水枪是性能较好的一种，我国应用比较广泛。

二、煤水运提系统

水采中煤的运提是借助水力完成的，水力运输是水采的一个基本生产环节。水力运输具有运输工作连续、设备简单、工作可靠、维修工作量较少及生产效率较高等优点。尽管它存在管路磨损较大、水力运输设备的能耗较多，以及增加煤浆制备和脱水环节等问题，但国内外仍十分重视发展这种运输方式。

水力运输按其设备和工作方式的不同，可分为明槽自流水力运输（也称无压水力运输）和管路水力运输（也称有压水力运输）。水采时，通常同时采用这两种水力运输方式。

明槽自流水力运输是指煤浆沿具有一定坡度的溜槽自流运输。除在巷道坡度较大，且其底板岩层遇水后不会膨胀或泥化的情况下，可直接沿底板进行水力运输外，一般均需沿巷道底板铺设溜槽。运煤溜槽多采用梯形或矩形断面的铁溜槽，也有采用料石、混凝土砌成的槽沟或辉绿岩铸板镶衬的铸石溜槽。为使煤水能将200～300mm的大块煤顺利运走，要求巷道和溜槽具有一定的坡度，使煤水具有2～3m／s以上的流速。一般情况下，其最小水力运输坡度见表14–1。

表14–1　　溜槽的最小水力运输坡度

溜槽种类	铁溜槽	搪瓷或铸石溜槽	混凝土溜槽	直接沿煤层底板溜送
水力运输的最小坡度	4%～5%	2%～3%	7%	7%～9%

实际应用中，为保证溜槽自流水力运输可靠和畅通，常采用比该表所列数值略大的坡度。近年来，我国一些矿区采用镶衬超高分子量聚乙烯塑料作底板的低阻溜槽，其实际应用坡度降到3%～5%，降低水运巷道坡度，可减少三角煤损失和有助于解决5°～7°近水平煤层的水力开采问题。

我国水采井（区）中，水采采区内部煤的运输一般都采用这种水力运输方式。管路水力运输是利用机械设备的动力使煤浆沿管路输送，实现煤水的运提。我国常用的设备有煤水泵和喂煤机两类。

煤水泵管路水力运输是使煤和水都通过煤水泵升高压力，然后靠其与煤水管路出口端的压力差来驱动煤浆。它是我国水采井（区）中广泛采用的一种管道水力运输方式。该方式允许运输线路曲折变化，并且不受巷道坡度限制，既可用于水平巷道中煤的运输，又可用于倾斜巷道或垂直巷道中煤的向上运提。因此，水力采煤中，煤从采区到地面的运提常采用这种方式。

喂煤机管路水力运输是利用水力冲刷或机械输送方式把煤喂入排煤管路，然后借助清（污）水泵的排水压力，将喂入管路中的煤随水一起排往输送地点。该方式一般限用于全矿井的水力提升。它与煤水泵管路水力运输相比，因煤不经泵体，因此该方式具有机械磨损小，泵效率和扬程较高，排煤粒度较大等优点。但是，由于它存在系统比较复杂、硐室工程量较大、置换水处理较困难等缺点，目前只有个别水采矿井采用。

煤水管一般也使用无缝钢管，管径根据其输送能力大小选用，多为200 mm、250 mm、300mm或350mm。

在明槽自流水力运输和管路水力运输连接处必须设置煤水硐室，以调节煤水来量、煤浆浓度，保证煤水泵的连续工作。它主要包括筛机硐室、煤水仓、煤水泵房及煤水通道等。煤浆经脱水筛分离，筛上品用输送机装仓旱运、旱提或用破碎机破碎后再和筛下品一并进入煤水仓，再用煤水泵经管路向外输送。

煤水仓分为压入式煤水仓和吸入式煤水仓。如煤水仓中的煤浆液面高于煤水泵时，称为压入式煤水仓，如低于煤水泵则称为吸入式煤水仓。

三、脱水系统

脱水是指把煤浆中的煤水分开，使煤中残留的水分达到国家规定的销售标准，并使脱出的水能够循环使用。水采矿井的脱水系统有以下三种方式：与选煤厂相结合；地面专用脱水车间；简易脱水系统。

与选煤厂相结合的脱水方式是将煤浆经管路直接输送到本矿井或附近的选煤厂，结合选煤工艺进行脱水，这样既产精煤，又达到脱水的目的。目前，我国水采矿井除少数外均已采用这种脱水方式，对于后两者很少采用。

第二节　水力采煤方法

我国水采井(区)中，目前普遍采用短壁无支护水力采煤法。这种采煤方法有其独特的工艺特点：

1.它以水射流实现落煤和运输两个主要生产环节，把落煤和运输简化成单一的连续工序。

2.这种水采方法对回采空间的煤层顶板不进行支护，作业人员不进入采煤工作面内。这样不仅简化了采煤工作面的顶板管理和减轻了工人的劳动强度，而且提高了生产的安全性。

3. 这种水采方法的采煤工作面以短壁形式布置，具有较强的机动性和灵活性。常用的短壁无支护水力采煤法主要有倾斜短壁式(漏斗式)采煤法和走向短壁式采煤法。

一、倾斜短壁式采煤法

倾斜短壁式采煤法是我国在缓斜煤层条件下常用的水采方法，又称为漏斗式采煤法。

1.采准巷道布置

采煤法分为双面冲采(双面漏斗)和单面冲采(单面漏斗)两种方式。如图14-2所示为双面冲采式的采区准备巷道布置。

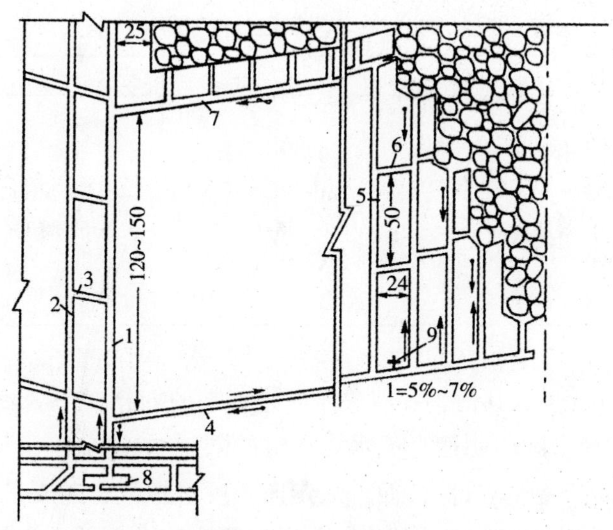

图14-2　双面冲采式的采区准备巷道布置

1——煤水上山；2——轨道上山；3——上山联络巷；4——区段运输巷；5——回采眼；6——回采眼联络巷；7——区段回风巷；8——煤水硐室；9——局部通风机

(1)采区准备工作顺序

自水平运输大巷沿煤层倾斜开掘一对采区煤水上山1和轨道上山2，两上山间距20～25m，并每隔一定距离以联络巷3连通。采区上山与水平回风大巷连通后，由上山向两翼开掘区段回风巷7和区段运输巷4。为保证溜槽水力运输，区段运输巷坡度为5%～7%，掘到采区边界后，沿煤层倾斜向上开掘回采眼5与区段回风巷连通。为避免底煤丢失，区段运输巷和回采眼需沿煤层底板掘进。回采眼间距视水枪有效射程及回采眼维护状况而定，一般为18～24m。在掘进区段巷道的同时可在采区下部开掘煤水硐室。在完成设备安装及完善通风构筑物之后即可进行回采。

由于水采工艺特点的限制，采区内均采用后退式下行开采顺序，即水枪安设在回采眼中，白区段回风巷开始自上而下依次冲采回采眼两侧的煤带。

单面漏斗式是安设在回采眼中的水枪自上而下依次冲采回采眼一侧的煤带，其巷道布置除回采眼间距较小(一般10～16m)外，其他与双面漏斗式相同。

(2)采区参数

采区参数主要指采区生产能力和采区尺寸。在目前条件下，每个采区一般配备一套水采生产系统，因此采区生产能力等于一套水采生产系统的生产能力。在合理配置设备时，一套水采生产系统的生产能力视开采条件而定。我国目前一套水采生产系统的生产能力如表14-2所示。

表14–2　　一套水采生产系统在不同煤层条件下的生产能力

煤层条件	生产能力/万 t·a^{-1}	备注
顶板较好的缓斜中厚煤层	30～45	
顶板较好的缓斜厚及特厚煤层	70～80	
急斜中厚煤层	21～30	顶板较差时为21万～30万 t/a
倾斜、急斜厚及特厚煤层	30～45	各方面条件均好时可达100万 t/a
地质条件复杂的煤层	15～30	
水力复采残煤	15～21	

采区斜长等于阶段斜长，其值主要取决于开采水平的划分。

采区走向长度因受采区内明槽自流水力运输的限制，为避免采区下部的三角形呆滞煤量过大，其一翼的走向长度不宜过大，而采区走向长度过短又将造成采区服务年限过短、采区的吨煤投资过大及采掘接续紧张等问题，所以采区有其合理的走向长度。目前我国的水采井（区）多采用双翼采区，采区一翼的走向长度在开采缓斜煤层时一般为500～800 m，急斜煤层时为200～500m。近年来，一些水采井（区）为增加采区服务年限，缓解采掘接续紧张的矛盾，增大了采区走向长度（缓斜煤层的采区翼长有的已达1000 m以上，急斜煤层达600m以上），并采取在区段巷道使用U型钢可缩支架、在三角煤区域增设辅助煤水硐室、小型化辅助硐室等措施。实践证明这些措施是有效的。因此，今后采区走向长度将会有所增大。

区段斜长一般为120～150m，根据回采眼的维护状况可适当加长或缩短，若维护困难可缩至60～80 m。

2.采区生产系统

（1）运煤系统。由水枪冲采下来的煤沿溜槽从回采眼经区段运输巷和煤水上山到采区煤水硐室，如图14–1中箭头所示。

（2）高压供水系统。采区中的高压供水管路沿与运煤相反的路线铺设并连接于回采眼中的水枪。

（3）运料系统。由于是无支护采煤且设备简单，所以辅助运输的工作量较小。但因为区内多为倾斜巷道，运料工作比较困难。通常材料和设备在轨道上山中采用矿车沿轨道提升，而在区段巷道中用单轨吊车或简易吊挂无极绳运输。

（4）通风系统。新风沿采区上山到区段运输巷，再经回采眼到采煤工作面。乏风经采空区到区段回风巷和采区上部回风巷道。

由于清洗工作面后的乏风要流经已冒落的采空区，如果采空区已冒实，则风流阻力很大，可能会导致采煤工作面供风不足，此时则在区段运输巷中增设局部通风机加强通风。

各掘进工作面采用局部通风机进行通风。

3.采煤工艺

水采工作面的采煤工序包括：水力落煤、拆移水枪、管道及溜槽、支设护枪支架及重新安设水枪等。

(1)水力落煤(落垛)

在进行水力冲采时,水枪受其有效射程及顶板允许暴露面积等因素的限制,需经常拆移。水枪每拆移一次在巷道一侧能冲采的范围称为煤垛。冲采煤垛的工作称为落垛。每次拆移水枪的距离称为移枪步距。

煤垛参数是无支护水采法的一个重要基础参数,它主要包括煤垛的宽度(移枪步距)、煤垛的长度和煤垛的最终冲采角。不同的煤垛参数会直接影响破煤效率及回采率等,因此合理确定煤垛参数十分重要。影响煤垛参数的因素除水枪的有效射程、煤层顶板稳定性外,煤的硬度、厚度及矿压等对其也有较大影响。

漏斗式采煤法的煤垛参数确定一般按下列原则和步骤进行:

①确定煤垛的最终冲采角。合理的最终冲采角既要保证垛内煤水能通畅外流(即煤垛下帮边界线必须有7%~10%以上的坡度),又要减少三角煤呆滞煤量。最终冲采角不宜过大或过小,过大时易造成煤水外流不畅,而过小时会导致三角煤呆滞煤量的增加。较适宜的最终冲采角一般为70°~75°。

②确定煤垛的最小宽度(最小移枪步距)。为防止来自采空区的矸石压埋水枪,最小移枪步距应大于采空区矸石在回采眼方向上可能窜入的距离。理论上漏斗式采煤法的最小移枪步距应不小于3~4m,实际应用中,煤垛的宽度(移枪步距)多采用4~8m。

③确定煤垛的长度。煤垛的最大允许长度一般以最小移枪步距和最终冲采角为基础,按最大冲采距离等于或略小于水枪有效射程,以及煤垛面积应略小于顶板允许暴露面积的原则来确定。水枪的有效射程和顶板允许暴露面积都应考虑到地质条件、技术条件及矿压作用的影响。实际应用中,漏斗式采煤法的煤垛长度一般为8~15 m。

落垛过程中,垛内不设支架,为能在其顶板冒落前顺利采完煤垛,落垛时要有一定的冲采顺序(也称落垛顺序)。根据煤层顶板条件的不同,落垛顺序可分为开式、闭式、半闭式三类,如图14-3所示。

开式落垛时首先冲采靠近回采眼一侧的煤帮,然后按图中所示序号依次冲采;在冲采过程中煤垛靠上方采空区侧不留临时隔离煤柱。这种落垛方式利用回采眼的侧帮作为自由面,减少了掏槽作业,破煤效果较好,射流的平均生产能力较高。但由于水枪附近的煤垛顶板最早暴露及不暂留采空区隔离煤柱,在落垛过程中垛内顶板提早垮落及采空区向垛内窜矸的可能性增加。因此这种落垛方式一般适用于顶板较稳定及倾角较小的煤层。

闭式落垛时首先进行水力掏槽冲采煤垛内部,而在煤垛周边上暂留隔离煤柱,以临时支撑煤垛顶板和阻挡采空区矸石向垛内窜入,待煤垛内部的煤量冲采完之后,再按照自下而上、先远后近的原则冲采隔离煤柱。这种落垛方式有利于防止冲采过程中垛内顶板提早垮落及采空区向垛内窜矸,对于保证正常地采完煤垛具有一定效果。但其破煤效果不如开式落垛。因此这种落垛方式一般适用于顶板稳定性较差或倾角较大的煤层。

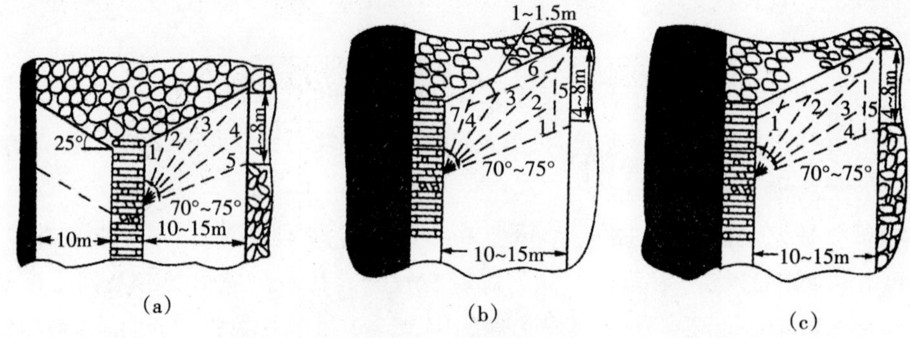

图14-3　倾斜短壁式采煤法落垛顺序示意图

(a)开式;(b)闭式;(c)半闭式

1,2,3,4,5,6,7——垛内冲采顺序

采用半闭式落垛时,在煤垛靠采空区侧暂留隔离煤柱留待最后冲采,而煤垛其他部分的冲采顺序与开式落垛相同。这种落垛方式的优缺点及适用条件介于前述两种落垛方式之间。

水枪附近是人员作业较集中的地点,为确保安全,该处应加强支护,增设护枪支架。常用护枪支架形式有单斜抬棚、八字抬棚等。

(2)其他辅助工序

煤垛冲采完毕后,关闭阀门停止供水,进行拆移水枪、水管及溜槽,这些工作可以平行作业。然后拆除原护枪支架,并在新的水枪位置支设护枪支架,为下一煤垛的冲采作好准备。为保持生产的连续性,每个采区一般配置3个采煤工作面,其中一个生产,另一个进行拆移水枪、水管及溜槽等准备工作,第三个备用。相邻的两采煤工作面要保持适当错距,其错距的选定既要考虑到有利于防止两工作面相互影响及充分利用矿压的作用采煤,又要避免回采眼维护困难,其错距一般取8~15m。

二、走向短壁式采煤法

走向短壁式采煤法在我国水采井(区)中应用最为广泛,常用于倾角较大的缓斜、倾斜和急斜煤层的开采。

1.采准巷道布置

走向短壁式采煤法的采准巷道布置如图14-4所示。

(1)采区准备工作顺序

在图14-4中,自水平运输大巷沿煤层倾斜开掘一对采区煤水上山1及轨道上山2,两上山间距20~25m,每隔一定距离以联络巷3连通。采区上山与水平回风大巷连通后,由上山向两翼开掘区段回风巷7和区段运输巷4,区段运输巷的坡度为5%~7%,并当其掘到采区边界后若为缓斜煤层,可在该巷道中每隔80~150m沿倾斜向上开掘分段上山5(急斜煤层一般不开掘)与区段回风巷相通。然后在分段上山中自上而下依次开掘与区段运输巷平行的回采巷6(坡度为5%~7%),相邻两回采巷的间距一般为10~15 m。为避免底煤丢失,缓斜和倾斜煤层的区段运输巷、分段上山和回采巷均需沿煤层底板掘进。在掘进区段巷道时可在采区下部开掘煤水硐室8。在完成设备安装及完善通风设施后即可进行回采。

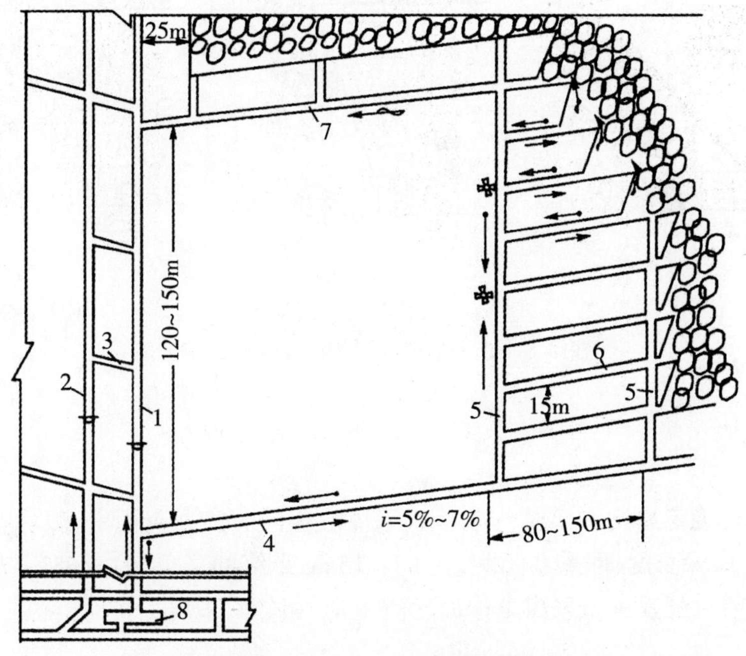

图14-4　走向短壁式采煤法的采准巷道布置

1——煤水上山；2——轨道上山；3——上山联络巷；4——区段运输巷；
5——分段上山；6——回采巷；7——区段回风巷；8——煤水硐室

水枪安设在回采巷中，由上部的回采巷开始依次自上而下向采区或分段上山后退冲采其上帮的煤垛。增掘分段上山是我国在缓斜和倾斜煤层中应用走向短壁式采煤法中的经验之一。尽管这样会使巷道掘进率有所增加，但它具有下列明显优点：①便于及时调整回采巷间距，以消除由于煤层条件变化或掘进误差所引起的间距过大变化，利于提高采出率；②有利于增加掘进工作面数目，缓解采掘接续紧张的矛盾，保证采区生产能力；③有助于按地质条件分区，提高其对地质条件变化的适应能力。所以我国缓斜煤层水采井（区）中在应用走向短壁式采煤法时普遍采用这种形式。

（2）采区参数

走向短壁式采煤法的采区参数的确定原则与漏斗式采煤法相同。

2.采区生产系统

其采区生产系统与漏斗式采煤法相似。采煤工作面的通风也采用“采空区窜风”，如果风量不足则在分段上山中增设局部通风机加强通风。

3.采煤工艺

该法的回采工艺与漏斗式采煤法相似。其落垛顺序也分为开式、闭式、半闭式三类，如图14-5所示。

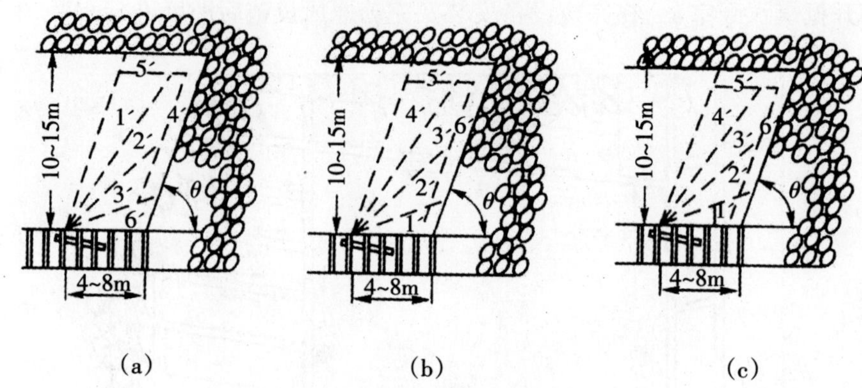

图14-5　走向短壁式采煤法落垛顺序示意图

(a)开式;(b)闭式;(c)半闭式

1′,2′,3′,4′,5′,6′——垛内冲采顺序

煤垛参数的确定原则和步骤与漏斗式采煤法相同。实际应用中,煤垛宽度(移枪步骤)一般为4~8m,煤垛长度(回采巷间距)为10~15 m,最终冲采角(θ)为65°~75°。

采区内一般也配置三个采煤工作面轮流生产,相邻两采煤工作面错距一般为8~15m。

三、倾斜短壁式与走向短壁式采煤法的比较

在倾斜短壁式采煤法中,安设在回采眼中的水枪可向其两侧冲采,冲采范围较大,因此该法具有巷道掘进率较低、水枪及管道等拆移工作量较小、效率较高等优点。但是当煤层倾角较大时,回采眼坡度也较大,这样采空区垮落矸石易窜入回采眼中,造成压枪现象,危及作业人员的安全,并降低采出率。因此该采煤方法适用于煤层倾角较小的条件,一般多用于倾角为7°~15°的煤层。

在走向短壁式采煤法中,安设水枪的回采巷坡度较小(5%~7%),且不受煤层倾角大的影响,因此采空区窜矸压枪的可能性及对作业人员安全的威胁均较小,并利于提高采出率,同时由于增设分段上山,提高了它对地质条件变化的适应能力。所以该法具有生产安全、采出率较高及对地质条件变化适应能力较强等优点。该采煤方法适用范围广泛,凡适于水采条件的倾角大于12°~15°的煤层均可应用此方法,尤其当煤层的倾角和厚度较大时应用此法更为有利。

第三节　水力采煤的适用条件

1.顶板稳定或中等稳定,底板泥化、底鼓不严重,倾角7°以上30°以下的中厚和厚煤层。

2.厚度1m以上、倾角大于30°、顶底板稳定性符合水采要求的倾斜、急倾斜煤层。国内在北票矿区,国外在苏联的得尔干矿和日本的砂川矿,都是在这一类煤层条件下有效地推行了水力采煤。

3.地质构造复杂、倾角、厚度变化大，但其整体条件仍适合水采的中厚以上的不稳定煤层。

除建设正规水采井、区外，对一些老矿井中残留的块段或因采煤方法不当丢失量较大的残煤，可用水力采煤复采。对具备此条件和有井口选煤厂的矿井进行改扩建设计时，可考虑以此来延长矿井寿命、提高资源采出率。

此外，在一个煤田或井田的浅部有因受断层切割等原因形成的独立块段，从毗邻矿井去开拓工程量太大时，可考虑单建小型水采井。关于水采的水源条件，在特别干旱的矿井除渗透性围岩的漏水外，主要是煤炭产品脱水不净带走一定水分，采用循环用水的生产工艺时，吨煤耗水量一般不超过$0.5m^3$。

在一个井田内常常不是所有的煤层或一个煤层所有的块段都适合水力采煤，最常见的是煤层的倾角变化。同理，在一个井田内也不会是所有的煤层或块段都适合综采。因此，在国内外都有不少水采和旱采并举的矿井。这一现象说明，水力采煤一方面是要受上述诸多煤层条件的限制，而另一方面又是解决某些难采煤层最有效的采煤方法。面对煤炭资源条件的多样化，水采应是机械化采煤不可缺少的采煤方法之一。

第二部分　专业核心知识点

了解水力采煤的水采生产系统及水力采煤方法。

讨论题

如果在同样的地质条件下,能运用机采也能水采,你选择哪一种？说说你的理由。

第十五章　柱式采煤法

第一部分　系统理论知识

第一节　柱式采煤工艺

按落煤方式的不同，采煤工艺大致可分为两大类：一类为传统的放炮落煤工艺；一类为连续采煤机采煤的工艺。炮采工艺的房柱式采煤法，因存在单产低、劳动强度大、回采率低、掘进率高、通风系统复杂、工作环境恶劣、安全性差等缺点，现仅在少数地方煤矿使用。后者的机械化程度高，目前在国内外应用较多，也是柱式采煤法的技术方向。

连续采煤机房柱式采煤法具有投资少、出煤快、适应性强、机械化程度高、效率高、安全性好等优点，是柱式采煤工作面机械化采煤的主要设备。实践证明：连续采煤机房柱式采煤法作为长壁综合机械化采煤的一种补充，在适宜条件下，可达到良好的技术经济指标，获得较好的经济效益。放炮落煤工艺与长壁采煤法的爆破落煤工艺相同，这里仅叙述连续采煤机采煤工艺。

连续采煤机采煤工艺，按运煤方式的不同可分为两种工艺系统：一种是连续采煤机—梭车—转载破碎机—胶带输送机工艺系统，另一种是连续采煤机—桥式转载机—万向接长机—胶带输送机工艺系统。前者是间断运输工艺系统，后者是连续运输工艺系统。

一、连续采煤机—梭车工艺系统

这种系统主要用于中厚煤层，有时也用于厚度较大的薄煤层。其工艺系统如图15-1所示。

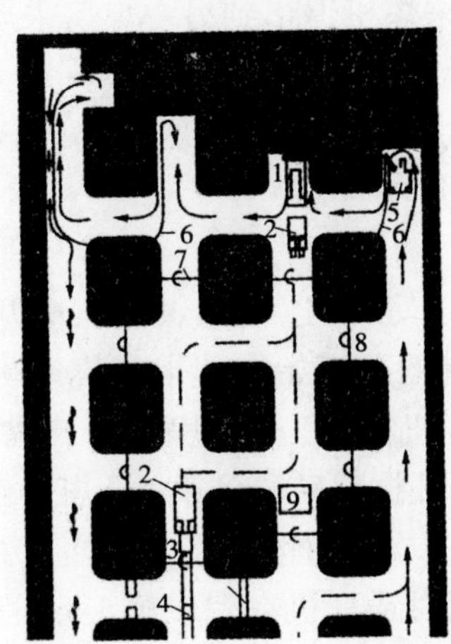

图15-1　连续采煤机—梭车工艺系统

1——连续采煤机；2——梭车；3——转载破碎机；4——胶带输送机；

5——锚杆机；6——纵向风障；7——风帘；8——风墙；9——电源中心

连续采煤机是由截割机构、行走机构、装载转载运输机构以及辅助装备等组成，是该房柱式采煤方法中掘巷和回采的最关键机械设备。其中以滚筒式连续采煤机使用最为广泛。

梭车是房柱式采掘工作面的运煤设备，它往返于连续采煤机和给料破碎机之间，主要由箱体、行走机构、卸载装备等组成。梭车车箱容量一般为7～16t，车箱内的煤在给料破碎机处由梭车箱内的双边链板输送机卸载，卸载时间一般为30～45s。梭车装有电缆卷筒（柴油机和蓄电池驱动的除外），一般电缆卷筒能缠绕140～150m长的电缆，因而梭车可在不超过150m的区间内往返穿梭运行。梭车运输距离越短，采煤效率越高。而以蓄电池或柴油机为动力的运煤车，由于没有电缆，避免了因电缆扭伤或断裂等故障造成的停工停产，是其突出的优点。

给料破碎机由料斗、链条传送装置、破碎机构、履带式行走机构等部分组成，是连续采煤机房柱式开采企业中主要的配套设备。其作用是接受梭车由工作面运载的煤炭，梭车可快速将其所载煤炭卸入给料破碎机料斗，卸入料斗的煤由传送装置送入破碎机构，大块煤被破碎之后均匀将煤转载至与其相接的带式输送机外运。

铲车主要用作搬运物料设备，清理工作面残留的浮煤和杂物，是必不可少的辅助设备。

在连续采煤机房柱式开采中采用锚杆支护顶板，安装锚杆是该采煤方法循环作业中耗时较多的工序，直接影响生产的安全和工效。锚杆机是连续采煤机配套设备中最重要的设备之一，也有锚杆机装置直接装在连续采煤机上，钻锚作业时采煤机不需由巷道退出，但钻锚和掘采不能平行作业。

连续采煤机主要有横滚筒和纵螺旋两大类。在中厚煤层中使用的都是横滚筒，如乔伊（JOY）公司生产的12CM型就属这一类。滚筒宽度2.9～3.2 m，采煤机长9～10 m，同时完成割煤与装煤工作。梭车容量一般为7～16t，车高0.7～1.6m，车长8.0m左右，车宽2.7～3.3m，自重11～18t。为了将煤匀速送入胶带输送机，在输送机前面设置了转载破碎机，以利于梭车快速卸载，并破碎大块煤。锚杆机是系统中的重要设备，大多为拖电缆胶轮自行式（也有简易手提的），打锚杆也是作业中耗时较多的一道工序，采煤机与锚杆机轮流进入煤房作业。先采煤到一定进度（如6m），采煤机退出到另一煤房采煤，锚杆机进入进行支护。

连续采煤机房柱式采煤实行掘采合一，一般需要同时开掘3～5条煤房，由于通风和安全的要求，还需开掘横向联络巷间隔贯通每条煤房，支护则采用锚杆。连续采煤机房柱式采煤分为煤房掘进和回收煤柱两个阶段。

（一）煤房掘进

如图15-2所示为5条巷道（煤房）的连续采煤机煤房开掘系统。图中连续采煤机正在第1条煤房作业，采煤机向前开掘的距离始终使采煤机司机处于永久锚杆支护的安全范围内，这个距离一般为5～6m。锚杆机在第5条煤房中安装锚杆，由于锚杆机是紧随采煤机之后作业，连续采煤机在第5条煤房开掘后转移到第1条煤房继续作业。图中虚线为连续采煤机在第1煤房开掘时2台运煤车（梭车）的运煤路线。当连续采煤机完成第1条煤房的开掘作业后即转入第2条煤房作业，同时锚杆机在完成第5条煤房的作业后就可转移到第1条煤房钻装锚杆。当连续采煤机完成第2条煤房的开掘作业后，将依次转入第3、第4和第5条煤房进行开掘作业。之后，又从第1条煤房开始下一个循环。如此循环作业，5条煤房同时向前推进。当5条煤房推进到需要开掘联络巷时，其开掘顺序如图15-3所示。这时煤房和联络巷同时掘进，图中数字标明煤房和联络巷的掘进顺序，依此顺序直到掘通联络巷。当联络巷掘通后，又以正常顺序开掘5条煤房。

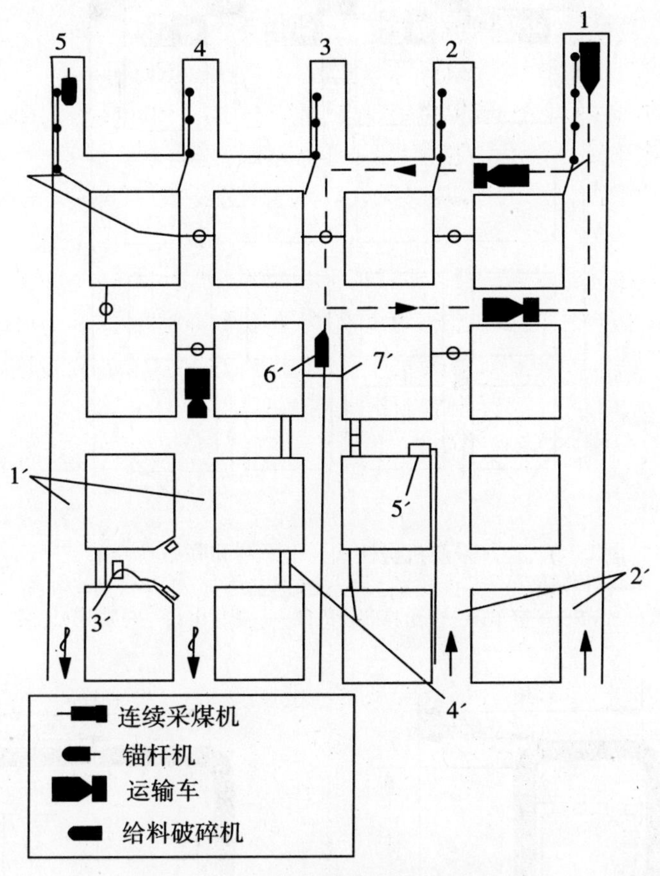

图15-2　连续采煤机煤房开掘系统

1——回风道；2——进风道；3——蓄电池充电站；4——永久性风墙；5——采区供电中心；6——给料破碎机；7——防火帘；8——风帘

连续采煤机掘进过程可分为“切槽”和“采垛”两个工序，如图15-4所示。司机根据煤房中通风设施的布置，确定采煤机先沿煤房的某一侧截割。采煤机设备移动到位后开始切割正面煤壁，直到深度达5～6m才停止，这一工序称为“切槽”工序。然后采煤机退出调整到巷道另一侧，再切割剩余的煤壁，使巷道开掘至所要求的宽度，这一工序称为“采垛”工序。当采煤机工作时，要及时架设纵向风障等通风设施，使其端部应超前于采煤机司机，以保证工作面良好的通风条件。

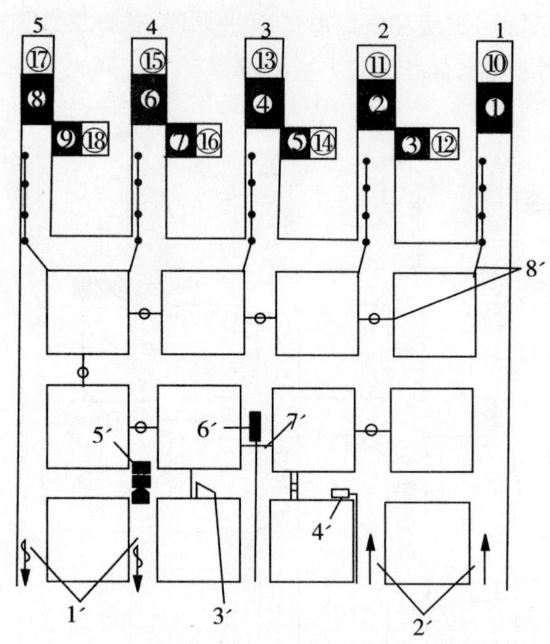

图15-3　连续采煤机房柱式开采平巷和联络巷开采顺序

1——回风道；2——进风道；3——永久性风墙；4——采区供电中心；

5——铲车；6——给料破碎机；7——防火帘；8——风帘

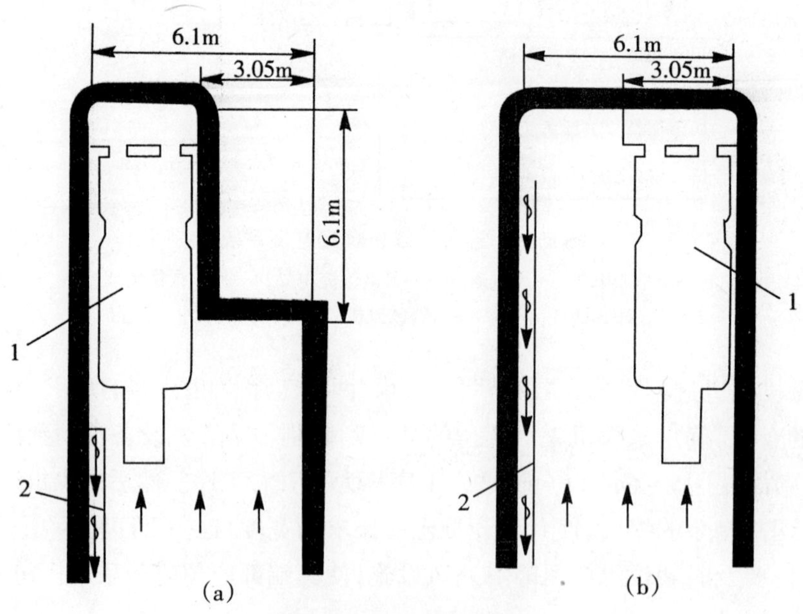

图15-4　连续采煤机掘进顺序

(a)切槽工序；(b)采垛工序

1——连续采煤机；2——风障

连续采煤机通过扒爪装载机构和中部输送机将煤装入停靠在机后的梭车。通常两台采煤机配两部梭车，一部在采煤机后等待装煤，另一部已装满煤炭驶向给料破碎机处，快速卸煤后再返回采煤机所在地点等待装机。两部梭车各按其线路往返穿梭行走以保证连续采煤机尽可能连续作业，在采煤机产量高的情况下也可配三部梭车。因采煤机每次开掘进度应保证采煤机司机操作位置在永久锚杆支护范围内。当采煤机完成这段距离的开掘任务后就应立即退出，转移到另一条煤房里重复作业。此时，锚杆机完成邻近煤房钻锚工作，随即可转移到这条煤房进行钻眼和安装永久性锚杆，锚杆机的作业顺序：定位、钻眼到设计深度、装锚杆、拧紧螺母达预定的扭矩值。多用树脂锚杆，其参数根据巷道尺寸和围岩条件确定。

（二）回收煤柱

当区段内的一组煤房全部掘完后，采煤机开始后退回收煤柱。煤柱回收方式较多，具体可根据煤柱尺寸和围岩条件确定。主要有袋翼式和外进式两种。

1.袋翼式

这种方法是在煤柱中开掘一条巷道，亦用锚杆支护。这条巷道称为煤柱中的通道（或袋），此种巷道与采空区之间留下的煤带称为翼。通道掘通后，连续采煤机调斜由里向外倒退式回收留余的侧翼煤柱。因为此时不再支护，回收煤柱后，顶板随后垮落。侧翼煤柱的宽度应保证采煤机司机在回收煤柱时，不超出通道顶板支护的保护范围。

煤柱中可开掘单通道（或单袋），也可开掘多通道（或多袋），主要取决于煤柱尺寸。一般应有2个以上的作业地点以保证采煤机和锚杆机交叉平行作业。为保证安全，回收煤柱时应在待采煤柱采空区边缘和所开掘的通道口打上支柱或丛柱，以分隔采空区和防止通道口顶板冒落，并随侧翼煤柱斜切开采逐刀回收。

2.外进式

当煤柱宽10～12m时，可直接在房内向两侧煤柱进刀。

总之，这种工艺系统与传统工艺系统相比，机械化程度高，大大减少了作业人员。一个典型的连续采煤机房柱式采煤班人员配备一般9～13人，其工种人员具体配备如下：班长1人，连续采煤机司机及助手2人，梭车司机2人，锚杆机司机2人，铲车司机1人，机修工1人，电工1人，杂务工1人，合计11人。连续采煤机房柱式采煤工作制度一般采用三班作业，每班8h。连续采煤机多煤房轮流作业，班生产能力在很大程度上取决于煤层高度和开采条件，不同煤层厚度连续采煤机班生产能力见表15–1。

表15–1　连续采煤机班生产能力表

煤层厚度 /m	班生产能力 /t			工作面平均效率 /t/工
	最小	最大	平均	
0.75～1.2	175	1000	350	39
1.2～2.1	400	1400	600	67
2.1～3.0	400	1800	800	89

说明：班生产时间按8h计。

二、连续采煤机一输送机工艺系统

这种系统是将采煤机采落的煤，通过多台输送机转运至胶带输送机上。其工艺系统如图15–5所示。这种系统主要用于薄煤层，在中厚煤层的使用也呈上升趋势。这种连续运输系统克服了梭车间断运输产生的影响，且有利于在薄煤层中应用。

鸡西小恒山煤矿采用的就是这种工艺系统。所用采煤机为MK-22型，采用纵向螺旋滚筒，滚筒长1.2m，一般可钻进1.1m。两滚筒一上一下（一般为前上后下）向左（或向右）摆动割煤，最大摆动角度为90°，不挑顶，不卧底。其割煤方式如图15-6所示。

连续运输设备是由一台桥式转载机和三台万向接长机（自行输送机、互相铰接）、一台特低型胶带输送机组成。

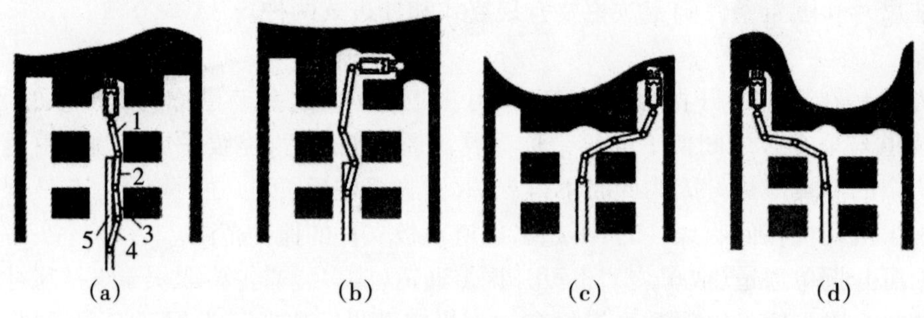

图15-5　连续采煤机—输送机工艺系统

1——桥式转载机；2~4——万向接长机；5——带式输送机进风巷

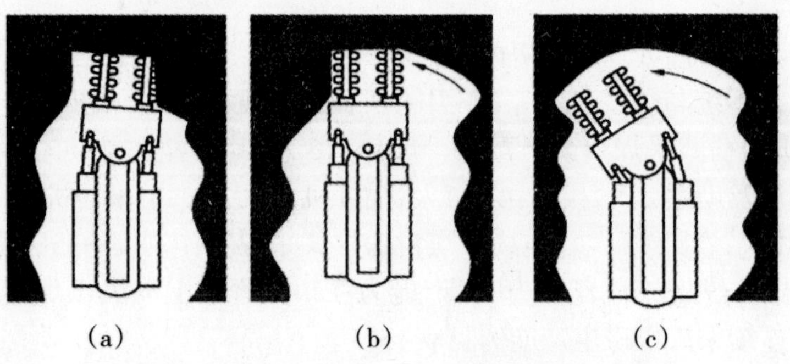

图15-6　MK-22型采煤机割煤方式

(a)采煤机向右割煤；(b)采煤机向左清浮煤；(c)采煤机向左割煤，然后回中位，割完一刀

由于薄煤层巷道低，条件较差，为方便运送人员、设备和材料及清扫浮煤，设一台铲车。

连续采煤机采煤后，若顶板不太稳固，可先用金属支柱临时支护，永久支护采用金属锚杆或树脂锚杆，边打锚杆边回撤临时支柱。一台采煤机配备2台顶板锚杆机，进行顶板打眼和安装锚杆。

第二节　柱式采煤方法特点及适用条件

一、柱式采煤方法特点

(一)房式采煤法

这种采煤方法的特点是只采煤房不回收煤柱，用房间煤柱支承上覆岩层。

如图15-7所示为美国某矿井采用连续采煤机—梭车工艺系统的房式采煤方法。主巷由5条巷道组成，盘区准备巷为3条，在盘区巷两侧布置煤房，形成区段。盘区一翼前进，另一翼后退。采取较大的煤柱(60m)维护主巷。区段由6个房同时推进。房宽7m，煤柱尺寸为8m×8m，区段间煤柱宽为8m，因受地质构造影响，房长约220m。

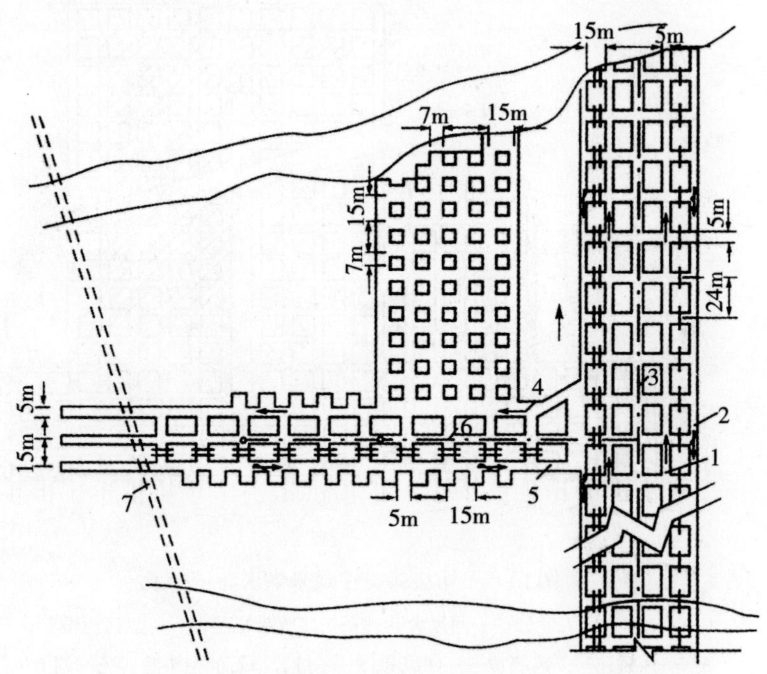

图15-7　房式采煤法巷道布置

1——进风大巷；2——回风大巷；3——运输大巷；4——盘区进风巷；5——盘区回风巷；6——盘区运输巷；7——地质破坏不可采区

房式采煤法根据煤柱的尺寸和形状还可分为很多种形式，如长条式、切块式等，但其基本布置方式相似。房式采煤法主要适用于顶板稳定、坚硬的条件。根据顶板性质来确定房和柱的尺寸，采出率可达50%～60%。

当为保护地面建筑物采用房式采煤法时，留设的煤柱尺寸不宜太小。

(二)房柱式采煤法

这种方法的特点是房间留设不同形状的煤柱,采完煤房后有计划地回收这些煤柱。

1.切块式房柱式采煤法

通常把5个以上煤房组成一组同时掘进,煤房宽5~6m,煤房中心距为20~30m,每隔一定距离用联络巷贯通,形成方块或矩形煤柱。煤房掘进到预定长度后,即可回收煤柱。图15-8为一典型切块式房柱式采煤法巷道布置方式。

在图15-8中主巷由五条巷道组成,中间三条进风,两边各一条回风。采用胶带输送机运煤。主巷一侧的独头短巷,用来堆放矸石,以便矸石不外运;在主巷另一侧布置盘区,盘区内不再布置盘区准备巷道,直接多房推进,然后返回回收煤柱。盘区由5条煤房组成,房宽5 m,留方形煤柱,房与房中心距为29m,盘区间留设24 m长条形煤柱。该煤柱也可在后退回收煤柱时采出。

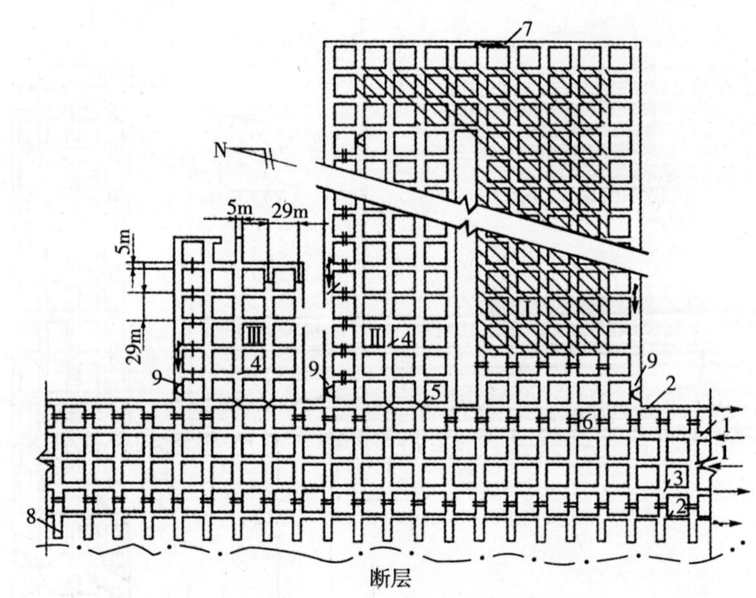

图15-8 切块式房柱式采煤法巷道布置

1——进风大巷;2——回风大巷;3——主胶带机巷;4——盘区运输巷;

5——风桥;6——风墙;7——回风巷;8——堆放矸石的独头巷;9——调节风门

2.“旺格维里”采煤法

(1)旺格维利采煤法的基本概念和工艺系统

旺格维利采煤法是以澳大利亚一个煤层名命名的,是澳大利亚在房柱式开采技术基础上发展起来的一种高效短壁柱式采煤法。它与传统房柱式采煤法的主要区别是,采煤区段划分和区段内煤体切割及回收方法不同,煤柱回收后,顶板类似长壁工作面一样充分冒落,使煤房、煤柱的回采避开支承压力高峰区。该采煤方法因首先在澳大利亚新南威尔士州的旺格维利煤层中试采成功而得名。具体是在盘区准备巷道一侧或两侧布置长条形房柱,如图

15-9所示。长条形房柱宽约15m，长约65～95m。条形房柱内先采房，房宽6m，到边界后，后退回出9m宽的煤柱。盘区准备巷道长度按地质条件和胶带输送机长度确定。长条房柱间的回采顺序一般用后退式。两侧布置时，也可以一侧前进式，另一侧后退式。

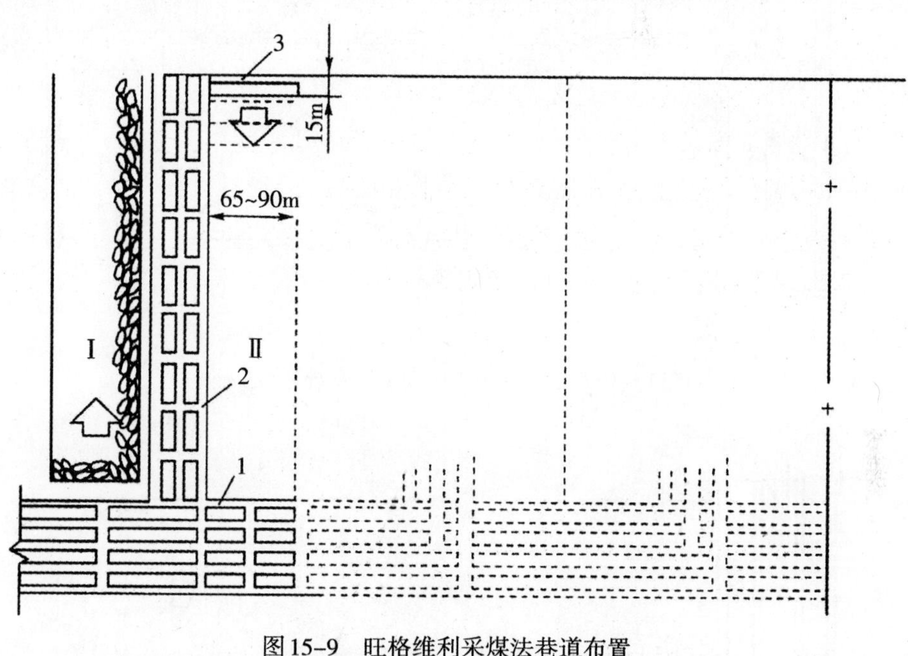

图15-9　旺格维利采煤法巷道布置

1——大巷；2——盘区准备巷；3——长条形房柱

旺格维利采煤法的工艺系统按运煤方式一般分为两种形式：一种是连续采煤机—运煤车（梭车）—转载破碎机—带式输送机工艺系统；一种是连续采煤机—连续运输系统—带式输送机工艺系统。目前神东矿区旺格维利采煤工艺系统主要采用的是上述两种形式，而且前者居多。

（2）巷道布置及参数

神东矿区旺格维利采煤区段的巷道布置分为两种形式，一种是类似于长壁工作面布置形式，上下顺槽均双巷布置，巷宽4.6～5.0m，巷间煤柱宽度15～20m，工作面长度约100m，工作面煤房宽度5.0～6.0m，煤房布置间距一般不大于25m，巷道高度与回采高度相同。巷道、煤房支护形式为树脂锚杆。工作面系统布置如图15-10所示。另一种形式是，采煤区段集中布置三条顺槽，作为进风、回风和运输顺槽。巷间煤柱、巷道宽度、煤房间距、支护形式与第一种形式相同。当工作面沿顺槽单翼布置时，其长度约100m；当工作面沿顺槽双翼布置时，其长度逾200m。工作面系统布置如图15-11所示。

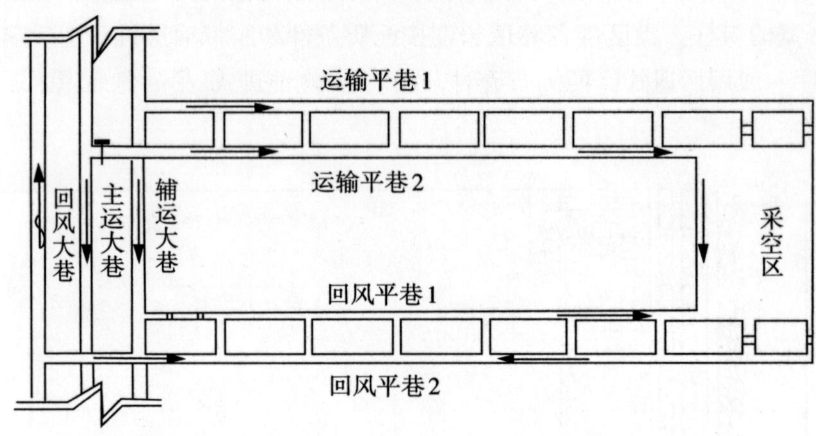

图15-10 旺格维利工作面生产系统布置(一)

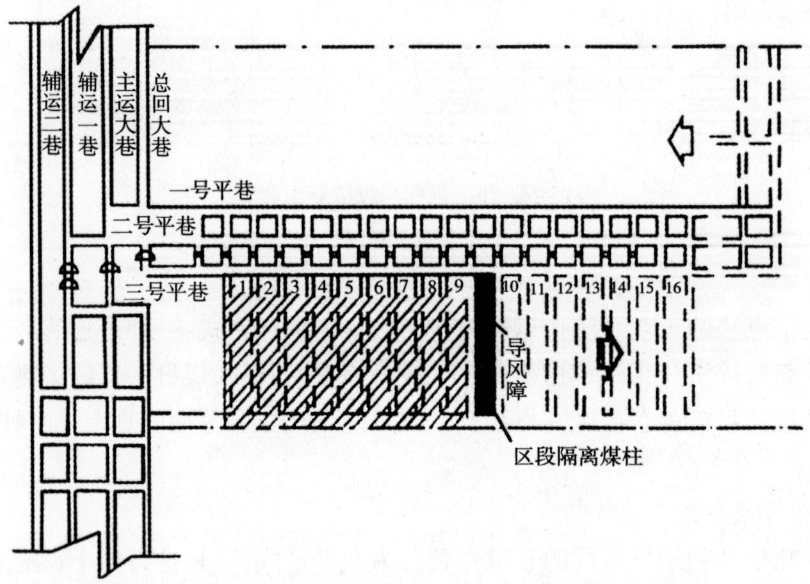

图15-11 旺格维利工作面生产系统布置(二)

(3)采煤工艺

①煤房掘进

旺格维利采煤法的煤房掘进与房柱式相同,由连续采煤机和锚杆钻机交替进行掘进与支护作业。作业循环进度不大于7m。

②煤柱回收

当煤房掘进到位后即可进行煤柱回收。煤柱回收一般分为双翼进刀回收和单翼进刀回收两种方式。双翼进刀如图15-12所示,连续采煤机从煤房一端后退式依次按45°斜切进刀,回收煤房左右两侧煤柱,斜切进刀规格为:深度约11m,宽度3.3m,每条煤房的回采宽度约25m(含煤房宽度)。两台履带行走式液压支架在煤房内迈步式向前移动,及时支护连续采煤机后方的悬空顶板。单翼进刀如图15-13所示,连续采煤机从采空区一侧依次按45°斜切进刀回收煤柱,并与采空区割透。两台履带行走式液压支架在煤房中及时跟进,支护顶板。每条煤房的回采宽度约15m(含煤房宽度)。

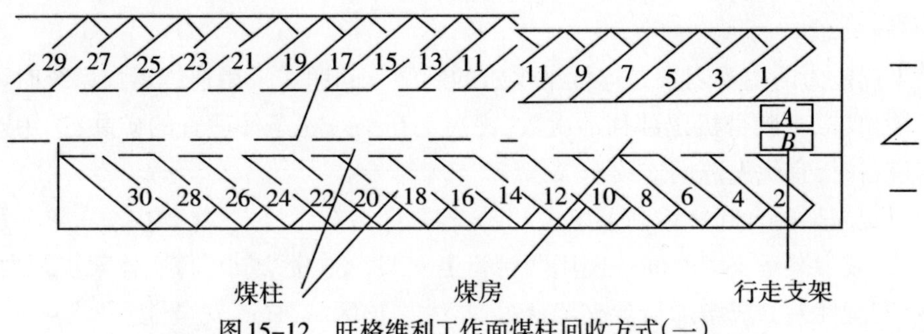

图15-12 旺格维利工作面煤柱回收方式(一)

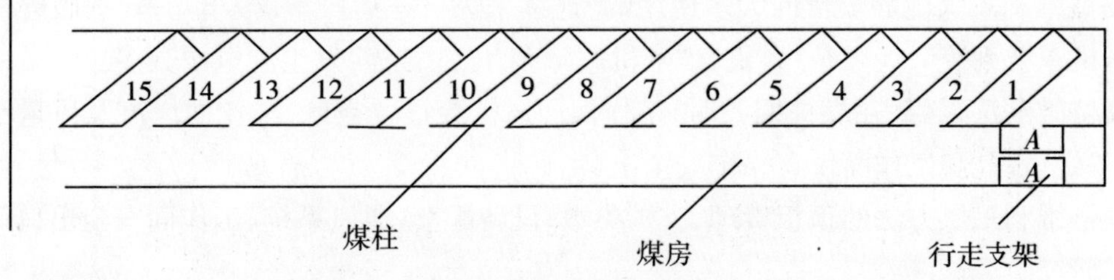

图15-13 旺格维利工作面煤柱回收方式(二)

③顶板管理

神东矿区旺格维利工作面使用了神东公司与科研单位共同研制的履带行走式液压支架。在回收煤柱过程中履带行走式液压支架可以带压移架,及时支护顶板,保证工作面的安全回采空间。同时,支架可以切顶,使采空区顶板有规律性地充分冒落。

当工作面没有配备履带行走式液压支架时,煤柱回收采取留设肋条式煤皮来支撑顶板。采煤机每切割一刀,在采空区留设一段煤皮,煤皮厚度一般为0.5～1.0m。对大面积悬而不垮的顶板将定期进行强制放顶并留设保安隔离煤柱。

④通风方式

旺格维利采煤法仅适用于开采低瓦斯工作面,而且工作面风流要通过采空区回风。针对神东矿区煤层易自燃、康家滩煤矿瓦斯涌出量较大的问题,矿井普遍采取了两种通风方式。一种是类似长壁工作面的通风系统,煤房掘进时采用局部通风机通风,回收煤柱时采用全负压通风,靠采空区一侧设置挡风帘和密闭等通风构筑物。当开采高瓦斯工作面时,工作面可采取双煤房布置形式,煤房间设通风行人联络巷,这样可以提高工作面通风及抗灾能力。另一种通风系统是,三条顺槽两进一回。与第一种通风系统的区别是,当回收煤柱时,在煤房中设导流风障,实现全负压通风。这种通风系统也可以始终采用局部通风机通风。

(4)循环作业和劳动组织

旺格维利工作面采用一日多循环作业方式。由于工作面设备台数较少,一般采用"8862"作业方式,即22h出煤,2h检修。生产班每班6人,检修班5人。

(5)旺格维利采煤法使用特点

该采煤方法可回采普通综采无法回采的煤炭资源,较房柱式采煤法煤炭回收率高、产量大,掘进率低。

制约生产能力的主要因素是连续采煤机的后配套问题。采用连续运煤系统时可考虑加长后部运输机,减少胶带机尾部移动次数,提高生产率。在条件适宜的矿井,选用连续采煤机后配套设备时,宜优先选用连续运煤系统。

使用行走支架配合旺格维利采煤法开采,若采用左右对拉方式,宜在左右翼分别配置一对行走支架,减少搬运支架时间。使用两台行走支架,支护区域小,每次移架步距大,易造成架前冒顶,安全性差。应增加行走支架台数,扩大支护区域,提高安全性。

"旺格维利"采煤队配备两套连续采煤机组,一组掘进煤房,一组回收煤柱,最大限度地发挥旺格维利采煤优势。目前大多使用的"连续采煤机—运煤车(梭车)—转载破碎机—胶带输送机工艺系统",运煤车、煤机、破碎机故障多,电缆被撞,发生漏电次数多。

旺格维利法采煤,在煤柱回收时,工作面回风需穿过冒空区,工作面风流及风量不易控制;在一定范围内,工作面仅有一个安全出口。

旺格维利采煤方法的顶板管理、支护参数、设备配套、通风系统、工作面安全出口等有待进一步研究。

二、适用条件及评价

柱式体系采煤法在美国、澳大利亚、加拿大、印度和南非等国广泛应用。我国已引进多套连续采煤机配套设备,在鸡西、大同、西山、黄陵矿区和神府大柳塔等矿使用。

柱式体系采煤法的优点:①设备投资少;②采掘可实现合一,建设期短,出煤快;③设备运转灵活,搬迁快;④巷道压力小,便于维护,支护简单,可用锚杆支护顶板;由于大部分为煤层巷道,故矸石量很少;矸石可在井下处理不外运,有利于环境保护;⑤当地面要保护农田水利设施和建筑物时,采用房式采煤法有时可使总的吨煤成本降低;⑥全员效率较高,特别是中小型矿井更为明显。

主要缺点:①采区采出率低,一般为50%~60%,回收煤柱时可提高到70%~75%;②通风条件差,进回风并列布置,通风构筑物多,漏风大,采房及回收煤柱时,出现多头串联通风。

适用条件:①开采深度较浅,一般不宜超过300~500m;②顶板较稳定的薄及中厚煤层;③倾角在10°以下,最好为近水平煤层,煤层赋存稳定,起伏变化小,地质构造简单;④底板较平整,不太软,且顶板无淋水;⑤低瓦斯煤层,且不易自然发火。

总之,柱式采煤法已经在原来的采煤法上有所突破,连续采煤机房柱式开采已被一些矿井所应用,并取得了很好的经济效益,但该法对煤层地质条件要求较高。一般开采深度较浅，构造简单，煤层厚度 1 ~ 4m，煤层中硬或硬，煤层倾角不超过 15°，近水平煤层最为合适，煤层顶板属中等稳定以上，顶板适宜锚杆支护，煤层底板较坚硬，涌水对底板影响小，瓦斯含量低，煤层不易自燃，但不适用近距离煤层群开采。

我国有一部分煤田的地质条件较适合采用柱式体系采煤法，特别在平硐开拓的中小型矿井中，应用较为有利。一些矿井出于“三下”严重压煤的实际情况，如条件适宜，可以采用柱式采煤法。但采用柱式体系采煤法，必须解决相应的配套设备并改进布置，尽量提高采出率。

第二部分　专业核心知识点

了解柱式体系采煤工艺特点及适用条件。

复习题

1.柱式采煤法的特点有哪些?
2.柱式采煤法的主要类型及其区别是什么?
3.柱式采煤法的适用条件是什么?
4.分析我国柱式采煤法的应用前景以及存在的问题。

讨论题

柱式体系采煤法和壁式体系采煤法最主要的区别在哪里？你矿适宜吗？为什么？

第十六章　现代化矿井综采技术实例

第一节　阳煤集团一矿S8310工作面大采高综采技术

一、工作面情况简介

1.基本情况

水平名称	+669m		采区名称	南条带三采区	
地面标高(m)	1150.0～1325.0		工作面标高(m)	613.0～665.0	
煤层名称	15#		埋藏深度(m)	518～685	
走向长度(m)	1023	倾斜长度(m)	220	面积(m^2)	25060

工业储量:2007085.08吨。

可采储量:1866589.12吨。

服务年限:6.1个月。

2.煤层

表16–1　煤层情况表

煤层厚度(m)	6.35～6.60	煤层结构(m)	5.08(0.14)1.29	煤层倾角(°)	1～13
	6.51				6
开采煤层	15#	煤种	WY3	稳定程度	稳定
煤层情况描述	工作面煤层赋存稳定,结构复杂,上部含一层较稳定的夹石,中部含一层较稳定的夹石,下部含一层极不稳定的夹石,煤层总厚度最大6.60m,最小6.35m,平均煤厚6.51m。煤层节理发育。 煤层节理产状:304°∠70°。				

表16–2　煤层顶底板情况表

顶、底板名称	岩石名称	厚度(m)	特征
老顶	深灰色石灰岩	12.70	灰色,致密,坚硬,裂隙发育,充填物为方解石脉,含动物化石。中间夹两层黑色泥岩。
直接顶	黑色泥岩	0.85	黑色,致密,性脆。
伪顶			
伪底			
直接底	灰色泥岩	0.95	灰色,含植物化石。
老底	灰白色细砂岩	5.30	灰白色,坚硬,具水平层理。

3.地质构造

工作面总体为一向斜构造，局部发育有次一级的向、背斜构造。工作面掘进过程中共揭露挠曲构造5条、断裂构造7条，圈定在回采工作面内的挠曲3条、断裂构造5条，产状要素、落差对回采有一定影响。

据坑透分析工作面内隐伏四条正断层，编号为KF2、KF9落差接近1/2煤厚，不排除挠曲可能，对回采有一定影响；KF1、KF5的落差小于1/2煤厚，不排除挠曲可能，对回采影响不大。

工作面在掘进过程中揭露一个陷落柱，并圈定在回采工作面内。进风巷揭露陷落柱X1，预计长轴为27.5m左右，对回采有很大影响。

4.水文地质

工作面水文地质条件比较简单，主要充水因素为：

1）含水层水：本工作面上方K_2灰岩、怪砂岩、K_3灰岩，均属局部裂隙含水层。工作面推进到低凹处时可能会有顶板淋头水及落山出水现象。

2）采空区积水：本工作面上方为三矿3#煤采空区，位于工作面东部，可能存在少量积水。

3）钻孔：工作面上方有001号钻孔，若钻孔封孔不良，含水层水、采空区积水可能沿钻孔溃入本工作面。

5.影响回采的其他因素

其它影响因素主要是瓦斯因素，由于上方煤层的开采，本煤层瓦斯得到一定程度释放。随着开采强度的不断加大，瓦斯绝对涌出量也会增加。

表16-3　　影响回采的其它地质情况表

<table>
<tr><td>瓦斯</td><td colspan="5">绝对瓦斯涌出量124.59m³/min，相对涌出量16.31 m³/t。</td></tr>
<tr><td>煤尘爆炸指数</td><td colspan="5">没有爆炸危险性</td></tr>
<tr><td>煤的自燃倾向性</td><td colspan="5">Ⅲ类，不易自燃</td></tr>
<tr><td>地温危害</td><td colspan="5">16.0℃-23.0℃</td></tr>
<tr><td rowspan="2">抗压强度（MPa）</td><td>煤层</td><td>夹矸</td><td>直接顶</td><td>老顶</td><td>直接底</td></tr>
<tr><td>20</td><td>17-25</td><td>30—40</td><td>80—120</td><td>30—40</td></tr>
</table>

二、采煤方法

1.巷道布置

s8310工作面可采走向长度1023m，倾斜长度220m，工作面位于一矿丈八三采区，工作面共布置四条巷道，一进两回加一条走向高抽巷。见S8310工作面巷道布置及生产系统图（图16-1）

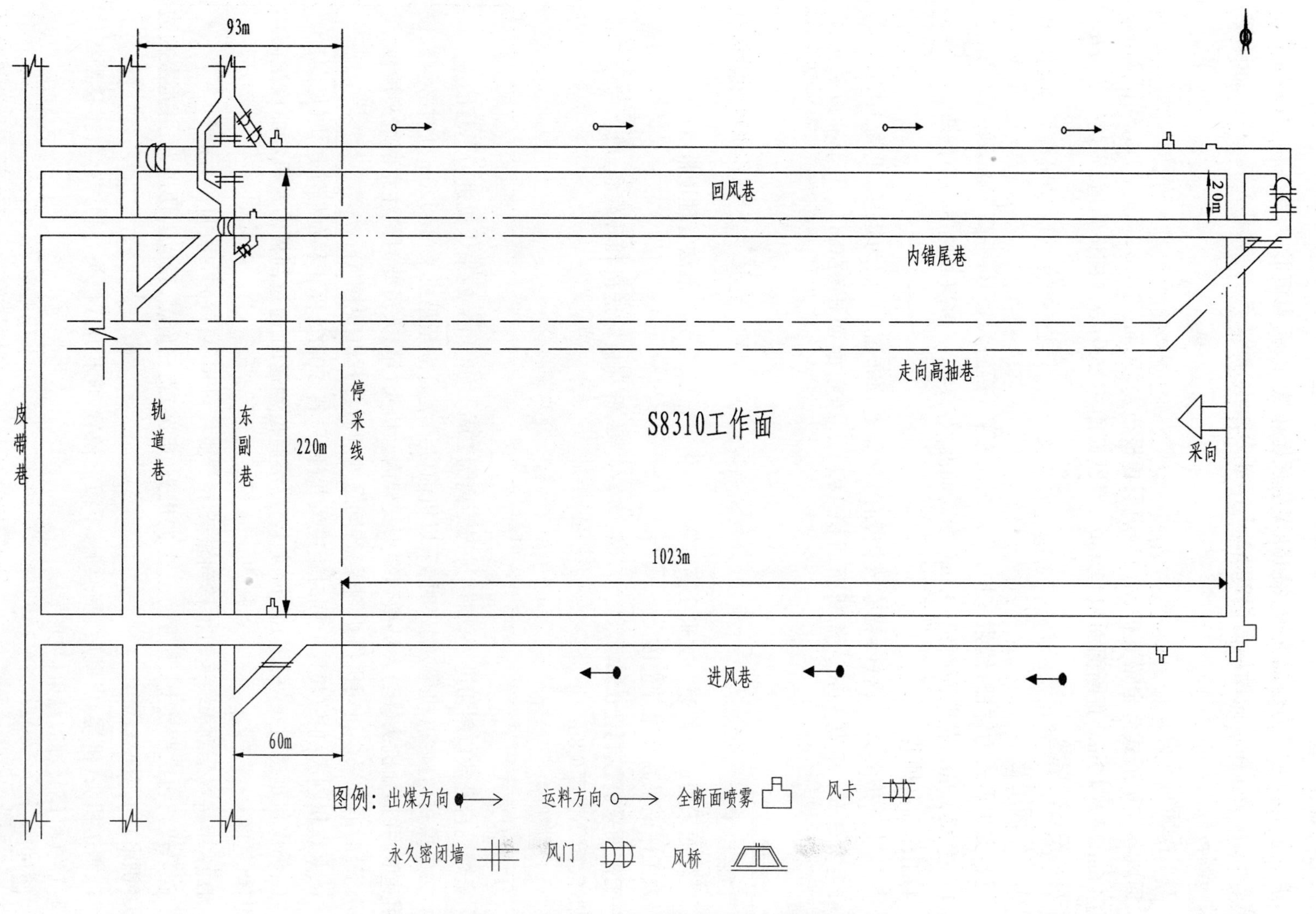

图16-1　S8310工作面巷道布置及生产系统图

1)工作面进风巷

进风巷支护形式为全锚支护,沿15#煤层顶板布置,断面为矩形,毛高3.8m,净高3.7m,毛宽5.4m,净宽5.1m。荒断面面积20.52m²,净断面面积18.87m²。进风巷安装一部皮带输送机及一部转载机。

2)工作面回风巷

回风巷支护形式为全锚支护,沿15#煤层顶板布置,断面为矩形,毛高3.8m,净高3.7m,毛宽4.6m,净宽4.3m。荒断面面积17.48m²,净断面面积15.91m²。铺设轨道,安装一部梭车,用于材料设备的运输。

3)工作面尾巷

尾巷支护形式为锚杆+锚索支护,沿K_2岩层布置,断面为矩形,毛高2.4m,净高2.3m,毛宽4.1m,净宽3.8m。荒断面面积9.84m²,净断面面积8.74m²。解决回风落山角瓦斯。

4)工作面高抽巷

高抽巷支护形式为锚杆+锚索支护,沿11#煤老顶布置,断面为矩形,毛高2.4m,净高2.3m,毛宽3.3m,净宽3.0m。荒断面面积7.92 m²,净断面面积6.90m²。用于抽放邻近层瓦斯。

2.采煤工艺

1)采煤工艺

工作面采用走向长壁一次采全高综采自动化采煤法,全部跨落法管理顶板。

2)工作面采高及循环进度

工作面采高控制在6.5m。割一刀煤、移一次架、推刮板输送机和转载溜、放顶为一个正规循环,循环进度0.8m。

3)工艺顺序

(1)进刀方式

采煤机自开缺口斜切进刀,斜切进刀距离为20m。如图16-2:采煤机进刀示意图。

A、采煤机向机头(机尾)割煤时,采煤机前(后)滚筒割至距机头(尾)20m处时必须放慢牵引速度,并通知机头(尾)人员撤到端头支架内。机头(尾)人员要时刻注意两端头顶板,发现问题及时通知采煤机司机停止割煤,待问题处理后再开机(见图A)。

B、采煤机割透机头(机尾),同时距进风巷(回风巷)20m处停止移刮板输送机(见图B)。

C、采煤机割透机头(机尾)后,调换上、下滚筒位置返回,通过刮板输送机弯曲段滚筒切入煤体(见图C)。

D、然后将剩余刮板输送机推移到煤帮,并完成拉机头(机尾)工作(见图D)。

E、采煤机再次调换上、下滚筒位置,向机头(机尾)割三角煤,完成斜切进刀,并再次割透机头(机尾)(见图E)。

F、割透机头(机尾)煤壁后,调换上、下滚筒位置,向机尾(机头)正常割煤,推移刮板输送机机头(机尾),进刀结束(见图F)。

(2)装运方式

采煤机割下煤由滚筒装入刮板输送机内,经刮板输送机、转载机、进风皮带、采区皮带运

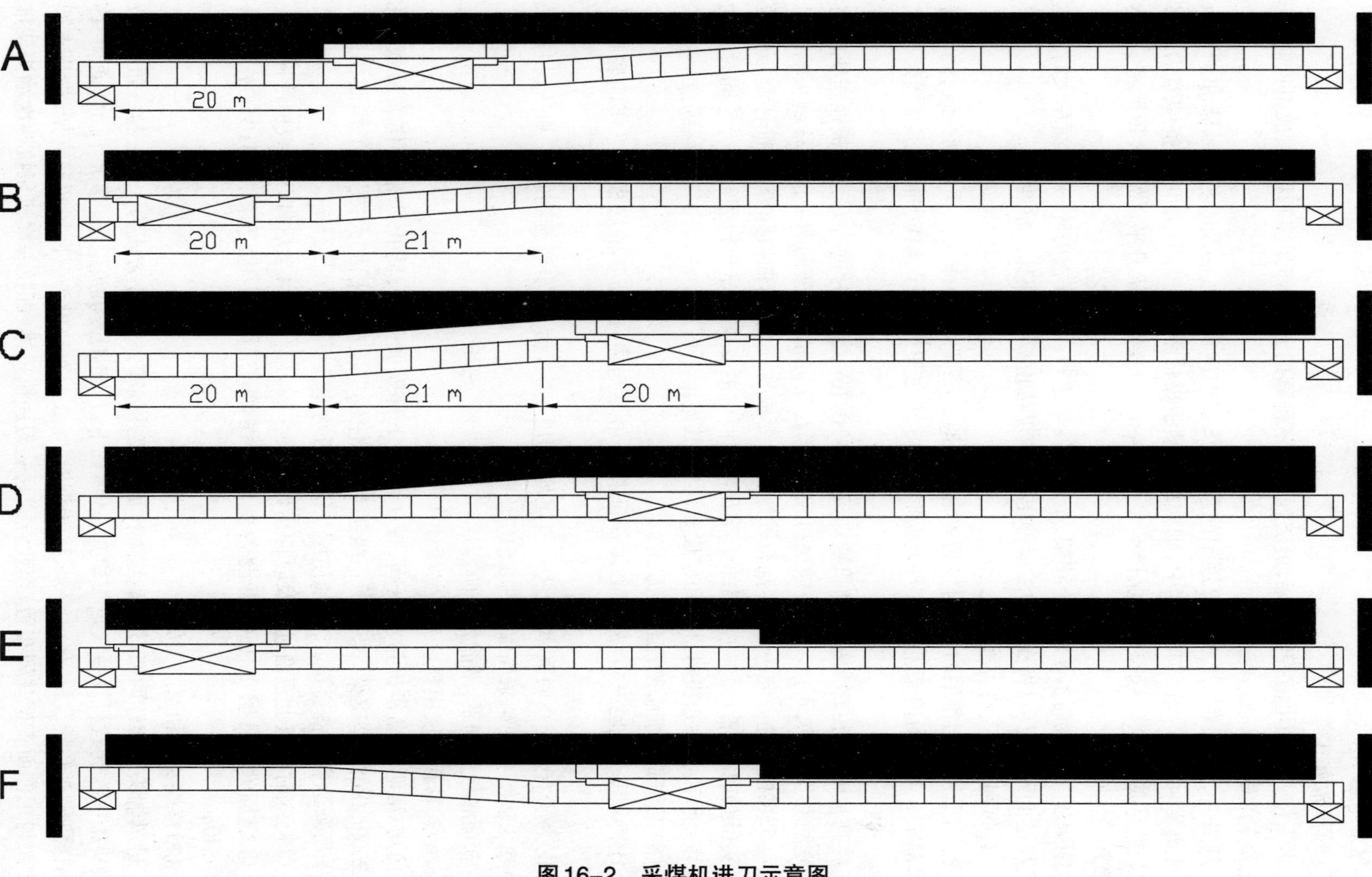

图 16-2　采煤机进刀示意图

至采区煤仓。

(3)移架方式

本工作面采用电液控制支架,可实现以下三种移架方式:邻架控制移架、成组控制移架、煤机和支架联动移架。

割煤时,支架随采煤机割煤逐架前移,采煤机前滚筒割过后及时将伸缩梁和护帮板打开,做到及时支护。在移架过程中,则根据顶梁距煤帮距离的大小,随时调整伸缩梁。移架后,支架要成直线状,且顶梁距煤帮不大于0.34m。升架将顶梁升平,做到接顶严密,并达到初撑力。

距采煤机后滚筒3–5架开始移架,按顺序逐架进行。在顶板破碎、悬顶面积大时可在采煤机割过上刀后,及时将支架伸缩梁伸出,维护煤帮顶板,保证其完整性。

(4)移刮板输送机方式

推溜采用成组推溜时,每组设置不超过5架。推溜时,操作人员要协调一致,确认待推溜段前后5架范围内架前和架间无人时,方可站在架内进行操作,推溜过程严禁一次移到位。

移刮板输送机:移刮板输送机要滞后移架10–15m(运行时进行),移刮板输送机时将刮板输送机移至煤壁,不能将刮板输送机顶成急弯,保证8~12架的弯曲段。移刮板输送机时必须与采煤机前进方向一致,移刮板输送机后要成直线状(弯曲段除外)。推移刮板输送机的机头(尾)时,用首(尾)过渡架的千斤及工作面中的支架千斤与转载溜的千斤同时推动进行推移。移刮板输送机时推溜和移架要协调,其弯度不可过大,一般2–3次移到位。

(5)工作面两端头割三角煤方式

①割机头、机尾三角煤时,必须保证将三角煤割透,保证顺槽底板到工作面底板平缓过渡。

②为了有效提高回采率,机头和机尾均采用圆弧过渡,逐步过渡到底板,机头、机尾采高保持在3.8米,中间架采高保持在6.51米。

③顶底板要割平,不能留台阶。

(6)护帮板的使用要求

①护帮时可操作护帮液压阀,使护帮板下部贴紧煤壁,防止片帮砸伤人员或设备。ZY12000/30/68D型支架,采用了三级护帮板,使煤壁支护面积加大;另外工作面初采初放前,采高未达到设备套要求,严禁使用三级护帮功能。

②割煤时机组上刀割过后及时伸出伸缩梁在底刀割过3–4架后打开一级护帮板。

③端面距:根据本工作面设备配套及煤矿质量标准化要求,S8310工作面端面距≤340mm。

(7)移端头架和超前支架:

进风端头支架和两架过渡架与工作面支架并列布置,作业方式为一刀一拉一推(即拉一次机头推一次转载机拉一次端头架)。具体如下:机组割透机头退出、移工作面普通架、移刮板输送机机头和转载机、移过渡架、移端头架,完成一次拉机头。回风超前支架、端头支架和过渡架与工作面支架并列布置,作业方式为一刀一拉一推(即拉一次机尾拉一次端头架推一次超前支架)。机尾端头支架和超前支架的移动步距必须协调一致,要最大限度地减小两个顶梁之间的间隔距离。超前支架在巷道居中布置,机尾的端头支架与超前支架不能同时降下。

3.设备配备

工作面为大采高一次采全高工作面,其主要设备配备如表16–4所示,工作面设备布置图见附图16–3。

表16–4　　S8310工作面主要设备配备明细

序号	设备名称	型号	单位	数量
1	采煤机	SL1000	台	1
2	液压支架基本架	ZY12000—30/68D	架	119
3	端头支架	ZY12000—22.5/45D	架	7
6	过渡支架	ZY12000—26/56D	架	4
7	刮板输送机	SGZ—1250/2×1000	部	1
8	转载机	SZZ—1350/525	部	1
9	破碎机	PLM4000	台	1
10	自移装置	ZY2700	台	1
11	乳化液泵站	GRB37.5/400	4泵2箱	
12	喷雾泵站		3泵1箱	
13	支架电液控制系统		套	1
14	超前液压支架		架	4
15	组合开关	华宁组合开关	台	2
		QJZ-4*315	台	2
16	乳化液自动配比装置	GDSZ2-00		
17	胶带输送机	SSJ1200/2×315	部	1

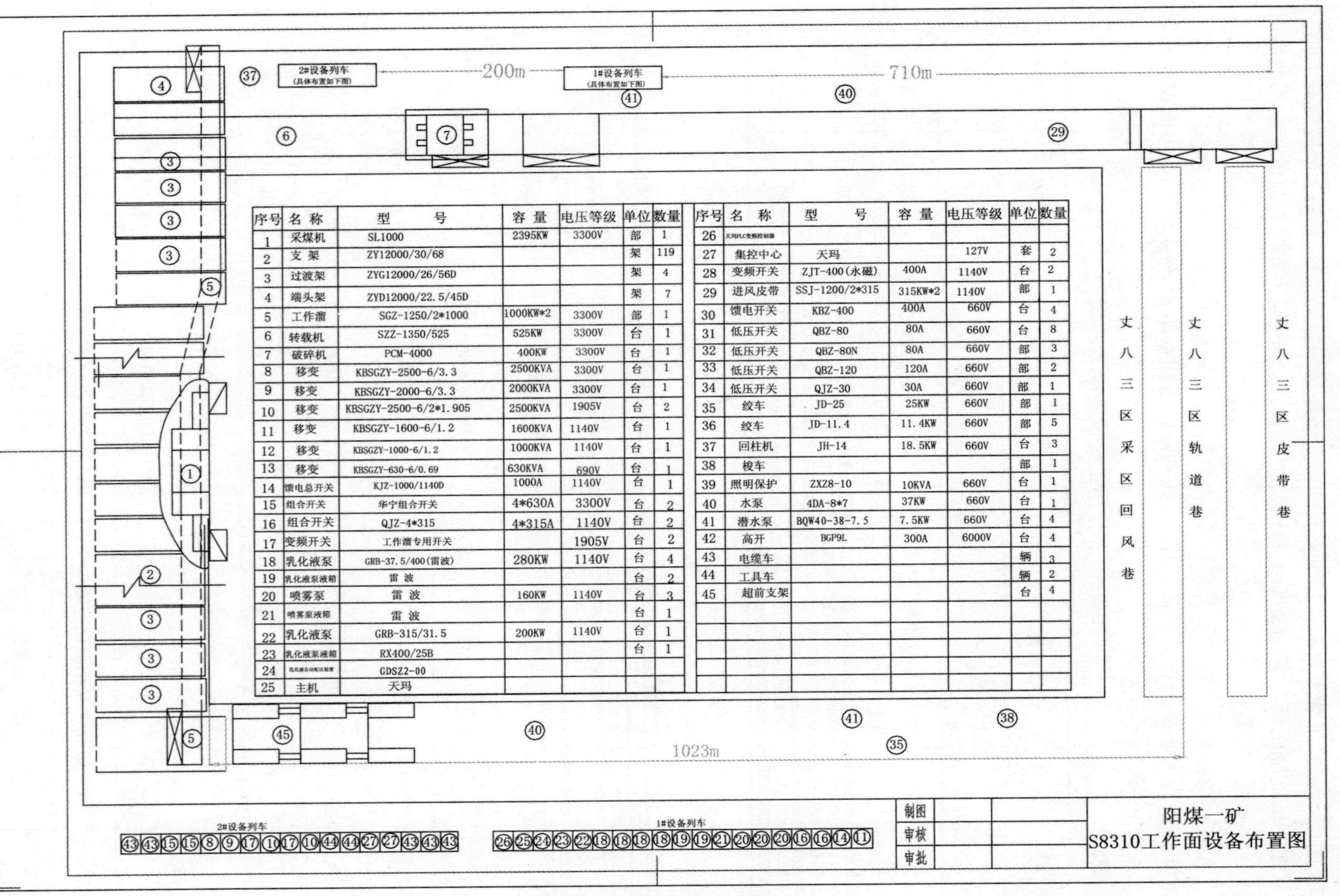

序号	名称	型号	容量	电压等级	单位	数量
1	采煤机	SL1000	2395KW	3300V	部	1
2	支架	ZY12000/30/68			架	119
3	过渡架	ZYG12000/26/56D			架	4
4	端头架	ZYD12000/22.5/45D			架	7
5	工作溜	SGZ-1250/2*1000	1000KW*2	3300V	部	1
6	转载机	SZZ-1350/525	525KW	3300V	台	1
7	破碎机	PCM-4000	400KW	3300V	台	1
8	移变	KBSGZY-2500-6/3.3	2500KVA	3300V	台	1
9	移变	KBSGZY-2000-6/3.3	2000KVA	3300V	台	1
10	移变	KBSGZY-2500-6/2*1.905	2500KVA	1905V	台	2
11	移变	KBSGZY-1600-6/1.2	1600KVA	1140V	台	1
12	移变	KBSGZY-1000-6/1.2	1000KVA	1140V	台	1
13	移变	KBSGZY-630-6/0.69	630KVA	690V	台	1
14	馈电总开关	KJZ-1000/1140D	1000A	1140V	台	1
15	组合开关	华宁组合开关	4*630A	3300V	台	2
16	组合开关	QJZ-4*315	4*315A	1140V	台	2
17	变频开关	工作溜专用开关		1905V	台	2
18	乳化液泵	GRB-37.5/400(雷波)	280KW	1140V	台	4
19	乳化液泵液箱	雷波			台	2
20	喷雾泵	雷波	160KW	1140V	台	3
21	喷雾泵液箱	雷波			台	1
22	乳化液泵	GRB-315/31.5	200KW	1140V	台	1
23	乳化液泵液箱	RX400/25B			台	1
24	乳化液自动配比装置	GDSZ2-00				
25	主机	天玛				

序号	名称	型号	容量	电压等级	单位	数量
26	天玛PLC变频控制器					
27	集控中心	天玛		127V	套	2
28	变频开关	ZJT-400(永磁)	400A	1140V	台	2
29	进风皮带	SSJ-1200/2*315	315KW*2	1140V	部	1
30	馈电开关	KBZ-400	400A	660V	台	4
31	低压开关	QBZ-80	80A	660V	台	8
32	低压开关	QBZ-80N	80A	660V	部	3
33	低压开关	QBZ-120	120A	660V	部	2
34	低压开关	QJZ-30	30A	660V	部	1
35	绞车	JD-25	25KW	660V	部	1
36	绞车	JD-11.4	11.4KW	660V	部	5
37	回柱机	JH-14	18.5KW	660V	台	3
38	梭车				部	1
39	照明保护	ZXZ8-10	10KVA	660V	台	1
40	水泵	4DA-8*7	37KW	660V	台	1
41	潜水泵	BQW40-38-7.5	7.5KW	660V	台	4
42	高开	BGP9L	300A	6000V	台	4
43	电缆车				辆	3
44	工具车				辆	2
45	超前支架				台	4

图16-3　主要设备配备

三、工作面顶板管理

1.顶板管理方法

工作面采用液压支架管理顶板，自移支架放顶，采空区处理方法为全部垮落法，移架步距0.8m，本工作面使用119组ZY12000—30/68D型两柱掩护式液压支架，机头机尾各两组ZYG12000—26/56D型过渡支架，机头三组机尾四组ZYD12000—22.5/45D型端头支架，回风超前四组ZCZ10000/26/45四柱两列式中置式超前支护支架管理顶板。

2.支架说明

液压支架为支撑掩护式，最小控顶距4.669 m，最大控顶距为5.469m，循环进度0.8m，支架中心距为1.75m，端面距不大于0.34m。

3.工作面端头顶板管理

在原有的锚索网支护形式下工作面上端头采用三组ZYD12000/22.5/45D端头架及两组ZYG12000/26/56D过渡架支护，落山随支架前移而自行垮落。

下端头采用四组ZYD12000/22.5/45D端头架、两组ZYG12000/26/56D型过渡支架和一套ZCZ10000/26/45超前支护支架实现向工作面普通架过渡支护。

四、初、末采工艺

1.工作面从切割巷推进30m范围内为初采阶段，在此期间生产过程中工作面支架必须拉成一条直线，并保证全部达到初撑力；初采期间每刀煤下挖不得超过0.2m,以工作面割到实地为止，且在9–10m范围内采高必须达到规定范围。

工作面来压时严格按支架基本操作要求进行，根据实际情况，选择合理的拉架方式，回进风巷道超前支护一定要达到初撑力，防止来压时两顺槽支护达不到要求造成顺槽顶板冒落。不论生产或检修，都必须及时伸出一二三级护帮板，且保证护帮板紧贴工作面煤壁。支架检修工要加强对支架的检修，保证工作面所有支架都保持完好状态，严禁液压系统出现跑、冒、滴、漏现象。来压期间采煤机司机要控制采高，防止漏矸。

各班工长，现场安监员要注意观察老顶来压情况，加强工作面及两巷支护和退锚管理，加强矿压观测。

2.工作面末采顶板管理

1)当工作面推进到距离停采线200m时，开始进行矿压观察，准确计算出周期来压步距，合理调整推进速度，确保末采拉架巷，不在来压范围内。

2)根据以前回采经验确定在工作面推进到距离停采线50m时，开始调整采高至5.5m,但为了保证顶板的平缓过渡，支架接顶严密，确定每次降低的高度不得超过150mm。

3)必须保证每台支架都达到初撑力，保证顶底板的平整。

4)末采期间必须跟机拉架，顶板不好时支架工要注意提前拉架，减少空顶面积。

五、劳动组织和主要技术经济指标

1.作业方式：

劳动组织形式采用“二九一六制”作业形式，即两班生产、一班检修，生产班每班工作九小时，检修班每班工作六小时，检修完设备以后试机割一刀煤，生产班每班割煤三刀。作业方式为追机平行作业方式；各工序之间在空间上交错、时间上平行。见图16-4：S8310工作面循环作业图表。

2.劳动组织

见劳动组织表16-4。

表16-4　　劳动组织表

序号	工种	检修班	四点班	零点班	合计
1	工长	1	1	1	3
2	安全员	1	1	1	3
3	机组司机	2	2	2	7
4	支架工	4	3	3	10
5	泵站工	1	1	1	4
6	电工	5	2	2	8
7	煤溜、皮带司机	4	3	3	12
8	端头维护工	4	3	3	8
9	下料工	3			3
10	备件员	1			1
11	送饭工	1	1	1	3
12	记录工	1	1	1	3
13	清理工		2	2	6
14	材料员	1			1
15	成本员	1			1
16	合计	30	20	20	70

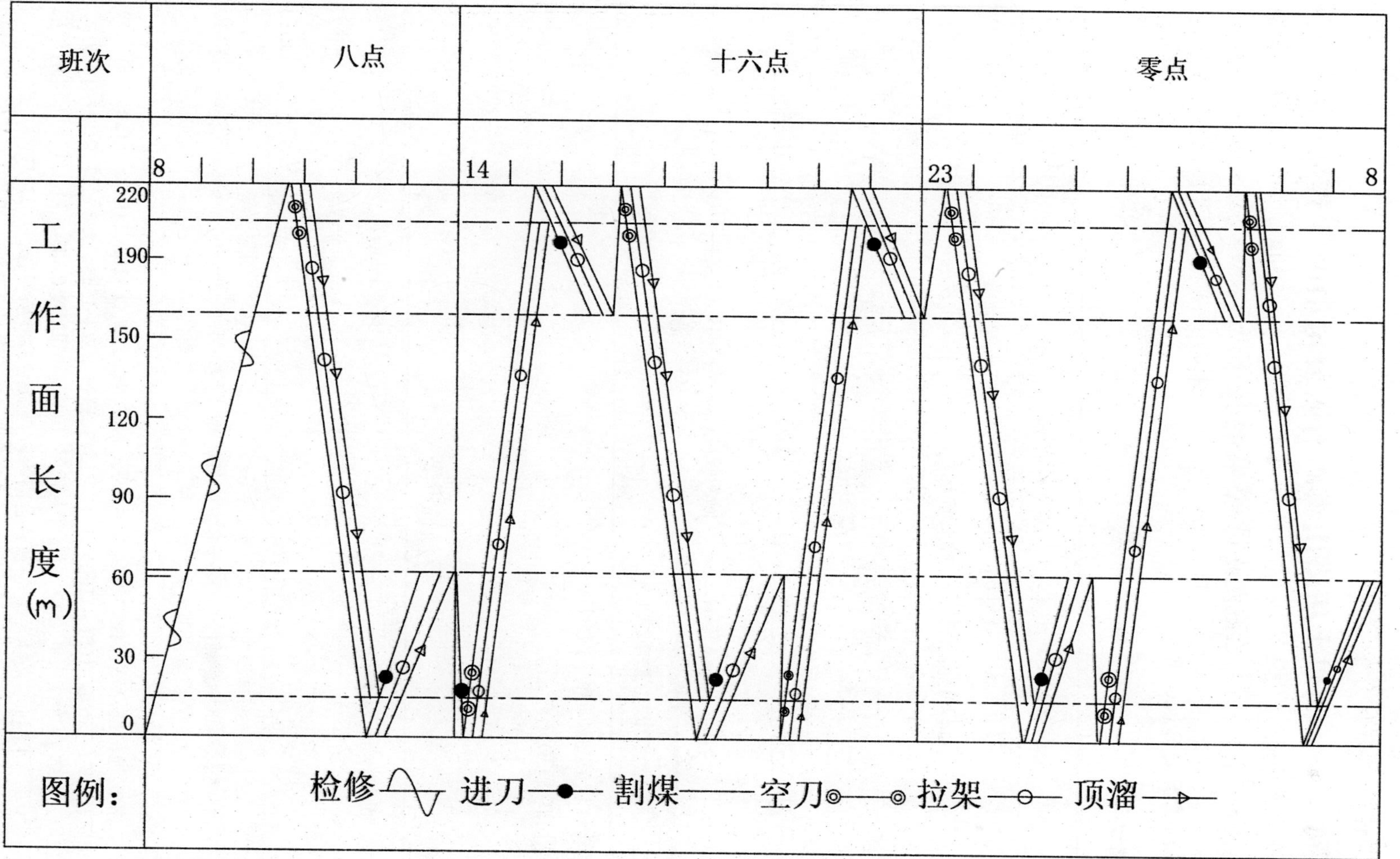

图16-4　S8310工作面循环作业图表

第二节　同煤大唐塔山煤矿有限公司8106工作面综采放顶煤采煤技术

一、工作面情况简介(表16-5)

1.基本情况

<table>
<tr><td>水平名称</td><td colspan="2">+1070m</td><td>采区名称</td><td colspan="3">一盘区</td></tr>
<tr><td rowspan="2">地面标高(m)</td><td colspan="2" rowspan="2">1344～1538.4</td><td rowspan="2">工作面标高(m)</td><td>2106巷</td><td colspan="2">1035～1010</td></tr>
<tr><td>5106巷</td><td colspan="2">1036～1013</td></tr>
<tr><td>煤层名称</td><td colspan="2">3～5#</td><td>埋藏深度(m)</td><td colspan="3">518～685</td></tr>
<tr><td rowspan="3">走向长度(m)</td><td>2106</td><td>2712.3</td><td rowspan="3">倾斜长度(m)</td><td rowspan="3">217.5</td><td rowspan="3">面积(m^2)</td><td rowspan="3">593079</td></tr>
<tr><td>5106</td><td>2741.2</td></tr>
<tr><td>平均</td><td>2726.8</td></tr>
</table>

工业储量:11459964吨。

可采储量:10493056吨。

服务年限:13.6个月。

2.煤层

表16-6　　煤层情况表

<table>
<tr><td rowspan="2">煤层厚度</td><td>8.55-17.90m</td><td rowspan="2">煤层结构</td><td rowspan="2">复杂</td><td rowspan="2">煤层倾角</td><td>1°-4°</td><td rowspan="2">煤层硬度</td><td rowspan="2">2.7～3.7</td></tr>
<tr><td>13.33m</td><td>3°</td></tr>
<tr><td>开采煤层</td><td>3～5#</td><td>煤种(工业牌号)</td><td>QM</td><td>稳定程度</td><td>较稳定</td><td>可采指数</td><td>1</td></tr>
<tr><td>煤层情况描述</td><td colspan="7">根据地面勘探钻孔魏14、T1901、A31、魏1403、魏1303、魏1203、T1802、魏1204与井下探顶钻孔1601～1646、t1601～t1603 、1511～1513、1515、1522、1525、1526资料，煤层结构复杂、煤厚为8.55～17.90m，平均13.33m，含夹矸2～18层，夹矸厚度0.30～3.21m，平均1.14m，单层厚度0.02～1.64m。夹矸岩性为：灰褐色高岭岩、灰黑色高岭质泥岩。</td></tr>
</table>

表 16–7　　煤层顶底板情况表

顶板名称	厚度(m)	特性
老顶	11.40 ~ 18.55 15.11	顶部为灰黑色砂质泥岩、黑色泥岩、炭质泥岩及灰黑色高岭质泥岩,下部为灰白色细砂岩、中砂岩,以石英、长石为主。
直接顶	7.67 ~ 19.45 12.52	灰白色细砂岩、岩浆岩,灰色黑泥岩、高岭岩、炭质泥岩,深灰色砂质泥岩交替赋存,其中包括2号煤层,岩浆岩为隐晶质,含云母碎片并伴有天然焦,块状,接近煤层处多为灰黑色炭质泥岩、高岭质泥岩,薄层状结构。
直接底	1.58 ~ 6.50 3.94	灰褐色高岭质泥岩、高岭岩、黑色炭质泥岩,性脆,局部为黑色砂质泥岩。
老底	1.70 ~ 20.00 9.80	上部为灰白色细砂岩、局部为深灰色粉砂岩,结构均一底,底部为灰白色中、粗砂岩,巨厚层状,以石英、长石为主,分选差。

3.地质构造

1)断层情况以及对回采的影响

两顺槽巷在掘进过程中共揭露了正断层33条,其中5106巷揭露断层12条,断层落差在0.20 ~ 2.50 m之间,1088 m处揭露的一条落差2.50 m的正断层,致使煤岩层遭到严重剪切破坏。2106巷揭露断层19条,断层落差在0.20 ~ 3.40m之间,在里程510 m处揭露了落差3.40 m的正断层,受断层剪切严重,断层带破碎;8106尾切巷揭露断层2条。在生产过程中要提前采取果断措施,加强顶板管理,确保安全生产。

2)褶曲情况以及对回采的影响

该工作面煤层为南高北低的单斜构造,走向北东,倾向北西,中北部较平缓,局部有小型背斜。煤层倾角1 ~ 4°平均3°。煤层垂直与斜节理发育,致使煤层的完整性遭到破坏,顶煤疏松易碎,给回采和支护管理造成影响,回采过程中有可能造成局部冒落现象,回采时应加强顶板管理。

3)其它因素对回采的影响

工作面在掘进过程中共揭露了12条门帘石侵入体,其中5106巷揭露门帘石9条,宽度在0.02 ~ 1.90 m之间,在里程1592 ~ 1616 m处揭露一组门帘石群(由四条门帘石组成),造成巷道割岩,在里程1944 m处揭露一条宽为0.20 ~ 1.90 m的门帘石。2106巷揭露门帘石3条,宽在0.10 ~ 0.50 m之间。在里程708 m、1116 m处分别揭露了2条宽度为0.10 ~ 0.50 m的门帘石。在回采过程中有可能影响出煤的产量,位置及产状。

4.水文地质

1)工作面涌水量

正常涌水量:0.014m3/ min

最大涌水量:0.028m3 / min

2)含水层(顶部和底部)分析

①工作面对应上覆北部为同煤麻地湾煤矿侏罗系14、15号煤层采空区,煤层厚度为1.87~3.50m。2011年11月23日~12月17日在工作面对应地面对侏罗系14、15号层采空区进行了物探,物探面积0.74km2,探测结果侏罗系采空区14号煤层大范围采空,在较大范围的采空区积水的可能性不大,但在测区的北部出现了低阻异常区,为了进一步查明异常区积水情况,于2011年12月28日~2012年1月8日在异常区内施工了两个物探异常验证钻孔,1号孔坐标:X=4425770.0,Y=543338.0,Z=1336.0;2号孔坐标:X=4425731.12,Y=543480.47,Z=1398.0。结论:1、2号孔均打到实煤区,1号孔深44.60m,33.20m止煤,煤厚1.80m,39.16m止煤,煤厚1.40m,水位36.0m。2号孔深104.57m,84.57m止煤,煤厚1.80m,91.03m止煤,煤厚1.40m,水位88.0m,1月9日验收时再次观测水位,两孔水位均在14号煤层下、15号煤层上,15号层为实煤区。综上所述,在此次验证孔揭露范围内,侏罗系14号煤层有可能打在煤柱上,没有积水,但不排除在低洼处有小面积的积水,建议在雨季时期,因雨水沿地表裂缝渗到14号层采空区内,也会形成积水径流,应引起注意。

②根据塔山煤矿经办字【2011】122号文关于下发《同煤大唐塔山煤矿公司采掘工作面"有掘必探,有采必探"实施办法》的通知精神,坚持"物探先行、钻探验证、有疑必钻探、不探不掘进"的工作方法,巷道形成系统后,在工作面掘进过程中沿掘进方向左、中、右、上、中、下呈扇形布置进行物探,2106巷共做物探8次,5106巷共做物探2次,每次探测深度150m,2106巷50号点前35m处局部出现的低阻异常反映,及时进行了异常区钻孔验证,验证结果无积水异常,排除了水害隐患。

③5106巷从1577m~尾切巷共施工探查奥灰水较脆弱区钻孔12组,进尺2067m;2106巷从2369m~尾切巷共施工探查奥灰水较脆弱区钻孔7组,进尺1423m。两巷探查结果均无导水异常情况。

④为预防上覆侏罗系采空区局部低洼处积水通过裂隙通道下泄,要求工作面两顺槽各安设2台90千瓦水泵,2吋、4吋排水管各一趟。排水设备要定期检修,确保能随时正常运转。在开采前由生产部、地测科组织综采队、机电部、机电队、管路队、技措队等部门,对工作面的排水系统、排水设施进行联合试运转,运转正常通过验收合格后申请集团公司准入验收。

⑤在回采过程中特别是放顶煤后,工作面工作人员及安监人员要随时观察顶、底板变化情况,发现有透水征兆时,应立即停止作业,报告矿调度室,并发出警报,撤出所有受水威胁地点的人员。在原因未查清、隐患未排除之前,不得进行任何采掘活动。

⑥工作面内有T1901号、魏1303号、魏14号地面勘探钻孔，其地面坐标分别为：T1901号：X：4425490.4，Y：543390.7，Z:1355.6，终孔层位C2b；魏1303号：X：4424405.8，Y：542978.7，Z:1451.5，终孔层位C3t；魏14号：X:4423354.0，Y:542604.2，Z:1512.4，终孔层位C2b,以上钻孔均以按设计要求封孔，回采通过钻孔时，要认真观察钻孔附近顶、底板变化情况，预防钻孔封闭不良有水涌出。

5.影响回采的其他因素

1)影响回采的其他地质情况

表16-8　　影响回采的其他地质情况

瓦斯	根据2011年鉴定结果，瓦斯相对涌出量：1.66 m^3/T，绝对涌出量：78.6 m^3/min；为高瓦斯矿井；			
煤尘爆炸指数	具有爆炸危险性，爆炸指数为37%。			
煤的自燃倾向性	容易自燃，自燃发火期为6个月。			
地温危害	无高温热害区，地温梯度为2.410C/100m			
普氏硬度(f)	煤层	夹矸	直接顶	直接底
	2.7～3.7	4.0～4.5	6.0～6.5	5.0～6.0

2)相邻采空区的影响

在掘进过程中，因5106巷受8105工作面采动影响局部巷道发现压力显现,因此在采煤过程中在两巷顶板断层、破碎带处加强支护，根据巷道和工作面实际情况加大超前支护距离、密度，增加支护数量、缩小单体柱排间距或及时移架。

二、采煤方法

1.巷道布置

一盘区位于1070大巷北侧，矿井采用集中大巷条带式布置方式。盘区采用三巷平行布置，分别为1070辅运巷、1070皮带巷、1070回风巷。1070辅运巷与1070皮带巷间距46.55m，1070皮带巷与1070回风巷间距45m。1070辅运巷采用无轨胶轮车运输。

见工作面巷道布置及生产系统图(图16-5)。

2.工作面巷道概括及用途

8106工作面为三巷布置，三条巷道与1070大巷的夹角为82°35′ 44″ 向北。2106巷、5106巷沿3～5#煤层底板布置，8106顶板高抽巷沿3～5#煤层上稳定的岩层内布置。2106巷与1070皮带巷，2106巷与1070辅运巷通过斜巷相连接，5106巷与1070辅运巷连接。

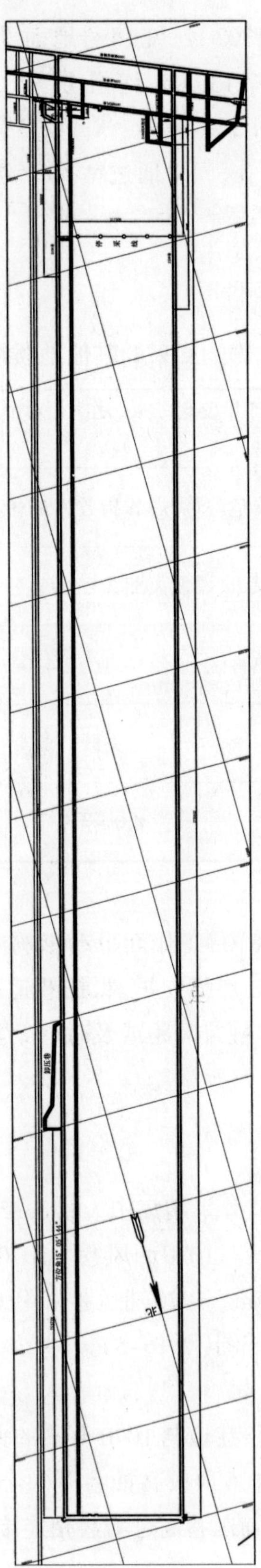

图16-5 工作面巷道布置及生产系统图

2106巷为进风、运煤巷，在非采煤帮侧稳设转载机、皮带机，吊挂六趟管路，分别为6寸注氮管、4寸注浆管、4寸供水管、4寸排水管、3寸供水管、2寸排水管、4寸风管各一趟管；在采煤帮侧铺设轨道，在该轨道上稳设移动变电站、各部开关、自动控制站、乳化液泵站、喷雾泵站等组成移动串车。两趟10KV电缆，一趟660伏及各种监测监控线吊挂在巷帮上。供水施救：从2106巷入口200m安装第一处施救站，间隔按1000m安装第二处施救站，工作面皮带运输顺槽动力串车往外200m安装第三处施救站，每处施救站安装6组（每组风水一体、5个供风口、1个供水口、共安装30个供风口、1个供水口）。安装高度按距底板1.2～1.5m便于现场人员自救应用，根据现场情况选用锚栓固定或锚栓吊挂安装在行人侧。供水施救装置随着工作面的回采不断向后移设。压风自救系统管路均使用Φ100mm的管路。压风自救装置与供水施救系统装置形成一体，安装位置要求与供水施救系统装置一致。小型运输车可进入2106巷。

5106巷回风兼作材料、设备的运输巷。底板铺设厚200mm混凝土作路基，在采煤帮吊挂10KV 、660V电缆各一趟及各种监测监控线，其中10KV电缆吊挂至巷道距1070回风巷口1500m位置处；与移变相连接，660V电缆全巷布置。在非采煤帮吊挂6寸注氮管、4寸注浆管、3寸供水管、4寸、2寸排水管、4寸风管各一趟。从5106巷入口200m安装第一处施救站，间隔按1000m安装第二处施救站，回风巷超前支护往外200m安装第三处施救站，每处施救站安装6组（每组风水一体、5个供风口、1个供水口、共安装30个供风口、1个供水口）。安装高度按距底板1.2～1.5m便于现场人员自救应用，根据现场情况选用锚栓固定或锚栓吊挂安装在静压水管侧。供水施救装置随着工作面的回采不断向后移设。压风自救装置与供水施救系统装置形成一体，安装位置要求与供水施救系统装置一致。小型运输车可进入5106巷。

8106工作面卸压巷:位于5106巷煤柱一侧，用于进行5106巷（尾巷）煤柱一侧压力监测试验以减少留设煤柱宽度。

8106工作面顶板高抽巷：主要解决工作面上隅角瓦斯超标和古塘瓦斯涌入工作面。

切眼位于工作面北部，距1070回风巷平均2726.8m,与皮带巷、回风巷相垂直连通，形成采场，工作面由北向南推进。

3.采煤工艺

8106工作面采用SL-500型采煤机落煤装煤、PF6/1142型前部刮板输送机和PF6/1342型后部刮板输送机运煤、ZF13000/25/38型低位放顶煤支架进行支护，根据地质资料，工作面纯煤厚度13.33m，工作面采高为3.5m，放煤高度9.83m，采放比为1:2.81。循环进度为0.8 m，采用一刀一放的放煤方式，放煤步距为0.8m。采用自然垮落法管理采空区顶板。

工作面开采初期，顶煤塌落能够自行流到后刮板输送机时，开始回收顶煤，不允许进行人工操作放顶煤，只有当直接顶初次垮落方可人工操作回收顶煤。

生产工艺：

采煤机斜切进刀→→割煤→→移架→→推前溜→→放顶煤→→拉后溜

采煤机采用双向割煤法，从头到尾及从尾到头，沿牵引方向前滚筒割顶煤，后滚筒割底煤。

1)采煤机进刀方式

采煤机进刀采用在工作面端头斜切进刀法，其进刀过程如下：

(1)采煤机开至头或尾部。

(2)升起前滚筒，降下后滚筒，推移输送机于工作面端头大约20m处。

(3)采煤机斜切进刀，直至滚筒完全切入煤壁。

(4)对调前后滚筒上下位置，推移端部20m处输送机，采煤机开向端部，移架，推前溜，放顶煤，拉后部输送机。

(5)对调采煤机前后滚筒上下位置，沿牵引方向，用后滚筒将三角煤段未割部分扫掉。

(6)将采煤机反向牵引，来回2～3次，将三角段浮煤扫清之后，采煤机正常割煤至尾部，尾部斜切进刀与头部斜切进刀方式相同。

2)割煤、装煤

正常情况下，采煤机前滚筒割顶煤，后滚筒割底煤，依靠后滚筒转动自行装煤，剩余的煤由铲板在推溜时自行装入前部输送机。割煤时严格控制采高，顶煤、底板必须割平且不留底煤，将煤壁割成直线。采煤机割煤速度视后部输送机放煤量而定，防止煤量过多影响带式输送机运输。

3)移架

工作面采用追机作业方式及时支护。拉移支架的操作方式为本架操作，拉架滞后采煤机后滚筒3～5架，移架程序：收护壁板→收前伸梁→降前探梁→降主顶梁(200mm以内)→移支架→升主顶梁→升前探梁→伸前伸梁→伸护壁板。拉架后支架要呈一条直线，其偏差不得超过±50mm，中心距偏差不得超过±100mm，端面距不得大于368mm。

4)推前部刮板输送机

工作面前部输送机以支架为支点，由支架推移千斤顶整体推移，推移前部输送机滞后采煤机后滚筒20m以上距离，溜槽在水平方向的弯曲度不得大于3度，弯曲段长度不小于20m，该段保持多个推移千斤顶同时工作，移过的输送机必须达到平、稳、直要求，移溜过后，支架的操作手柄打到零位。

5)放顶煤

按“一刀一放”正规循环作业。放煤时采用双轮放煤，放煤工两人，一人追机放煤，另一人滞后20～30架补放煤，放煤工根据后刮板输送机煤量多少，控制好放煤量。放煤工严格执行“见矸关窗”的原则。

6)拉后部刮板输送机

放煤结束后，顺序将后部刮板输送机拉前，要求和推前部刮板输送机相同。

采煤机进刀方式见图16-6。

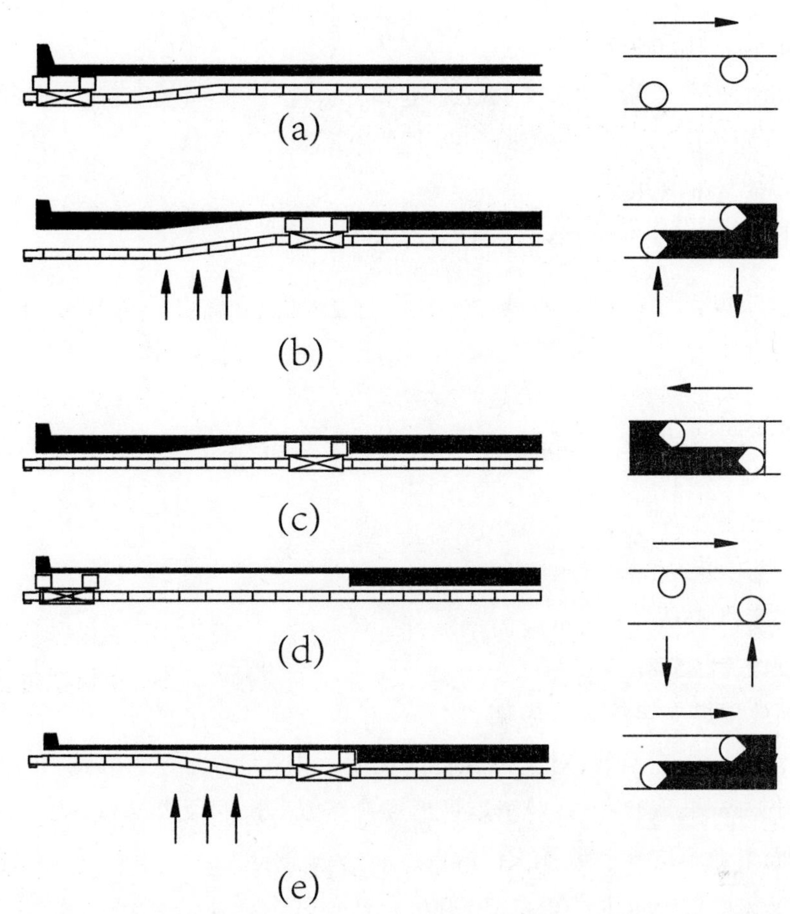

图16-6　采煤机进刀方式见

4.工作面正规循环生产能力

1)循环产量

W=L×S×h×r×C

=217.5×0.8×3.5×1.45×95%+(217.5-8.75)×0.8×9.83×1.45×75%≈838.9+1785.3

=2624.2 (T)

式中：　L—工作面长度m　　S— 采煤机截深 m

h—煤层厚度m　　r—煤的容重 T /m^3

C—工作面回采率%　　W—工作面正规循环生产能力t

2)日循环数

依据采煤机割煤、移架、推前刮板输送机、放顶煤、拉后刮板输送机等工序确定。

(1) 按割煤时间确定循环时间：

机组割一刀煤约需 217.5÷3+20≈93min，头、尾斜切进刀各需 20 min，合计一个循环需

93min。

(2) 按放煤时间确定循环时间:

每循环放煤时间的长短,决定于顶煤厚度和冒放性、工作面长度、输送机的生产能力以及支架放煤口的通过能力,循环放煤时间按下式计算:

$$T = hz \cdot b \cdot s \cdot \gamma \cdot \eta \cdot n \cdot K_f / K_p \cdot Q_f \quad (2-2)$$

$$= 9.83 \times 1.75 \times 0.8 \times 1.45 \times 85\% \times 119 \times 1/(0.4 \times 3000)$$

$$= 1.68\ h$$

$$\approx 101min$$

式中:

T—循环放煤时间,h

hz—顶煤厚度,9.83m

b—支架宽度,1.75m

s—循环放煤步距,0.8m

γ—煤体密度,1.45t/m^3

η—顶煤回收率,85%

n—工作面放顶煤支架总数,119架

K_f—顶煤冒落性影响系数,对于顶煤冒落块度适中,流动性好的取K_f=1;对于顶煤冒落块度大,需进行破碎的,取Kf=1.2;对于容易形成自然冒落拱的顶煤,取K_f=1.3,取1.2

K_p—工作面生产不均衡系数,K_p<1 取0.4

Q_f—放顶煤输送机小时生产能力,3000t/h

通过以上计算,一个循环放煤时间为101min,根据在综采作业过程中,割煤与放煤平行作业,通过循环割煤时间和循环放时间进行比较,循环时间以放煤时间为主,确定每循环的作业时间为101min。

则日循环数为(24-6)×60÷101×0.85≈9(个)

式中:0.85为事故影响系数。

3)日产量:

2862.2×9=25759.8(t)

4)正规循环:

详见图16-7:正规循环作业图表

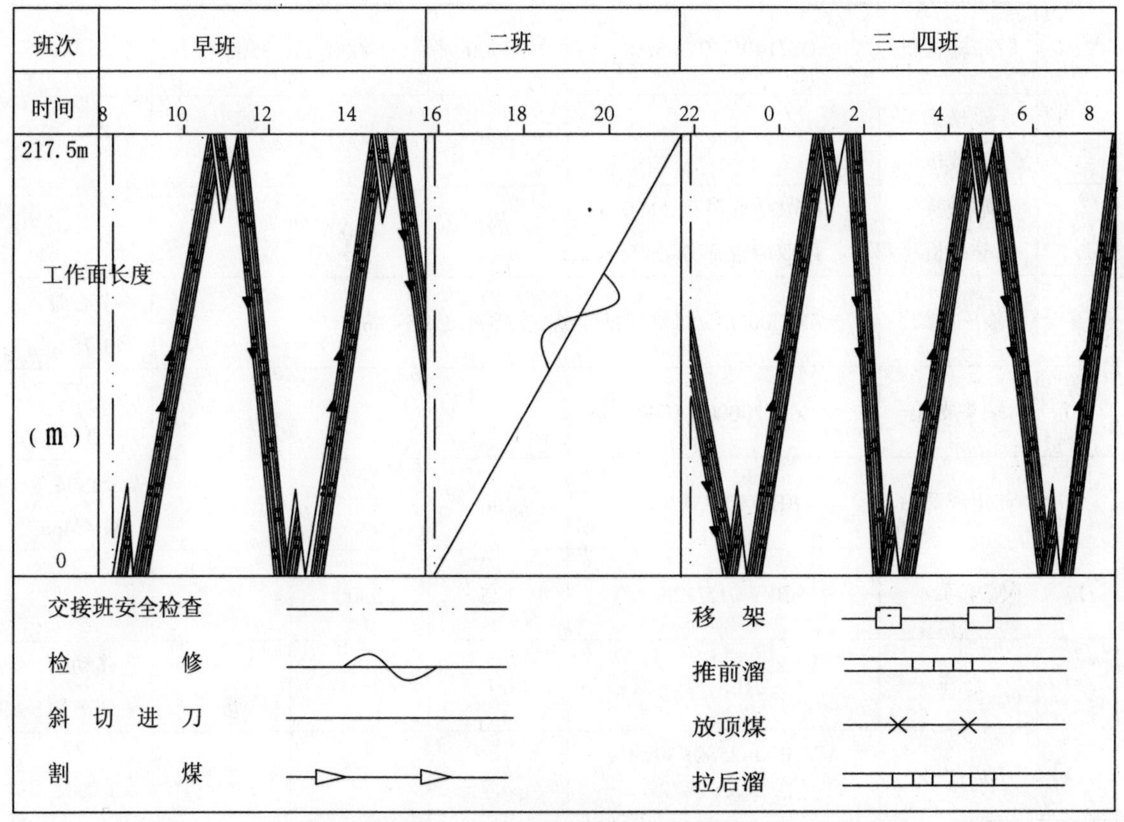

图 16–7　正规循环作业图表

5.设备配备

工作面主要机电设备配置见表：

表 16–9　　　　　工作面主要机电设备配置

序号	设备名称	型号	功率 KW	电压 V	生产能力	设备
1	采煤机	SL500	1815	3300	2700 t / h	
2	前部刮板输送机	PF6/1142	2×750	3300	2500 t / h	中间槽长 1.75 m
3	后部刮板输送机	PF6/1342	2×855	3300	3000 t / h	
4	转载机	PF6/1542	450	3300	3500 t / h	
5	破碎机	SK1118	400	3300	4250 t / h	

6	胶带输送机	DSJ140/350/3×500	3×500	10000	3500 t / h	
7	顺槽头 转载机	AFC	600	10000		
8	顺槽头 破碎机	MMD706 系列 1150mm， 中心距双齿辊筛分破碎机	400	10000		
9	液压支架	ZF13000/25/38 支撑掩护式，支撑高度 2.5-3.8m				中心距 1.75m
10	端头支架	ZTZ20000/25/38				宽度 3.34 m
11	乳化液泵站	BRW400/31.5A	250	3300	4台	压力： 31.4Mpa
12	喷雾泵站	BPW315/12K	125	3300	4台	
13	绞车	JH2-17	17	660		移动力 列车用
14	动力中心	AW2000-2500KVA/10/ 3.45KV/			2台	
15	动力中心	TEK1534-2500KVA/10/3.45			2台	
16	移动变电站	KBSGZY-500KVA/10/0.69			2台	
17	变电站	KBSG-315KVA/10/0.69			2台	

三、顶板管理

工作面布置 119 架 ZF13000／25／38 型支撑掩护式低位放顶煤液压支架、7 架 ZFG13000／26.5／38H 型放顶煤过渡支架及 1 架 ZTZ20000／25／38 型中置式端头支架支护工作面顶板，采用自然垮落法管理采空区顶板。架间中心距 1750mm，最大控顶距 6563mm，最小控顶距 5763mm，端面距控制在 368mm 以内。

1.正常工作时期顶板支护方式：

采用及时移架支护方式，采煤机割煤后，支架滞后采煤机后滚筒 3 ~ 5 架以外前移，移过后，支架接顶严实并达到初撑力。

1）顶煤初次跨落：

根据塔山煤田的地质报告，经专家论证及已采 8103、8104、8105 工作面开采验证，工作面顶煤疏松、易碎，采过切眼后，顶煤开始由中间向两边跨落，随着工作面的向前推进，顶煤能够自行全部跨落，满足放煤量要求，无需弱化顶煤。

2)初次放顶：

根据煤岩层地质情况以及专家实验室相似模拟试验情况及8103、8104、8105工作面的开采经验可知：工作面直接顶没有一个稳定的岩层结构，直接顶是由几层不同的岩层所组成，承载压力相对较小，极易受压跨落。工作面推进37m，直接顶初次分层跨落。

2.正常工作时期特殊的支护方式

1)工作面在正常回采过程中，遇两巷错车硐室，应加强对硐室的支护，在硐室内支护3排单体柱，每排3根，排、间距1.2m。

2)工作面正常回采中，如遇特殊情况需支设特殊支护，另行制定措施。

3.各工序之间的平行作业安全距离

采煤机割煤时，滞后采煤机后滚筒3~5架距离拉移支架，距离采煤机20m以上，推移工作面前部输送机，放煤后，拉移后部输送机，采煤机每割一次工作面头部移一次转载机。

4.特殊时期的顶板管理

1)来压及停采前的顶板管理

加强顶板来压的预测预报工作，准确判断来压的时间和位置。工作面要提前做好来压预防支护工作。提高支架检修质量，杜绝“跑、冒、滴、漏、窜”，严格规范支架工操作，确保泵站压力及支架初撑力合格，定期更换安全阀，以达到支架工作阻力的稳定，同时必须保证超前支护的数量和质量，提高设备开机率，保证工作面正常推进速度。在此期间、机道内严禁人员进入，若必须进入作业时，必须严格按机道内作业措施执行。

停采前要编制收尾专项措施，并按本作业规程严格管理顶板，以确保工作面实现安全顺利停产。

2)过断层及顶板破碎带的顶板管理

①过断层前，应根据工作面与断层走向的交角，调整开采工艺，使断层调至与工作面斜交或正交，以减少断层在工作面的揭露面积。

②顶板破碎时，采用擦顶带压移架。移架超前采煤机后滚筒进行移架，并及时伸出前伸梁，仍不好管理时，提前移架采用“割底、不割顶”来预留顶煤的措施管理顶板；条件允许在破碎处预注玛丽散，过顶板破碎带。操作机组时，机组司机要进入支架座箱里操作，以防后滚筒甩出煤块伤人。

③若发生漏顶，要采取提前移架或棚顶法：

a.提前移架法就是提前移架，缩小端面距。具体工艺为移架→→割煤→→推前溜→→拉后溜。

b.棚顶法用棚顶杆、木料做成假顶，擦顶移架通过方式。具体工艺为：距漏顶区域及漏顶区域5m范围内的支架前伸梁伸出，垂直于煤壁距顶0.4m，每间隔1.5m打一个棚顶杆眼，用规格为φ35mm，L=2.5m的棚顶杆（圆钢）插入眼内，外露0.3m，将直径不低于200mm的圆木平行于煤壁架在棚顶杆上，并用8#铅丝双股将棚顶杆与圆木捆绑牢固。扫底后，及时移架，钻入煤壁内。

c.过断层时，要根据具体情况提前加强支护，另行编制专项安全技术措施。

5.运输巷、回风巷及端头顶板管理

1）工作面运输巷、回风巷的顶板管理：

运输巷、回风巷的超前支护：

8106工作面采用放顶煤开采，开采便进入邻空，根据8105工作面开采情况，结合8106工作面与8105工作面的保护煤柱尺寸相比8103工作面、8104工作面加大到43m，确定以下支护方式，如在开采过程中压力增大，根据实际情况进行调整。

a.支护形式：

① 2106超前支护：采用单体柱配合一根5m长π型梁进行支护，梁与巷道垂直。最外侧两排单体柱排距4.7m，柱距1.4m，前10米支三排单体柱，后20米支双排单体柱，如π型梁与巷道原有工字钢重合，则采用单体柱配合巷道原有工字钢进行支护，单体柱采用DW-X45型单体柱。

② 5106巷超前支护：采用三根单体柱配合一根4m长π型梁进行支护，梁与巷道垂直。中间一排单体柱距巷道中心0.5m支设，最外侧两排单体柱排距3m，柱距1.2m，支护距离50m，单体柱采用DW-X45型单体柱。

2）与其他工序之间的衔接关系

正常情况下，每班将影响采煤机在头、尾斜切进刀的单体柱和π型梁提前进行回撤。如两巷顶煤破碎，应在破碎段加强支护，每循环将影响采煤机在头、尾斜切进刀的单体柱和π型梁回撤，严禁提前回撤单体柱和π型梁。撤出的单体柱和π型金属顶梁抬出超前支护之外，码放整齐。

3）架、回梁工艺

① 架尾超前支护的π型梁时，执行“先支中间后支两边，先将梁放在凳子上再将梁放在单体柱上”，至少六人配合架梁，一人扶单体柱，两人扶凳子，两人放π型梁，一人操作液枪。把要支设的单体柱与已支好的单体柱用联接杆联接在一起，将单体柱三用阀出液口指向采空区方向。先将π型梁放在凳子上，放好后，用铅丝双股把π型梁与顶板支护固定在一起，再操作液枪缓慢升中间的单体柱，待单体柱接实顶板后，用卡子将单体与π型梁固定，再操作液枪支两侧的单体柱，待两侧单体柱也接顶后，人员撤到5m以外安全地点，操作液枪人员进行远方操作将柱升紧升牢，达到初撑力。支柱时，严禁将单体柱快速升起，以防支柱滑倒伤人。

② 回尾超前支护的π型梁时，先回撤两端的单体柱：先拆除单体柱头的卡子，人员站在有单体支护的位置用长柄回柱钩一端插入支柱的三用阀，操作回柱钩缓慢泄液，待柱降下

后，一人扶柱，一人拆除联接装置，人工将单体柱抬到5 m以外的安全地点。再回中间的单体柱：先拆除单体柱头的卡子，人员站在5m以外的安全地点，远方操作回柱钩缓慢降柱，令单体柱自行倒地，如单体柱和π型梁不能自行倒地，需人工进行回倒单体柱时，人员要选择5m以外安全的地点，远方操作用长柄工具将单体柱推倒，人工将单体柱回出；如π型梁不能随单体下落，人员要站在凳子上，两人扶凳子，两人将π型梁放在凳子上，放好后，两人喊好口号，同时将π型梁扔到地上，人工将π型梁运出超前支护以外。如顶板破碎，先支临时支护再进行回撤。

③ 架头超前支护的π型梁时，至少六人配合架梁，一人扶单体柱，两人扶凳子，两人放π型梁，一人操作液枪。把要支设的单体柱与已支好的单体柱用联接杆联接在一起，将单体柱三用阀出液口指向采空区方向。先将π型梁放在凳子上，放好后，用铅丝把π型梁与单体柱固定在一起，再操作液枪缓慢升单体柱，待柱接实顶板后，人员撤到5m以外安全地点，操作液枪人员进行远方操作将柱升紧升牢，达到初撑力。支柱时，严禁将单体柱快速升起，以防支柱滑倒伤人。

④ 回头超前支护的π型梁时，至少六人配合架梁，一人扶单体柱，两人扶凳子，两人放π型梁，一人操作液枪。人员站在有单体支护的位置用长柄回柱钩一端插入支柱的三用阀，操作回柱钩缓慢泄液，待柱降下，π型梁与顶板连接的铅丝拉直后，剪断铅丝，将π型梁放在凳子上，放好后，一人扶柱，一人拆除联接装置，人工将单体柱回出，再操作液枪缓慢降单体柱，人工将π型梁运出超前支护以外。如顶板破碎，先支临时支护再进行回撤。

⑤ 回撤顺序：由里向外逐架回撤。

4)运输巷、回风巷的加强支护

当工作面超前压力显现异常和顶板破碎时，根据实际情况及时增加超前支护的数量和缩小排、间距，同时编制专项安全技术措施。

当工作面推进到距5106卸压巷100m时，根据实际情况采取补打临时木垛等方法对5106巷进行加强支护，另行编制专项安全技术措施。

工作面安全出口的管理：

(1)支护形式

① 2106端头采用1#端头支架（两架一组）、2#过渡支架进行维护。

② 5106端头支护

尾端头支护采用126＃、127＃过渡支架配合单体柱加0.8 mπ型金属顶梁维护尾安全出口。当尾最后一架支架距煤壁大于2m，支两排单体柱，排距1000mm，两排单体柱均匀支在支架与煤壁之间，柱距1200㎜；小于2m时，支一排单体柱，柱距1200㎜。支护范围从后刮板输送机后沿到工作面煤壁。

8106工作面关门柱支设要求：关门柱支设形式为对柱，支两排单体柱时，关门柱不少于四根，支设位置与后刮板输送机后沿对齐，支成一条直线。

③ 工作面头2-5#支架、尾123-126#支架采用单层金属网对顶板进行支护。金属网规格为2000×4000 mm。

(2)与其他工序之间的衔接关系

支回关门柱工序为:采煤机割尾→→回关门柱→→移架→→拉回后部刮板输送机→→支关门柱→→支单体柱

铺网工序为采煤机在头部斜切进刀时,停止采煤机割煤,停止前部刮板输送机并闭锁,人员在尾123-126#支架铺网,头2-5#支架铺网工序与之相反。

(3)支、回柱工艺

① 支设单体柱时,至少三人配合完成,把要支设的单体柱与已支好单体柱用联接杆联接在一起,将单体柱三用阀出液口指向古塘方向。一人扶单体柱,一人扶凳子(或梯子),一人放π型金属顶梁,等π型金属顶梁放好后,用卡子把π型金属顶梁与单体柱固定在一起,再操作液枪缓慢升柱。待柱接实顶板后,人员撤到5m以外安全地点,操作液枪人员进行远方操作将柱升紧升牢,达到初撑力。支柱时,严禁将单体柱快速升起,以防支柱滑倒伤人。

② 回单体柱时,采用远距离回柱法,具体为:用长柄回柱钩一端插入支柱的三用阀,人员站在距支柱2m以外的安全地点远方操作,缓慢泄液,待柱降下后,确认安全后,迅速拆掉π型金属顶梁,然后一人扶柱,一人拆除联接装置,将回出的一根单体柱支在下一个关门柱位置,另一根单体柱支在端头支护外下一单体柱位置。

③ 回撤顺序:由里向外逐架回撤。

(4)铺网工艺

① 沿工作面2#—5#、123#-126#支架间空隙处在顶煤上打一排整齐锚栓,锚杆φ18×1800 mm,杆距1750㎜,倾向工作面煤壁,倾角75°。

② 网的短边平行于工作面铺设,按照从头至尾(或从尾至头)的方向,顺序将每卷网的短边挂在锚栓上,网与网搭接在两支架间,搭接边长250㎜,搭接段用14#铅丝双股扭成双排扣联好,排距200㎜,扣距200㎜。

③ 当每卷网铺设剩余2 m时续网。

④ 续网时,网与网的搭接长度不小于200㎜,且网与网必须保证平行,以防搭接后,造成搭接不均,而影响铺网质量。

⑤ 联网要有专用工具,联网时扣距要均匀,连接要牢固,发现扭结处有断股现象,要重新扭接。

⑥ 续网时,作业人员站靠支架侧网的外边进行,发现有扯、搓网或网搭接不住时,必须及时补网,以保证铺网质量。

⑦ 机组割煤时,要将支架前探梁下的网吊起,防止机组通过时造成扯网、挂网的现象。

质量要求:

1.关门柱要打成一条直线,其偏差不得超过±100 mm,防倒、防坠装置安设齐全,以防倒柱、坠梁伤人。

2.支柱应支在实底上，并做到迎山有力，所有单体液压支柱三用阀方向一致，单向阀朝向采空区。

3.两巷的高度不得低于1.8 m，行人道宽度不得小于0.7 m。

4. 液管、电缆吊挂整齐，两巷回出的钢梁、刹顶木、锚杆、铁托板要及时运至超前支护之外，摆放整齐，当班或下班运走。

安全措施:

1. 每班支柱、回柱之前，必须先进行“敲帮问顶”检查，并认真清理好退路，确认安全可靠后，方可进行作业。

2. 支回柱要严格执行“先支后回”的原则，严禁提前回撤单体柱，操作人员必须远距离操作，防止柱子跌倒伤人。

3. 支单体柱时，单体柱必须支于实底上，严禁支在浮煤上，并做到迎山有力，底板松软时要穿铁鞋，所有单体支柱三用阀方向一致，阀嘴朝向采空区，防倒防坠装置齐全，防倒装置采用刚性连接，连接高度不小于支柱支设高度的二分之一，如防倒防坠装置不能安装，要用14#铅丝捆绑固定牢固；支在钢梁下的单体柱，柱头与钢梁用14#铅丝固定，以防跌倒伤人。

4. 支关门柱要与后部刮板输送机后沿平行，如浮煤多，要清理干净再进行支设，如顶底板不平，要垫好道木或木楔子，支设做到迎山有力。

5. 回撤头(或尾)超前支护单体柱及π型梁只能将影响采煤机在头、尾斜切进刀的超前支护进行回撤，其他不能提前回撤。回撤时，停止采煤机，停止前部刮板输送机并闭锁，停止转载机并闭锁，把采煤机范围内的支架缩到最小控顶距，并将护壁板打开，停止操作两端头范围内10架支架，方可开始回撤。头(或尾)端头范围内支柱、回柱作业严禁与刮板输送机头(或尾)的移动、头(或尾)10架支架的移架及机组头(或尾)斜切进刀等工序平行作业。

6. 应派专人时刻注意观察顶板、巷道两帮支护情况，发现顶空、巷道支护失稳等情况时，必须立即停止作业，及时处理。

7. 更换自降单体柱时，严格执行“先支后回”的原则。

8. 回π型梁时，如顶板破碎，需支设临时替柱方可回撤。

9. 不论何种原因碰倒的支柱都要及时补支，否则严禁继续作业。

运输巷、回风巷的巷道维护管理:

1. 巷道出现网包、片帮要当班维护，保证巷道畅通。

2. 两巷浮煤杂物必须及时清理干净，备用设备码放整齐，做到通风、行人、运输畅通。

3. 巷道顶煤破碎时，要提前铺设金属网，网与网之间搭接不小于200 mm，网钩间距不大于300 mm，并与原巷道金属网固定。

4. 巷道出现局部冒落，必须立即派专人进行刹顶、架设钢梁，以防事故扩大。

5. 加强两巷超前支护和端头的管理，不得提前回撤支柱，支护质量符合要求。

支护材料的使用数量和存放管理：

两巷超前支护及端头支护需5 mπ型梁26根、4 mπ型梁42根、单体柱212根，金属顶梁8根。按20%的备用量计算，场上料场备有：5 mπ型梁5根、4mπ型梁8根、4.5 m单体柱43根，金属顶梁2根，直径大于200㎜、6 m长木柱5m³、4 m长木柱5m³、1200×150×150 mm（长×宽×高）道木5m³，、5m³木背板、50根4.5 m长工字钢及300个木楔。物料要码放整齐，标志牌齐全。见图16-8：工作面支护示意图。

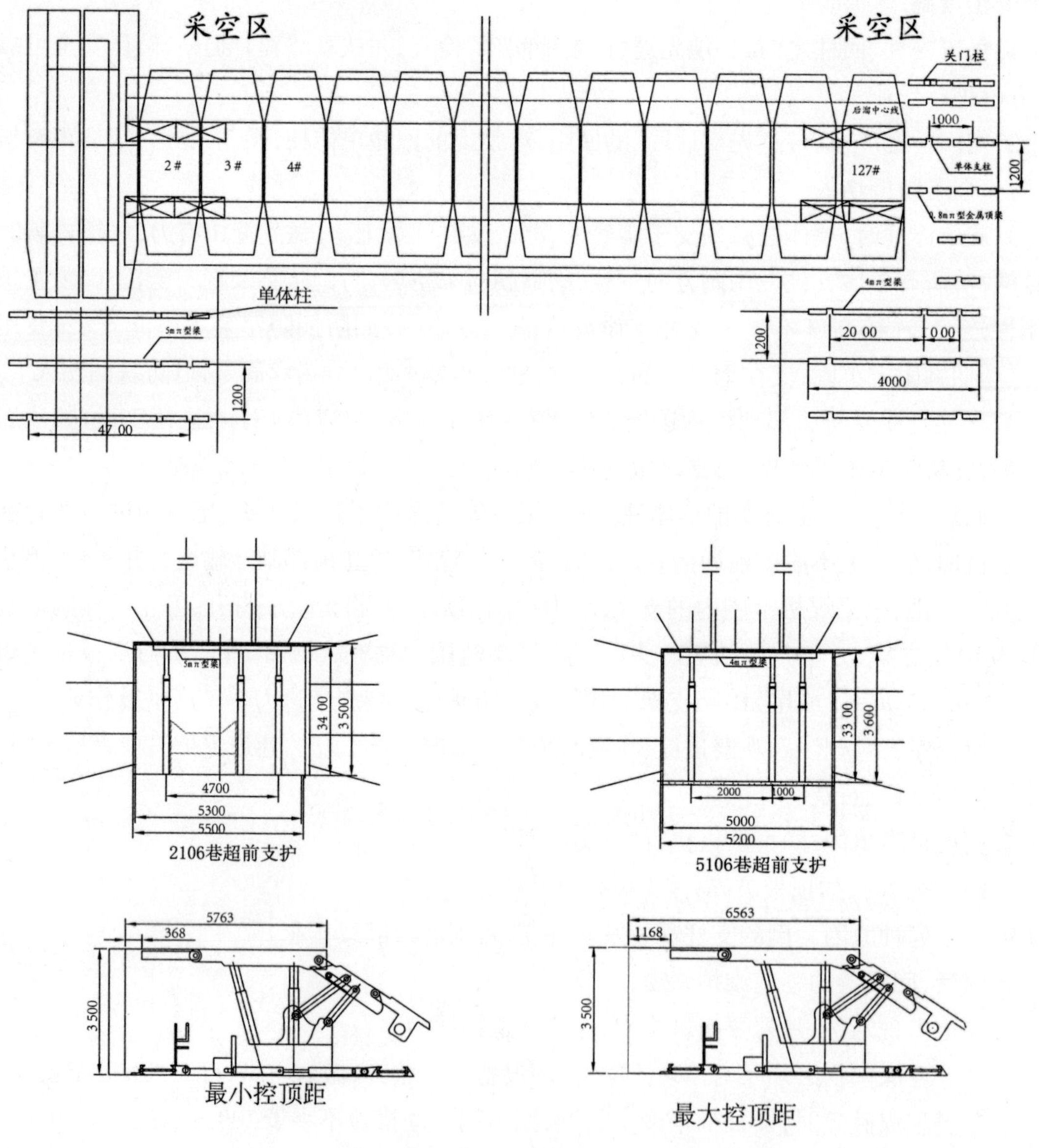

图16-8 工作面支护示意图

第十七章　山西省煤矿"六个标准"涉及内容

第一节　山西煤炭行业"六个标准"及总则

一、山西煤炭行业"六个标准"

一年重点达标、两年基本达标、三年全面达标，今年为标准落实年。学标准、懂标准、用标准。

1.《山西省煤矿办矿企业标准》

2.《山西省煤矿建设标准》

3.《山西省煤矿建设施工管理标准》

4.《山西省煤矿管理标准》

5.《山西省煤矿现代化矿井标准》

6.《山西省煤矿安全质量标准化标准》

二、山西省煤矿（井工）安全质量标准化标准及考核评级办法（总 则）

第一条

为贯彻落实国家局《煤矿安全质量标准化基本要求及评分方法》，进一步推进我省煤矿安全质量标准化建设，按照"七高一文明"的发展模式，结合我省实际，特制定《山西省煤矿安全质量标准化标准及考核评级办法》（以下简称"标准及评级办法"）。

第二条

本标准及评级办法适用于山西省境内所有合法生产的井工煤矿。煤矿安全质量标准化矿井分为一、二、三级。竣工投产矿井的安全质量验收参照本标准执行。

第三条

山西省煤矿安全质量标准化考核评级必须具备以下条件：

1.安全方面：一级标准化矿井年度百万吨死亡率为0，不得发生死亡事故；二级标准化矿井年度百万吨死亡率必须控制在市或集团公司当年百万吨死亡率以下，但不得发生3人及以上死亡事故；三级标准化矿井考核年度内不得发生3人及以上死亡事故。

2.依法开采：必须具有采矿许可证、安全生产许可证、煤炭生产许可证、矿长资格证、矿长安全资格证、营业执照等证照，并齐全有效。

3.采煤方法：必须实现正规壁式开采或按批准的采煤方法开采，生产布局合理，采掘关系正常。

4.瓦斯抽放:矿井“四量”即开拓煤量、准备煤量、回采煤量、高瓦斯及“双突”矿井抽采煤量符合规定,采区回收率达到规定。矿井产量不得超过矿井瓦斯抽采系统能力。

第四条

安全质量标准备化考核专业分为11个,即采煤、掘进、机电、运输、一通三防、地测防治水、信息调度、应急救援、地面设施、安全管理和职业健康,各专业采用百分制。

煤矿安全质量标准化标准考核评级计分以100分为满分,按专业得分乘以权重系数,计算结果为矿井总得分。各专业的权重系数见下表。

表17–1　　煤矿安全质量标准化考核评级各专业权重系数

序号	专业	权重	序号	专业	权重
1	采煤	0.10	7	信息调度	0.07
2	掘进	0.10	8	应急救援	0.06
3	机电	0.10	9	地面设施	0.05
4	运输	0.07	10	安全管理	0.10
5	一通三防	0.18	11	职业健康	0.05
6	地测防治水	0.12			

第五条

煤矿安全质量标准化考核评级:

一级:检查考核得分90分及以上,采煤、掘进、机电、运输、一通三防、地测防治水、安全管理专业不低于90分,其他4个专业不低于80分。

二级:检查考核得分80分及以上,采煤、掘进、机电、运输、一通三防、地测防治水、安全管理专业不低于80分,其他4个专业不低于70分。

三级:检查考核得分70分及以上,采煤、掘进、机电、运输、一通三防、地测防治水、安全管理专业不低于70分,其他4个专业不低于60分。

第六条

凡存在《国务院关于预防煤矿生产安全事故的特别规定》(国务院令第446号)第八条十五项重大安全隐患之一的矿井以及不符合国家、省政府及省煤炭厅相关规定的,不予认定安全质量标准化矿井等级。

第七条

煤矿安全质量标准化矿井考核程序:各市、各集团公司年初要制定达标规划,根据达标规划,组织省属煤矿按岗位达标专业达标、企业达标的步骤组织实施,对达标矿井按照以下程序申报。

(一)申报:按照自下而上、逐级评比的原则,各市监管的煤矿由各市煤炭局初验,省属五大集团公司由集团公司组织初验,初验收合格的煤矿分别由各市煤炭局,各集团公司以正式文件向省煤炭厅申报。省煤炭厅根据各单位初验申报文件,组织现场验收,验收结果作为年度考核依据。

（二）认定：省煤炭厅通过现场验收，对各市煤炭局、各国有重点煤炭集团申报的标准化矿井进行审核和认定，符合条件的予以认定，不符合条件的不予认定。

（三）公示：为确保标准化矿井认定的公平、公正、合理，对已认定的标准化矿井，省煤炭厅将在山西煤炭信息网上公示一周，广泛征求本行业各级部门、各煤矿企业的意见，公示期满后，对合理化意见进行采纳，并作出适当调整。

（四）表彰：根据公示确定的标准化矿井名单，省煤炭厅适时召开全省煤矿安全质量标准化工作会议，对达到标准化标准的矿井予以命名表彰。

第八条

煤矿安全质量标准化矿井的检查考核：

（一）日常检查：按照分级负责的原则实施日常检查，省厅每半年抽查一次，各市和各国有重点煤矿集团公司每季度检查1次，县（市、区）每两个月检查1次，煤矿每月检查1次。对日常检查的结果建立台账档案，并录入信息平台实施管理，作为年度检查考核的主要内容之一。

（二）年度检查：根据各市、各国有重点煤矿集团公司初验合格上报的安全质量标准化矿井，省厅组织年度安全质量标准化矿井检查验收：一级安全质量标准化矿井逐矿检查验收；二、三级安全质量标准化矿井采用随机抽查的方式进行，抽查率不低于所在市、集团公司所属生产矿井及建设改造投产矿井数的30%。省厅未检查验收的二、三级标准化矿井，认定各市、各集团公司申报的验收结果。

第九条

鼓励煤矿企业积极开展科技创新，积极推行机械化开采、自动化操作、信息化管理。

凡符合以下条件的，由煤矿企业在年度标准化考评中，向省煤炭厅提出加分申请，经认定符合条件的，予以适当加分。

（一）考核年度内获得国家级、省级重大科技创新奖的分别加3分。

（二）年度内在机械化、自动化、信息化方面采用先进技术和装备的，适当加分。

1.采掘工作面全部实现机械化的，加2分；

2.采用自动化操作，实现无人工作面，加3分；

3.矿井标准化工作实现信息化管理的，加2分；

4.采用充填法等绿色开采方法的，加2分；

5.采用其他先进技术工艺的，酌情加分，但分值不得超过3分。

第十条

年度所有生产矿井安全质量标准化标准考核必须达标。对未达标的生产矿井，省煤炭厅将依法暂扣其煤炭生产许可证，责令停产整顿，限期达标；整改达标后，经市煤炭局、国有重点煤炭集团公司验收合格后，将验收达标情况上报省煤炭厅，认定达标后方可恢复生产。

第十一条

建设改造矿井在竣工投产前,由相关市煤炭局、国有重点煤炭集团公司对其组织标准化专项验收,验收达标的出具安全质量标准化验收意见,方可领取煤炭生产许可证。

第十二条

山西省煤炭工业厅负责《山西省煤矿安全质量标准化标准及考核评级办法》的解释。本标准及考核评级办法自下发之日起执行。

第二节 采煤专业标准

采煤专业标准:

井工煤矿采煤专业按工艺分为综采综放、高档普采、水力采煤等几类。根据矿井采用的不同采煤工艺,使用相应的采煤专业标准和评分方法。

一、基本条件

矿井不得存在以下情况:

(1)采煤工作面数量超出允许布置个数;

(2)采煤工作面未实现正规壁式开采或未按批准的采煤方法开采;

(3)采煤工作面回采率未达到规定要求。

二、基本要求

1.基础管理要符合的要求

(1)有支护质量、顶板动态监测制度及地质和水文地质分析、预报制度,技术管理体系健全;

(2)作业规程和措施针对性、操作性强,审批手续完备,贯彻、考核和签字记录齐全,对作业规程每月至少组织一次复审并有复审意见;

(3)有支护材料管理台账。

2.岗位规范要符合的要求

(1)应进行岗位人员培训,其能力符合相应岗位要求;

(2)操作规范,无违章指挥、无违章作业、无违反劳动纪律的行为;

(3)管理人员、技术人员应掌握专业技术,作业人员熟知本岗位作业规程和安全技术措施;

(4)作业前进行隐患排查,并实行闭合管理。

3.质量与安全要符合的要求

(1)工作面的支护形式、支护参数符合规程或设计要求;

(2)工作面出口畅通,进、回风巷断面满足通风、运输、行人、设备安装、检修需要;

(3)设备完好,保护齐全,使用规范;

(4)乳化液泵站压力和乳化液浓度符合要求,并有现场检测手段;

(5)工作面通信、监测监控设备运行正常;

(6)有完善的安全防护设施和安全措施。

4.机电设备要符合的要求

(1)采煤机、输送机、转载机、破碎机、支架(支柱)等选型有科学依据;

(2)设备能力匹配,系统无制约因素;

(3)无国家明令淘汰、禁止使用的危及生产安全的设备。

5.文明生产要符合的要求

(1)作业场所卫生整洁,照明符合规定;

(2)工具、材料等放置整齐,管线吊挂规范,图牌板内容准确、清晰;

(3)作业范围内支护完好,无失修巷道。

三、评分方法

1.根据矿井采用的采煤工艺,分别按表对照评分,每个表的总分均为100分。小项分数扣完为止。

2.矿井采煤工作面按所检查存在的问题进行扣分,对不同工作面中出现的同样问题不重复扣分。

3.其他采煤工艺参照执行。

4.项目内容中有缺项时,按下列计算公式进行折算:

$$A=\frac{B}{B-C}\times D$$

式中　A——本项折合分数;

B——本项标准分数;

C——缺项分数;

D——本项检查实得分数。

表 17–1　　综采综放采煤安全质量标准化标准和评分表

项目	内容	基本要求和标准	分值	评分方法
一、基础管理(15分)	监测预报	1.监测支护质量和顶板动态,建立分析和处理制度,监测、分析和处理闭合,记录资料齐全	3	查现场和资料。未开展动态监测和建立制度的,不得分;资料缺1项,扣1分
		2.对工作面地质及水文地质,每月至少进行1次预报,并经矿总工程师(矿技术负责人)审查签字后,向矿相关部门和施工单位报告	3	查记录资料。未开展预报的,不得分;有1项不符合要求,扣1分
	规程措施	1.作业规程符合《煤矿安全规程》和技术规范要求,并结合实际和变化情况,及时进行修订; 2.作业规程编制、审批、贯彻、实施等管理制度健全,矿总工程师(矿技术负责人)每月至少组织1次复审,并有复审意见; 3.工作面安装、初次放顶、收尾、回撤、过地质构造带、过老巷、过煤柱、冒顶区时,必须制定专项措施; 4.生产现场有安全技术措施,各种图牌板(设备布置图、通风系统图、监测通信系统图、供电系统图、工作面支护示意图、正规作业循环图表、避灾路线图等)清晰规范; 5.放顶煤开采的工作面,要编制工作面开采设计,制定防瓦斯、防灭火等专项安全技术措施,并按规定进行审批和验收	7	查现场和资料,缺1项扣1分,1项不符合要求扣0.5分
	支护材料	支护材料实行台账管理(规格、型号、数量及合格证等),不超期使用,并定期检修;现场备用支护材料和备件符合作业规程要求	2	查现场和资料。备用材料和备件不足,不得分;其他缺1项,扣0.5分
二、岗位规范(10分)	持证上岗	管理人员按规定要求取得安全资格证,新工人经培训合格后上岗,特种作业人员持证上岗	2	查资料。有1人不符合要求不得分
	规范作业	现场作业人员操作规范,执行"敲帮问顶"制度和开工前安全确认制度,无"三违"行为;零星工程施工有针对性措施、有跟班干部	3	查现场和资料。有1项不符合要求,扣1分
	专业技能	管理和技术人员掌握专业技术,作业人员掌握本岗位规程和技术措施	2	随机抽考。有1人达不到要求,扣0.5分
	隐患排查	作业前进行隐患排查,实行闭合管理,并建立隐患排查整改记录	3	查现场和记录。作业现场存在隐患,不得分;隐患未实行闭合管理,扣2分;无整改记录,扣1分

项目	内容	基本要求和标准	分值	评分方法
三、质量与安全(50分)	顶板管理	1.液压支架初撑力不低于泵站额定值的80%(24Mp);工作面支架必须安装测压表,进行现场检测(放顶煤工作面检查前柱)	3	查现场。沿工作面均匀选5点,并在某两点间再任选5点,有1点不合格扣1分
		2.工作面液压支架的中心距误差不超过100mm;支架间间隙不超过200mm;立柱前后偏差不超过-50~50mm;侧护板正常使用;支架不超高使用	3	查现场。沿工作面均匀选5点,并在某两点间再任选5点,有1点不合格扣1分
		3.液压支架接顶严实,顶梁平整,最大仰(俯)角不超过7°;相邻支架错茬不超过顶梁侧护板高的2/3;支架不挤不咬,无压死的支架;放顶煤工作面支架的最小高度、放煤口插板与尾溜间距离、高度应符合作业规程的规定	3	查现场。1处不符合要求扣1分
		4.工作面应做到“三直一平”;工作面液压支架端面距应符合作业规程规定。工作面伞檐长度大于1m时,其最大突出部分应为,薄煤层不超过150mm、中厚以上煤层不超过200mm;伞檐长度在1m以下时,最突出部分应为,薄煤层不超过200mm、中厚煤层不超过250mm	4	查现场和资料。1处不符合要求扣1分
		5.液压支架、支柱应编号管理,牌号清晰;操纵阀手有限位装置	2	查现场。1处不符合要求扣0.5分
		6.工作面内特殊支护齐全;局部悬顶和冒落不充分(面积小于2m×5m)的应采取措施,超过的应进行强制放顶。特殊情况下不能强制放顶时,应有加强支护的可靠措施和矿压观测监测手段	3	查现场和资料。1处不符合要求该项不得分
		7.不任意丢失顶煤和底煤。留顶(底)煤、托夹矸开采,应有审查批准的专项安全技术措施	3	查现场和资料。1处不符合要求扣0.5分,留煤顶、托夹矸开采时无安全措施的不得分
		8.采用放顶煤、采空区充填等特殊生产工艺的采煤工作面,支护和顶板管理要符合作业规程的要求	2	查现场和资料。1处不符合要求扣0.5分
		9.机道梁端至煤壁顶板冒落高度不大于300mm;工作面因顶板破碎局部冒落或分层开采,需要铺设假顶时,按作业规程的规定执行	2	查现场和资料。未采取措施或未按规定铺设假顶,该项不得分
		10.对工作面工程质量、顶板管理、规程落实及安全隐患整改情况进行每班评估,并做好记录	1	查现场和记录。未进行每班评估不得分,记录不符合要求扣0.5分

项目	内容	基本要求和标准	分值	评分方法
		11.工作面控顶范围内顶底板移近量不大于100mm；工作面及两巷底板松软时，支柱应穿柱鞋，确保钻底小于100mm；工作面顶板不应出现台阶下沉	2	查现场。1处不符合要求扣0.5分
		12.工作面上、下出口控顶距符合作业规程规定；进、回巷与工作面放顶线放齐；挡矸有效	2	查现场和资料。1处不符合要求扣1分
三、质量与安全(50分)	安全出口与端头支护	1.工作面安全出口畅通，高度不小于1.8m，人行道宽度不低于0.8m；工作面内排头支架与巷道支护间距不应大于0.5m。宜使用端头支架或其他有效支护形式	4	查现场。安全出口不畅通，该项不得分；其他1处不符合要求扣2分
		2.超前支护距离不小于20m，支柱柱距、排距允许偏差±100mm，初撑力符合作业规程规定，并进行现场检测	4	查现场和资料。超前支护距离不符合要求不得分；上下超前支护段均匀各选5点，有1点不符合要求扣1分
		3.架棚巷道超前替换距离、锚杆(索)支护巷道退锚距离符合作业规程规定	2	查现场和资料。距离不足不得分
	安全管理	1.各转载点设喷雾灭尘装置，带式输送机机头、乳化液泵站、配电点等场所配齐消防器材和设施	2	查现场。1处不符合要求扣0.5分
		2.设备转动外露部位、溜煤井上口等人员通过的地点有可靠的安全防护设施	2	查现场。1处不符合要求不得分
		3.工作面倾角超过15°时，液压支架有防倒、防滑措施，其他设备有防滑措施；倾角在25°以上时，还必须有防止煤(矸)窜出刮板输送机伤人的措施；单体液压支柱有防倒措施	3	查现场。1处不符合要求扣1分
		4.运输机机尾要加盖板；运输机行人跨越处要有过桥；安全间距应符合规定；工作面刮板输送机信号闭锁应符合要求；运输机机尾、小绞车要有压柱和地锚	3	查现场。1处不符合要求扣1分
四、机电设备(15分)	设备选型	1.液压支架技术性能与工作面条件相适应；支护参数应根据矿压和地质资料等进行科学计算和选择；支架工作阻力应满足设计要求	2	查现场支护状况、矿压、地质资料和支护设计。不符合要求不得分
		2.采煤机选型应满足煤层采高、截割的难易程度、地质构造发育程度和能力要求；具备遥控控制功能	2	查现场。对采煤机选型不满足要求的，不得分；无遥控功能的，扣1分
		3.落煤、装煤、运煤、支护等工艺装备能力匹配，无制约因素	2	查现场和资料。1处不符合要求不得分

项目	内容	基本要求和标准	分值	评分方法
	设备管理	1.支架液压系统无漏、窜液,管路无挤压;控制阀有效;支架部件不缺损;采煤机、刮板输送机、胶带输送机、转载机、破碎机等设备完好,保护齐全,运行可靠,符合机电设备的管理规定;采煤机喷雾装置符合规定,内外喷雾有效;有机载瓦斯报警断电装置	4	查现场。1处不符合要求扣1分
		2.乳化液泵站、管路系统完好,乳化液浓度3%~5%,泵站压力不小于30MPa;现场有乳化液浓度检测手段,并定期对泵站清洗和检修	2	查现场。1处不符合要求扣1分
		3.开关上架;电气设备不被淋水	1	查现场。1处不符合要求不得分
		4.通信系统畅通可靠;监测、监控设备运行正常,安放位置符合规定	1	查现场。1处不符合要求扣0.5分
		5.辅助运输设备完好,保护齐全,制动可靠,安设符合要求,声光信号齐全;轨道铺设符合要求;钢丝绳及其使用符合《煤矿安全规程》要求,检验合格	1	查现场。1处不符合要求不得分
五、变化管理(5分)	管理制度	建立健全变化管理工作制度	2	查文件、台账和资料。无制度不得分
	现场管理	管理部门、区队和班组每天排查人员、时段、工艺、工具、工序、系统和环境等变化情况,发现问题及时处理	2	查现场和资料。缺1次或1项扣1分
	预控措施	对设计和地质、水文、冲击地压、通风、运输、设备、人员等变化,超前分析,采取措施	1	询问并查记录。缺1次或1项扣1分
六、文明生产(5分)	面外环境	1.主要巷道、泵站、油脂库、转载点、休息地点等场所有照明;图牌板齐全、清晰整洁;巷道交叉口有路线指示牌、避灾标识牌	1	查现场。1项不符合要求扣0.5分
		2.巷道净高不低于2.6m,行人宽度不低于0.8m;支护完整,作业范围内无失修巷道;安全距离符合规定	1	查现场。1处不符合要求扣0.5分
		3.巷道及硐室底板平整,管线、电缆吊挂整齐,无浮碴及杂物、无淤泥、无积水;管路、设备无积尘;物料分类码放整齐,有标志牌;设备、物料放置地点与通风设施距离大于5m	1	查现场。1处不符合要求扣0.5分
	面内环境	1.工作面内管线、电缆敷设整齐;支架内无浮煤、积矸;照明符合规定	1	查现场。1处不符合要求扣0.5分
		2.瓦斯及其他有毒有害气体浓度不超限;工作面温度超过26℃应采取降温措施	1	查现场。1项不符合要求不得分

表17-2　　高档普采采煤安全质量标准化标准和评分表

项目	内容	基本要求和标准	分值	评分方法
一、基础管理(15分)	监测预报	1.监测支护质量和顶板动态,建立分析和处理制度,监测、分析和处理闭合,记录资料齐全	3	查现场和资料。未开展动态监测和建立制度的,不得分;资料缺1项,扣1分
		2.对工作面地质及水文地质,每月至少进行1次预报,并经矿总工程师(矿技术负责人)审查签字后,向矿相关部门和施工单位报告	3	查记录资料。未开展预报的,不得分;有1项不符合要求,扣1分
	规程措施	1.作业规程符合《煤矿安全规程》和技术规范要求,并结合实际和变化情况,及时进行修订; 2.作业规程编制、审批、贯彻、实施管理制度健全,矿总工程师(矿技术负责人)每月至少组织1次复审,并有复审意见; 3.工作面安装、初次放顶、收尾、回撤、过地质构造带、过老巷、过煤柱、冒顶区时,必须制定专项措施; 4.生产现场有安全技术措施,各种图牌板(设备布置图、通风系统图、监测通信系统图、供电系统图、工作面支护示意图、正规作业循环图表、避灾路线图等)清晰规范; 5.开采三角煤和残留煤柱时,必须编制专项安全技术措施,并报上一级主管部门批准	7	查现场和资料。缺1项扣1分,1项不符合要求扣0.5分
	支护材料	支护材料实行台账管理(规格、型号、数量及合格证等),不超期使用,并定期检修;现场备用支护材料和备件符合作业规程要求	2	查现场和资料。备用材料和备件不足,不得分;其他缺1项,扣0.5分
二、岗位规范(10分)	持证上岗	管理人员按规定要求取得安全资格证,新工人经培训合格后上岗,特种作业人员持证上岗	2	查资料。1人不符合要求不得分
	规范作业	现场作业人员操作规范,执行"敲帮问顶"制度和开工前安全确认制度,无"三违"行为;零星工程施工有针对性措施、有跟班干部	3	查现场和资料。有1项不符合要求,扣1分
	专业技能	管理和技术人员掌握专业技术,作业人员掌握本岗位规程和技术措施	2	随机抽考。有1人不达要求,扣0.5分
	隐患排查	作业前进行隐患排查,实行闭合管理,并建立隐患排查整改记录	3	查现场和记录。作业现场存在隐患,不得分;隐患未实行闭合管理,扣2分;无整改记录,扣1分

项目	内容	基本要求和标准	分值	评分方法
三、质量与安全(50分)	顶板管理	1.悬移(网格式、整体顶梁)支架初撑力不应低于泵站额定值的80%,工作面支架必须安装测压表;单体液压支柱初撑力符合《煤矿安全规程》要求,有现场检测手段	3	查现场。沿工作面均匀选5点,并在某两点间再任选5点,1点不合格扣1分
		2.悬移(网格式、整体顶梁)支架的中心距(单体支柱间距)误差不超过100mm;架间间隙不超过200mm;支架(单体支柱)排距误差不超过-50~50mm	3	查现场。沿工作面均匀选5点,并在某两点间再任选5点,1点不合格扣1分
		3.支架(支柱)不超高使用;悬移(网格式、整体顶梁)支架接顶严实;顶梁平整,最大仰、俯角不超过7°;相邻支架错茬不超过100mm;支架不挤、不咬;无压死的支架	3	查现场。1处不符合要求扣1分
		4.工作面应做到"三直一平";支架(支柱顶梁)端面距应符合作业规程规定。工作面伞檐长度大于1m时,其最大突出部分应为,薄煤层不超过150mm,中厚以上煤层不超过200mm;伞檐长度在1m以下时,最突出部分应为,薄煤层不超过200mm,中厚煤层不超过250mm	4	查现场和资料。1处不符合要求扣1分
		5.支架(支柱)应编号管理,牌号清晰;操纵阀手有限位装置;单体支柱注液口方向朝向落山侧	2	查现场。1处不符合要求扣0.5分
		6.工作面内特殊支护齐全;局部悬顶和冒落不充分(面积小于2m×5m)的应采取措施,超过的应进行强制放顶。特殊情况下不能强制放顶时,应有加强支护的可靠措施和矿压观测监测手段	3	查现场和资料。1处不符合要求该项不得分
		7.不任意丢失顶煤和底煤。留顶(底)煤、托夹矸开采,应有审查批准的专项安全技术措施	3	查现场和资料。1处不符合要求扣0.5分,留煤顶、托夹矸开采时无安全措施的不得分
		8.机道梁端至煤壁顶板冒落高度不大于200mm;工作面因顶板破碎局部冒落或分层开采,需要铺设假顶时,按作业规程的规定执行	2	查现场和资料。未采取措施或未按规定铺设假顶,该项不得分
		9.对工作面工程质量、顶板管理、规程落实及安全隐患整改情况进行每班评估,并做好记录	1	查现场和记录。未进行每班评估不得分,记录不符合要求扣0.5分

项目	内容	基本要求和标准	分值	评分方法
		10.工作面控顶范围内顶底板移近量不大于100mm；工作面及两巷底板松软时，支柱应穿柱鞋，确保钻底小于100mm；工作面顶板不应出现台阶下沉	2	查现场。1处不符合要求扣0.5分
		11.工作面上、下出口控顶距符合作业规程规定；进、回巷与工作面放顶线放齐；挡矸有效	2	查现场和资料。1处不符合要求扣1分
		12.工作面不得使用不同类型和不同性能的支架（支柱），严禁出现单梁、单柱，无卸载支架（支柱）	2	查现场。对工作面使用不同类型和不同性能的支架（支柱）的，不得分；对工作面出现单梁、单柱或卸载支架（支柱）的，有1处扣1分
三、质量与安全（50分）	安全出口与端头支护	1.工作面安全出口畅通；工作面安全出口高度不小于1.8m；人行道宽度不低于0.8m；工作面机头（尾）必须保证在有效支护范围内，其移动步距及支护方式必须在作业规程中明确规定	4	查现场。安全出口不畅通该项不得分；其他1处不符合要求扣2分
		2.超前支护距离不小于20m，支柱柱距、排距允许偏差±100mm，初撑力符合作业规程规定，并进行现场检测	4	查现场和资料。超前支护距离不符合要求不得分；上下超前支护段均匀各选5点，有1点不符合要求扣1分
		3.架棚巷道超前替换距离、锚杆（索）支护巷道退锚距离应符合作业规程规定	2	查现场和资料。距离不足不得分
	安全管理	1.各转载点设喷雾灭尘装置，带式输送机机头、乳化液泵站、配电点等场所配齐消防器材和设施	2	查现场。1处不符合要求扣0.5分
		2.设备转动外露部位、溜煤井上口等人员通过的地点有可靠的安全防护设施	2	查现场。1处不符合要求扣1分
		3.单体支柱有防倒措施；工作面倾角超过15° 时，悬移（网格式、整体顶梁）支架要有防倒、防滑措施，其他设备有防滑措施；倾角在25° 以上时，工作面有防止煤（矸）窜出刮板输送机伤人的措施	3	查现场。1处不符合要求扣1分
		4.运输机机尾要加盖板；运输机行人跨越处要有过桥；安全间距应符合规定；工作面刮板输送机信号闭锁应符合要求，输送机机头机尾、两巷小绞车要有牢固的压柱和地锚	3	查现场。1处不符合要求扣1分

项目	内容	基本要求和标准	分值	评分方法
四、机电设备(15分)	设备选型	1.悬移(网格式、整体顶梁)支架(单体支柱)的性能应与工作面条件相适应;支护参数应依据矿压和地质资料进行科学计算和选择;支架工作阻力满足设计要求	2	查现场支护状况、矿压、地质资料和支护设计。不符合要求不得分
		2.采煤机选型应满足煤层采高、截割的难易程度、地质构造发育程度和能力要求;具备遥控控制功能	2	查现场。对采煤机选型不满足要求的,不得分;无遥控功能的,扣1分
		3.落煤、装煤、运煤、支护等工艺装备能力匹配,无制约因素	2	查现场和资料。1处不符合要求不得分
	设备管理	1.支架液压系统无漏、窜液,管路无挤压;控制阀有效;支架部件不缺损;采煤机、刮板输送机、胶带输送机、转载机、破碎机等设备完好,保护齐全,运行可靠,符合机电设备的管理规定;采煤机喷雾装置符合规定,内外喷雾有效;有机载瓦斯报警断电装置	4	查现场。1处不符合要求扣1分
		2.乳化液泵站、管路系统完好,乳化液浓度2%~3%,泵站压力不小于18MPa;现场有乳化液浓度检测手段,并定期对泵站清洗和检修	2	查现场。1处不符合要求扣1分
		3.开关上架;电气设备不被淋水	1	查现场。1处不符合要求要求扣1分
		4.通信系统畅通可靠,监测、监控设备运行正常,安放位置符合规定	1	查现场。1处不符合要求扣0.5分
		5.辅助运输设备完好,保护齐全,制动可靠,安设符合要求,声光信号齐全。轨道铺设符合要求;钢丝绳及其使用符合《煤矿安全规程》要求,检验合格	1	现场检查。1处不符合要求扣0.5分
五、变化管理(5分)	管理制度	建立健全变化管理工作制度	2	查文件、台账和资料。无制度不得分
	现场管理	管理部门、区队和班组每天排查人员、时段、工艺、工具、工序、系统和环境等变化情况,发现问题及时处理	2	查现场和资料。缺1次或1项扣1分
	预控措施	对设计和地质、水文、冲击地压、通风、运输、设备、人员等变化,超前分析,采取措施	1	询问并查记录。缺1次或1项扣1分

项目	内容	基本要求和标准	分值	评分方法
六、文明生产(5分)	面外环境	1.主要巷道、泵站、油脂库、转载点、休息地点等场所有照明;图牌板齐全、清晰整洁;巷道交叉口有路线指示牌、避灾标识牌	1	查现场。1项不符合要求扣0.5分
		2.巷道净高不低于2.0m,行人宽度不低于0.8m;支护完整,作业范围内无失修巷道;安全距离符合规定	1	查现场。1处不符合要求扣0.5分
		3.巷道及硐室底板平整,管线、电缆吊挂整齐,无浮碴及杂物、无淤泥、无积水;管路、设备无积尘;物料分类码放整齐,有标志牌;设备、物料放置地点与通风设施距离大于5m	1	查现场。1处不符合要求扣0.5分
	面内环境	1.工作面内管线、电缆敷设整齐;支架内无浮煤、积矸;照明符合规定	1	查现场。1处不符合要求扣0.5分
		2.瓦斯及其他有毒有害气体浓度不超限;工作面温度超过26℃采取降温措施	1	查现场。1项不符合要求扣0.5分

表17-3 水力采煤安全质量标准化标准和评分表

项目	内容	基本要求和标准	分值	评分方法
一、基础管理(15分)	监测预报	1.监测支护质量和顶板动态,建立分析和处理制度,监测、分析和处理闭合,记录资料齐全	3	查现场和资料。未开展动态监测和建立制度的,不得分;资料缺1项,扣1分
		2.对工作面地质及水文地质,每月至少进行1次预报,并经矿总工程师(矿技术负责人)审查签字后,向矿相关部门和施工单位报告	3	查记录资料。未开展预报的,不得分;有1项不符合要求,扣1分
	规程措施	1.作业规程符合《煤矿安全规程》和技术规范要求,并结合实际和变化情况,及时进行修订; 2.作业规程编制、审批、贯彻、实施等管理制度健全,矿总工程师(矿技术负责人)每月至少组织1次复审,并有复审意见; 3.发生窝水、水枪被埋或处理溜煤眼(巷道)、明槽堵塞事故时,必须制定专项措施; 4.生产现场有安全技术措施,各种图牌板(设备布置图、通风系统图、监测通信系统图、工作面支护示意图、正规作业循环图表、避灾路线图等)清晰规范; 5.水力采煤工作面,要编制工作面开采设计,并报上一级主管部门批准; 6.开采三角煤和残留煤柱时,必须编制专项安全技术措施,并报上一级主管部门批准	7	查现场和资料,缺1项扣1分,1项不符合要求扣0.5分
	支护材料	支护材料实行台账管理(规格、型号、数量及合格证等),不超期使用,并定期检修;现场备用支护材料和备件符合作业规程要求	2	查现场和资料。备用材料和备件不足,不得分;其他缺1项,扣0.5分
二、岗位规范(10分)	持证上岗	管理人员按规定要求取得安全资格证,新工人经培训合格后上岗,特种作业人员持证上岗	2	查资料。有1人不符合要求不得分
	规范作业	现场作业人员操作规范,执行"敲帮问顶"制度和开工前安全确认制度,无"三违"行为;零星工程施工有针对性措施、有跟班干部	3	查现场和资料。有1项不符合要求,扣1分
	专业技能	管理和技术人员掌握专业技术,作业人员掌握本岗位规程和技术措施	2	随机抽考。1人不达要求扣0.5分
	隐患排查	作业前进行隐患排查,实行闭合管理,并建立隐患排查整改记录	3	查现场和记录。作业现场存在隐患,不得分;隐患未实行闭合管理,扣2分;无整改记录,扣1分

项目	内容	基本要求和标准	分值	评分方法
三、质量与安全(50分)	顶板管理	1.相邻2个小阶段巷道之间和漏斗式采煤的相邻2个上山眼之间,必须开凿联络巷,用以通风、行人和运料。联络巷间距和支护形式必须在作业规程中规定	5	查现场和资料。1处不符合要求不得分
		2.水枪附近必须架设护枪台棚;护枪方式必须在作业规程中明确规定;煤层倾角超过15° 的漏斗式采煤工作面,必须在水枪处设挡矸斜戗柱或挡矸板	5	查现场和资料。1处不符合要求扣1分
		3.水枪后20m范围内巷道支护完整牢固;无断梁折柱;柱排距符合作业规程规定	5	查现场和资料。1处不符合要求扣1分
		4.在顶板破碎或压力较大的煤层中,漏斗式采煤时,上山两侧的回采煤垛应上下错开,左右交替采煤	5	查现场。1处不符合要求不得分
	安全出口与端头支护	1.工作面安全出口畅通;安全出口高度不小于1.8m,人行道宽度不小于0.8m	5	查现场。安全出口不畅通不得分,其他1处不符合要求扣2分
		2.在巷道交叉口必须架设双口棚	5	查现场。1处不符合要求扣0.5分
	安全管理	1.行人横过明槽处必须设过桥;必须制定防止窝水和人员掉入明槽的措施;风筒必须设在溜煤侧	4	查现场。1处不符合要求扣1分
		2.水枪附近必须有直通高压泵房或调度站的声光兼备的信号装置,并保持通讯畅通;距水枪不得大于10m;安全绳按规定设齐,长度不得少于10m;跟枪闸门距水枪不得大于5m	4	查现场。1处不符合要求扣1分
		3.用明槽输送煤浆时,倾角超过25° 的巷道,明槽必须封闭,否则禁止行人。倾角在15° ~25° 时,人行道与明槽之间必须加设1m以上的挡板或挡墙,设置台阶扶手;在拐弯、倾角突然变大以及有煤浆溅出的地点,在明槽处应加高挡板或加盖	4	查现场。1处不符合要求扣1分
		4.打开盲管堵板、水枪倒枪转水、拆除和检修高压水管时必须制定安全措施	4	查资料和现场。1处不符合要求不得分
		5.从事水力采煤工作的人员,必须佩戴防潮和防寒的劳动保护用品;水枪司机必须佩戴防止反溅煤水伤人的劳动保护用品	4	查现场。1处不符合要求不得分

<table>
<tr><th>项目</th><th>内容</th><th>基本要求和标准</th><th>分值</th><th>评分方法</th></tr>
<tr><td rowspan="8">四、机电设备(15分)</td><td rowspan="3">设备选型</td><td>1.水枪、高压泵、渣浆泵选型应满足能力要求</td><td>2</td><td>查现场。1处不符合要求扣1分</td></tr>
<tr><td>2.高压供水管、煤水管选型要结合具体条件</td><td>2</td><td>查现场。1处不符合要求扣1分</td></tr>
<tr><td>3.工作面工艺与运煤装备能力匹配,无制约因素</td><td>2</td><td>查现场。1处不符合要求扣1分</td></tr>
<tr><td rowspan="5">设备管理</td><td>1.高压泵、渣浆泵等设备完好,保护齐全,符合规程要求</td><td>2</td><td>查现场。1处不符合要求扣1分</td></tr>
<tr><td>2.管路铺设必须设在巷道上帮一侧,高压管路快速接头楔铁的方向一致;高压管路不漏水</td><td>2</td><td>查现场。1处不符合要求扣1分</td></tr>
<tr><td>3.快速接头连接的高压水管和煤水管及焊接的高压水管、煤水管在安装和使用前必须进行耐压试验,试验压力不小于使用压力的1.5倍;定期测定水管管壁厚度</td><td>2</td><td>查现场和资料。1处不符合要求扣1分</td></tr>
<tr><td>4,水枪完好,操作灵活;定期对使用水枪进行耐压试验;严禁使用枪筒中心线偏心距离超过设计规定的水枪</td><td>2</td><td>查现场和资料。1处不符合要求扣1分</td></tr>
<tr><td>5,通信系统畅通可靠;监测、监控设备运行正常,安放位置符合规定开关上架;电气设备不被淋水</td><td>1</td><td>查现场。1处不符合要求扣0.5分</td></tr>
<tr><td rowspan="3">五、变化管理(5分)</td><td>管理制度</td><td>建立健全变化管理工作制度</td><td>2</td><td>查文件、台账和资料。无制度不得分</td></tr>
<tr><td>现场管理</td><td>管理部门、区队和班组每天排查人员、时段、工艺、工具、工序、系统和环境等变化情况,发现问题及时处理</td><td>2</td><td>查现场和资料。缺1次或1项扣1分</td></tr>
<tr><td>预控措施</td><td>对设计和地质、水文、冲击地压、通风、运输、设备、人员等变化,超前分析,采取措施</td><td>1</td><td>询问并查记录。缺1次或1项扣1分</td></tr>
</table>

项目	内容	基本要求和标准	分值	评分方法
六、文明生产(5分)	面外环境	1.设备硐室、主要巷道、休息地点等场所有照明;图牌板齐全、清晰整洁;巷道交叉口有路线指示牌、避灾标识牌	1	查现场。1项不符合要求扣0.5分
		2.主要巷道净高不低于2m,行人宽度不低于0.8m;支护完整;作业范围内无失修巷道;安全距离符合规定	1	查现场。1处不符合要求扣0.5分
		3.巷道及硐室底板平整,无浮碴及杂物、无淤泥、无积水;管路、设备无积尘;物料分类码放整齐,有标志牌;设备、物料放置地点与通风设施距离大于5m;管线吊挂整齐	1	查现场。1处不符合要求扣0.5分
	面内环境	1.工作面内管路敷设整齐;无积矸、杂物;照明符合规定	1	查现场。1处不符合要求扣0.5分
		2.瓦斯及其他有毒有害气体浓度不超限,工作面温度超过26℃采取降温措施	1	查现场。1项不符合要求扣0.5分

第三节 “人人都是通风员”

通风管理是煤矿安全生产的关键环节。为有效防范和坚决遏制煤矿生产安全事故,省煤炭厅决定,在全省煤矿推行“人人都是通风员”理念,现提出以下指导意见:

一、推行“人人都是通风员”理念的重要意义

“人人都是通风员”理念的精神实质是以人为本、安全发展,本质内涵是人人有责、齐抓共管,核心要素是通风管理、全员参与,根本要求是过程控制、超前预防。这一理念不仅强调“通风”是煤矿安全生产的重要内容,而且突出“人人”在煤矿安全工作中的主体地位,是对新时期煤矿通风管理客观规律的科学认识和准确把握,是对新时期煤矿通风管理实践经验的基本概括和高度总结。在全省煤矿推行“人人都是通风员”理念,是着眼于煤矿瓦斯等级管理的新要求,加强通风管理和瓦斯防治的重要举措;是着眼于提升员工素质预防事故的新需要,增强全员通风知识和管理能力的有效手段;是着眼于当前建设现代化矿井的新形势,强化安全责任全员化和现场管理标准化的根本措施,对于加强煤矿安全生产工作具有现实意义。

二、推行“人人都是通风员”理念的目标要求

推行“人人都是通风员”理念,重点要围绕人人都懂通风知识、人人都会通风管理、人人

都抓通风安全的工作目标，按照人人都懂通风基础知识、懂瓦斯基本常识、懂瓦斯防治标准，人人都会使用瓦检仪器、会识别瓦斯隐患、会采取避灾措施和人人都能做到无风微风不作业、做到瓦斯超限不作业、做到粉尘超标不作业的岗位标准，以井下作业人员为重点，全面覆盖从业人员，具体达到以下要求：

(一)普及通风知识，提高全员安全素质。将《人人都是通风员·煤矿安全新论》和《煤矿安全规程》作为基本教材，把煤矿“一通三防”的系统理论、管理规定、专业技能、岗位责任、瓦检仪器使用、瓦斯治理技术、典型事故案例、事故防范措施和井下电气知识等作为基础内容，开展通风知识大培训。

(二)主动排查隐患，解决现场安全问题。坚持把隐患排查治理作为安全生产的有效手段，运用所学知识，能主动识别瓦斯隐患，采取安全防范措施，及时消除事故隐患，自觉做到不安全不生产，预防和减少事故发生。

(三)强化责任落实，构建齐抓共管格局。紧紧抓住责任落实这个关键环节，建立健全各项政策规定和规章制度，使管安全、抓落实成为员工的行为准则和自觉行动，构建起以“专人专管”为基础、“全员参与”为导向的安全工作大格局。

(四)形成长效机制，促进企业安全发展。始终坚持用“人人都是通风员”理念指导安全生产工作，形成人人有责、人人负责、人人尽责的安全生产长效机制，促进煤矿企业健康可持续发展，加快实现煤矿安全生产形势根本好转。

三、推行“人人都是通风员”理念的途径步骤

推行“人人都是通风员”理念的具体途径是，宣传认知、培训教育、现场实践和拓展延伸。从2013年4月起开始，按照统一组织、分步实施原则，积极稳妥地开展理念实践活动。

第一步：宣传认知(4月)。集中1个月时间，对“人人都是通风员”理念进行广泛宣传阐释，让煤矿员工熟知理念的主要内容和现实意义，引导员工加深对理念的理解和认同，激发员工参与的积极性和主动性，能做到自觉自愿。

第二步：培训教育(5~10月)。按照“干什么学什么、缺什么补什么”的原则，分培训主体、分培训层次、分培训内容开展全员培训，重点要突出岗位操作技能、瓦检仪器使用、隐患识别排查和自救互救能力等内容的培训，真正达到学懂弄通。

第三步：现场实践(7~12月)。要把理念运用于实践，自觉以查隐患为手段、促整改为重点、防事故为目标，做到人人主动工作、人人行为规范、人人超前预防，在现场实践中解决问题，及时消除事故隐患，发挥好实践作用。

第四步：拓展延伸(12月)。认真总结理念实践活动的做法和成果，分析存在的问题和差距，有针对性地提出实践活动的拓展专业和延伸内容，将理念根植在全员心中，贯穿于安全工作的全方位，体现到安全生产的全过程，建立起长效机制。

参 考 文 献

1.张先尘，钱鸣高等.中国采煤学.北京：煤炭工业出版社，2003

2.张先民，王春城.实践性教学指导书.徐州：中国矿业大学出版社，1994

3.徐永圻.煤矿开采学(修订本).徐州：中国矿业大学出版社，1999

4.曹允伟，王春城等编.煤矿开采方法. 北京：煤炭工业出版社，2003

5.徐永圻.采矿学.徐州:中国矿业大学出版社，2003

6.马新民.矿山机械.徐州:中国矿业大学出版社，2003

7.煤矿安全规程.国家煤矿安全监察局，2010

8.孟宪锐，李进民.现代放顶煤开采理论与实用技术. 徐州：中国矿业大学出版社，2001

9.闫少宏，富强.综放开采顶煤顶板活动规律的研究与应用.北京：煤炭工业出版社，2003

10.张希峻.煤矿开采方法.徐州：中国矿业大学出版社，1993

11.杨振复，罗恩波.放顶煤开采技术与放顶煤液压支架.北京：煤炭工业出版社，1995

12.张荣立，何国伟等.采矿工程设计手册.北京：煤炭工业出版社，2003

13.煤炭工业部.煤炭工业技术政策.北京：煤炭工业出版社，1998

14.陈郑正.采煤专业毕业设计指导书.徐州：中国矿业大学出版社，1998

15.宋西陀.煤矿开采方法. 北京：煤炭工业出版社，1986

16.中华人民共和国行业标准.煤炭工业设计规范.北京：煤炭工业出版社，1997

17.王家廉，吴绍倩.煤矿地下开采方法.北京：煤炭工业出版社，1985

18.李西凤.急倾斜煤层开采.北京：煤炭工业出版社，1982

19.姜汉信.综合机械化采煤.山东：山东科学技术出版社，1980

20.戴绍诚，李世文等.高产高效综合机械化采煤技术与装备.北京：煤炭工业出版社，1997